ロシア・サイバー侵略

その傾向と対策

Scott Jasper
Russian Cyber Operations
Coding the Boundaries of Conflict

スコット・ジャスパー
川村幸城【訳】

作品社

日本のみなさんへ。ぜひ本書を手に取っていただきたい。

いま、ウクライナは、罪もない人々への無差別な虐殺に直面し、さらに発電所などの生活に必要なインフラや民間施設へのミサイル攻撃を受けています。

歴史をひも解けば、ロシアによるこのような侵略は、今に始まったわけではありません。ウクライナに対するサイバー空間での攻撃はプーチンがロシアで権力を握った約20年前から絶え間なく仕掛けられてきました。特に、ロシアの軍事侵攻が始まった2014年から活発化したのです。つまり、サイバー空間におけるロシアの侵略は、本書で描かれているように、通常の兵器がまだ使われていない時期にすでに始まっていたのです。

同じサイバー脅威にさらされている日本の皆さんにもぜひ本書を手に取っていただき、われわれの教訓と脅威への対処法を学んでいただきたいのです。そして、これからやってくる、いやすでに起きているさまざまな日本に対する脅威から、我が身を守るすべを学んでいってほしいと願っております。

Dr. コルスンスキー・セルギー　駐日ウクライナ特命全権大使

＊衆議院議員・長島昭久政策顧問の金子洋一氏（元参議院議員）には、Dr. コルスンスキー・セルギー駐日ウクライナ特命全権大使による推薦文の掲載について、在日ウクライナ大使館との調整にご尽力いただきました。記して謝意を表します。（編集部）

２０２２年版への序文

２０２０年初めに本書のハードカバー版が刊行されて以来、アメリカでは新聞の見出しを飾る一連のサイバーインシデントが相次いで起こり、［２０２２年には］ウクライナで戦争が勃発した。そこから読み取れることは、ロシアが精巧なサイバー作戦を運用し続けており、効果的な影響力工作やサイバー諜報、サイバー攻撃を継続しているということである。この序文では、初版刊行後に起きたサイバーインシデントを取りあげ、それらが今後どのような意味をもつのかについて、簡単ではあるが読者に提供することとしたい。

２０２０年11月のアメリカ大統領選挙で、モスクワはアメリカの有権者を揺さぶり、国内に不和をもたらす目的で、サイバー技術を駆使した影響力キャンペーンを実施した。[▼1] 投票の１カ月後、アメリカのＩＴ企業であるソーラーウィンズ（SolarWinds）社を標的とするソフトウェア・サプライチェーン型のサイバー工作がロシアにより行われていたというニュース報道が流れた。この秘密工作は、アメリカの政府機関および民間組織を攻撃対象とする意思と能力を示していた。その後２０２１年5月には、ロシアを拠点とする犯罪者グループがコロニアル・パイプライン（Colonial Pipeline）社をランサムウェアで攻撃し、翌月には別のグループがJBS Meat Packing社〔ブラジルに本拠を置く食肉加工の多国籍企業〕を同じ方法で攻撃した。いずれの攻撃においても、重要インフラが制御不能に陥った。さらに2022年1月からは、ロシア軍のハッカーおよびロシアとの関係が疑われているベラルーシのグループが、ロシアのウクライナへの全面的な軍事侵攻に先立ち、ウェブサイトの改ざん、破壊的なワイパーマルウェア、分散型サービス拒否攻撃などを行い、ウクライナ政府と社会を攻撃した。これらのサイバーインシデントは民主主義陣営を衰退させ、自らが優位に立ち、紛争や競争が生じている地域に混乱をもたらすためにサイバー工作を用いるという、ロシアの継続的な意図を示している。アメリカの政府機関や軍が悪意のある行動を抑止し、それに対応しようと試みているにもかかわらず、攻撃のペースは衰えていない。

ロシアのサイバー行動は被害が発生する前に検知されることのないよう、技術的に洗練された状態を維持している。また、違法行為に分類されることを避けるため、法的な曖昧さを巧妙に悪用し続けている。ロシアのサイバー活動は日常的に武力紛争の閾値を超えぬよう、被害国を刺激したり、被害国に法的に正当な強制力を伴う対応を許さないようにしている。つまり、ロシアは紛争と競争の境界線を自国に有利になるように押し広げているのである。ロシア連邦は2022年のウクライナ侵攻に先立ち、責任ある国家であることを装う試みとして、サイバースペースのための国際ルールや規範を歓迎する姿勢を示し、自ら国連に提出した決議案が2018年に採択されている。この決議案は、他国の内政に干渉する真実を歪めたニュースの流布に対抗する国家の義務を認め、サプライチェーンに埋め込まれた隠れた有害機能に対する懸念を表明するとともに、コンピュータ技術を用いた不法行為に自国の領土が利用されることを故意に容認しない国家の責任を認めている。[▼2] しかし、これらの確立した原則を遵守するかどうかの判断は、悪質なサイバー行為が自国の国益を増進するか否かに応じ、結局はロシア連邦の裁量に委ねられているように思われる。

とはいえ、関与否認の薄い皮は剝がれ始めている。２０２０年の大統領選挙期間中、アメリカの国家安全保障局の勧告で、セキュリティ業界がつけた代理グループの名称に関連するロシア軍のユニット番号が初めて明らかにされた。例えば、一般に〈サンドワーム（Sandworm）〉チームとして知られているサイバーアクターはＧＲＵ（軍参謀本部情報総局）特殊技術メインセンター（GTsST）のフィールドポスト番号７４５５であると同局は報告している。[3] その後、アメリカ司法省による訴追の中で、２０１５年のウクライナの電力網攻撃と２０１７年のウクライナに対する《ノットペーチャ（NotPetya）》マルウェア攻撃（アメリカ国内の医療システムや営利企業に拡散）の主犯は同じ軍事ユニットであると特定された。[4] こうした攻撃元の特定《アトリビューション》は攻撃の責任を関連グループではなくロシア政府に負わせようとするものであり、アメリカ政府による「名指しと恥さらし《ネーム・アンド・シェイム》」キャンペーンの狙いをより鮮明にした。アメリカの重要インフラに対するランサムウェア攻撃は、ロシア政府と直接的には関連付けられていないものの、アメリアはソーラーウィンズ関連のインシデントについてもロシアを攻撃元として特定している。そして、ウクライナ侵攻の１週間前にウクライナの国防機関や銀行に対して行われた分散型サービス拒否攻撃について、ホワイトハウスは文書に記述された技術的証拠に基づき、速やかにロシア軍の情報総局によるものであると断定した。[5]

サプライチェーン攻撃

２０２０年12月、サイバーセキュリティ企業のファイア・アイ（FireEye）社は、ビジネスソフト「ソーラーウィンズ・オリオン（SolarWinds Orion）」の更新のタイミングを悪用して、《サンバースト（SUNBURST）》と呼ばれるマルウェアが撒布されているというサプライチェーン攻撃の実態を明らかにした。[6]

このマルウェアは、ファイルの転送と実行、システムのプロファイルとマシンの再起動、システム・サービスの無効化などのコマンドを取得する。このソフトウェアの更新は、2020年3月から5月にかけて1万8000人のソーラーウィンズ社の顧客によってダウンロードされた。インストールの後、《サンバースト》は組織の識別情報を攻撃者に送信し、攻撃者は関心の高い標的を指定することができた。このキャンペーンにより、アメリカの国務省、エネルギー省、財務省など9つの連邦政府機関と、主にテクノロジーや通信分野の民間企業約100社に被害が及んだ。ハッカーは国土安全保障省の職員や地方検察官の電子メール通信に数カ月間アクセスを維持することができた。[7] 被害者のネットワークにさらに深く侵入するため、攻撃者は《コバルト・ストライク（Cobalt Strike）》と呼ばれる第2段階のペイロード（これは合法的なテストツールである）を展開した。《コバルト・ストライク》は10カ月以上もの間、複数のテクニックを駆使して不正行為を偽装し続け、検知を逃れていた。例えば、攻撃者は被害国にあるIPアドレスを選び、不正取得した認証情報を使ってネットワーク内を移動し、正規のファイルを置き換え、予定されていたタスクを操作してユーティリティやツールを実行し、その後オリジナルを復元したのである。

　連邦政府機関は《サンバースト》のインストールとその後の侵入行為を検出することができなかった。マルウェアのネットワーク・トラフィックは、アメリカ政府が導入した侵入検知システムである「アインシュタイン」（EINSTEIN）を回避しながら、オリオンの正規のビジネス活動を装っていたからである。また、このマルウェアはフォレンジック・ツールやアンチウイルス・ツールに関連するプロセス、サービス、ドライバを識別し、それらを無効にするために未知のブロックリストを使用していたが、パロアルト・ネットワークス（Palo Alto Networks）社のCortex XDRツールを無効にすることができなかった。[8] 10月初旬、このツールの行動保護機能が、同社のソーラーウィンズのサーバにダウンロードされようとした《コバルト・ストライク》のペイロードを瞬時に検出し、ブロックした。[9] 同社のセキュリティ運用センターは、サーバを隔離して調査を開始した。パロアルト・ネットワークス社は観察結果をソーラーウィンズ社に通知したが、当時、ダウンロードの動作については局部的に生じたインシデントであると考えられていた。[10]

国家安全保障会議のタスクフォースは、ソーラーウィンズ社のサプライチェーンへの侵害は「ロシアを起源とする高度で持続的な脅威（APT）アクター」によるものであると断定した。[11] 彼らは「これは情報収集のための活動であり、これからもそうである」と見なした。この声明では、当該活動をサイバー諜報に分類していたが、サイバー諜報自体は国際法上禁止されているわけではない。アメリカを含むすべての国がこの種の活動に従事しているという現実があり、それに直接的に対処する場合の選択肢はおのずと限られる。「コンピュータ詐欺・不正利用防止法（CFAA）」は、政府のコンピュータに侵入し、国家安全保障に関する情報を取得したハッカーを訴追するために適用できる可能性があった。しかし、これまでにも中国軍がアメリカの商業ネットワークに侵入し、企業秘密を窃取したかどで訴追されてきたが、サイバー諜報活動に同法は適用されていない。また、ロシアの国家機関をサイバー諜報で起訴することは、ただちにNSAやCIAのハッカーに対して逆用されかねない危険な前例となる恐れがあった。これまでロシア軍に対して発動されてきた制裁は、選挙妨害や破壊的なサイバー攻撃など、不安定化をもたらすサイバー活動に対するものであった。

結局、バイデン政権は、ロシア連邦による攻勢的活動への抑止と対処を目的とした複数の制裁措置に、このサイバーインシデントを含めることを決定した。これによりソーラーウィンズ関連のインシデントは初めて正式にSVRとして知られるロシア対外情報庁によるものと断定された。この制裁措置により、ロシア政府の情報機関を支援するロシア国内の32の指定個人または団体と6つのハイテク企業の財産と利権が差し押さえられた。さらにホワイトハウスは、ワシントンのロシア大使館からロシア人外交官10名（うち数名は情報将校と疑われていた）を追放した。[12] また、アメリカ財務省はロシアの中央銀行、財務省、政府系投資ファンドが発行する「ルーブル建てまたは非ルーブル建て債券の発行市場に、アメリカの金融機関が参加することを禁止する」という通達を発出した。[13] しかし、アメリカの銀行がロシアの銀行からルーブル建ての国債を流通市場で購入することを止めなかったため、国債への制裁の効果は比較的穏やかなものとなった。[14] バイデンがこの制裁を発表した後、ルーブルがドルに対して値を戻したほどである。

制裁措置が象徴的な意味をもつようになったのは1カ月後、マイクロソフト社がロシア対外情報庁（SVR）による大規模な不正メール・キャンペーンを暴いたときだった。[15] ソーラーウィンズ社へのハッキングの背後にいた脅威アクターは、正規のマス・メールサービスである「コンスタント・コンタクト（Constant Contact)」を利用してアメリカ国際開発庁になりすまし、不正リンクを含んだ偽のフィッシング・メールを送信していた。クレムリンはマイクロソフト社の報告書を根拠のない誹謗中傷であるとして否認した。しかし、SVRのハッカーが立ち去らないことを示すさらなる証拠が、2021年10月のマイクロソフト社の新たな報告書で示された。マイクロソフト社はクラウド・サービス・プロバイダーを含む140社以上のテクノロジー企業に不正アクセスするSVR関連の活動を検出した。セキュリティ・リサーチャーは「ネットワークの」下流《ダウンストリーム》に位置する顧客へのアクセスを可能にしたクラウド環境全体の動きを観察した。[16] アメリカ政府当局はサイバー工作が進行中であることを確認していたが、それは「主要国が互いに定期的に行っているスパイのカテゴリーに入る」と主張した。[17] ここでも再び、諜報活動に関するスタンスが将来の侵入を抑止する実効的な対応を阻んだのである。

重要インフラへの攻撃

２０２１年５月、コロニアル・パイプライン社の従業員がハッカーからの身代金請求書をパソコン画面で発見した。同社は「脅威を封じ込めるため、特定のシステムをオフラインにした」ため、「すべてのパイプラインの操業を一時的に停止した」[18]と公表した。この措置により、アメリカ南部メキシコ湾岸地域の製油所から東海岸に向かうガソリン、ディーゼル、ジェット燃料の日量１億ガロンの流れが停止した。このパイプラインの閉鎖により、ガソリンスタンドには長蛇の列ができ、価格は過去６年間で最も高い水準となった。[19] ＦＢＩは〈ダークサイド（DarkSide）〉と呼ばれるサイバー犯罪者グループがこの攻撃の実行犯であると非難した。〈ダークサイド〉は「サービスとしてのランサムウェア（Ransomware-as-a-Service）」というビジネスモデルを展開しており、ランサムウェアの開発、支払いサイトやデータ漏洩サイトの維持管理、被害者との交渉などを行いながら、ネットワークへの侵入、データの窃取、システムの暗号化を行う系列会社をリクルートしていた。攻撃者は漏洩により再利用されたパスワードを使用してコロニアル・パイプライン社のシステムに侵入し、２時間で１００ギガバイトのデータを盗み出し、ランサムウェアでＩＴネットワークを感染させた。[20]〈ダークサイド〉はネット上の声明で、その意図は政治的なものではないと述べ、社会に問題を引き起こすことなく金銭を稼ぐことだけを望んでいると主張した。[21] 一方で燃料供給を再開する緊急性を強調し、攻撃の数時間後には５００万ドルという高額な身代金を受け取ったのである。[22]

バイデン大統領は「私たちには、今回の攻撃を行った犯人がロシアに住んでいると信じるに足る十分な根拠があります……私たちは、責任ある国々がこうしたランサムウェアのネットワークに対して断固とした行動を取ることが不可欠であることを、モスクワと直接話し合ってきました」と語った。[23] この主張は国際法の「相当の注意（due diligence）」の原則から導かれたもので、これは他国の権利に反する行為のために自国の領土を故意に使用させてはならないとする国家の義務である。法学者は、この原則は他国にとって「重大な悪影響をもたらす」サイバー行動に適用されると主張している。[24] １週間以上続いたパイプラインの停止は、確かにそのような結果をもたらした。プーチン大統領の報道官は記者団に対し、「ロシアはこうしたハッカー攻撃とは無関係だ」と主張した。[25] しかし、あるセキュリティ企業の報告書は「ロシアのインテリジェンス機関と法執行機関が、犯罪的脅威アクターと長年にわたって暗黙の了解を取り交わしている可能性がきわめて高い」と結論づけている。[26] 攻撃対象がロシア国外であれば、彼らは何ら罰を受けずに活動できる。〈ダークサイド〉は彼らのインフラをホストしていたサービス・プロバイダーに対してアメリカの法執行機関が圧力をかけてきたため、ダーク・ウェブサイトから突然姿を消した。[27]

翌月〔２０２１年６月〕には、ロシアで活動する〈REvil〉（Ransomware Evil の略）という犯罪者グループがアメリカでサイバー攻撃を行った。このグループは世界中で最大１５００社を感染させた疑いがもたれていた。今回の被害者は食肉加工業者のJBS Foods社だった。このランサムウェア攻撃により、アメリカ最大の牛肉・豚肉加工工場の一部がオフラインとなり、オーストラリアとカナダのＪＢＳ事業にも影響が及んだ。同社は冗長なＩＴシステムと暗号化されたバックアップ・サーバを備えていたため、数日以内に攻撃の被害から回復することができた。ＪＢＳはそれでも「不測の事態を軽減し」、「データが流出しないことを保証するため」[28] 攻撃者に１１００万ドルの身代金を支払った。その２週間後、ジュネーブで開催されたサミットで、バイデン大統領はプーチン大統領に対し、自国で活動するランサムウェアの一団を取り締まるよう警告した。そのときバイデン大統領は、アメリカが聖域と見なし、仮に攻撃を受けた場合には報復の対象とする16部門の重要インフラのリストをプーチン大統領に手渡した。[29] その直後、〈REvil〉はマイアミに拠点を置くＩＴソフトウェア企業Kaseya社を攻撃したが、その攻撃はアメリカ経済に「最小限の損害」しか与えなかったとバイデンが述べたように、明らかにレッドラインを下回っていた。[30]

ランサムウェアは依然として「差し迫った」脅威と考えられ、アメリカ司法省は2021年6月に「ランサムウェアおよびディジタル恐喝タスクフォース」を結成した。国務省は〈ダークサイド〉または〈REvil〉グループの所有者、経営者または関連会社の所在地、逮捕または有罪判決につながる情報提供に対し、最高1000万ドルの報奨金を提示すると公表した。[31] 11月になると司法省は、〈REvil〉によるランサムウェア攻撃に関連する2人の外国人に対する措置を発表した。彼らは保護コンピュータに損害を与えた容疑により、国内法のもとで別々に起訴されていた。[32] 多国間捜査の結果、Kaseya社に対する〈REvil〉攻撃の背後にいたウクライナ人がポーランドで逮捕された。[33] 司法省はさらに、もう一人の〈REvil〉オペレータであるロシア人が受け取った身代金につながる610万ドルのディジタル通貨を押収した。[34] 財務省も仮想通貨エコシステムの不正利用を阻止するための措置を講じ、複数のランサムウェアの亜種の取引を促進したとしてChatex〔仮想通貨取引所〕を不正な通貨取引所に指定した。[35] この指定は、アメリカ国内のChatexに属するすべての資産と権益が差し押さえられ、それはアメリカ国民が同社と金融取引を行うことができなくなることを意味した。しかし、ランサムウェア集団はしばしばブランド名を変更し、法の処罰から逃れようとする。例えば、〈REvil〉はかつて存在したハッカー集団〈GandCrab〉と関連があるとされている。[36]〔2021年の〕夏に〈ブラック・マター（BlackMatter）〉が出現した際、以前は〈ダークサイド〉だけが使用していた復号プログラムのアルゴリズムが見つかり、この悪名高いグループ〔ダークサイド〕が再ブランド化されたことを示唆した。[37]〈ブラック・マター〉は2021年9月にNew Cooperativeと呼ばれるアイオワ州の穀物飼料組合のコンピュータをロックし、590万ドルの身代金を要求している。ネット上の声明で工作員と思われる人物は、この組合は重要インフラと見なされるほどの生産量をあげていないと主張した。[38] このことからも、バイデンの聖域対象リストを避けようとする緩やかな傾向は続いているように思われた。クリスマス休暇の直前には、〈トリックボット（Trickbot）〉としても知られるロシア語圏のグループ〈リューク〉(Ryuk)が運営するランサムウェア《コンティ(Conti)》がShutterfly社〔個人向けグリーティングカード会社〕のサービスを停止させた。[39] 2022年1月、ロシア連邦保安庁はロシア国内の居住区を十数回にわたって強制捜査し、14人のメンバーを逮捕して資金や高級車を押収し、〈REvil〉の「違法活動」を停止させた。[40]

持続的な関与戦略

アメリカ軍は国内のインフラや機関へのハッキングに対処する取り組みの一環として、ランサムウェア集団に対する行動を開始していた。アメリカのサイバー軍は「持続的関与(persistent engagement)」と呼ばれる戦略のもと、敵対者の活動が損害を引き起こす前にその活動を積極的に妨害している。サイバー軍はその設立以来10年以上にわたって、サイバー攻撃がネットワークに影響を及ぼすときを「待っている余裕はない」ことを実際の経験を通じて学んできた。[41] ロシアのような巧妙な攻撃者に対しては、防御だけでは不十分であることが証明されたのだ。〔防御のような〕受動的態勢の代わりに、軍はネットワーク防衛のためにはネットワークの外部で作戦を行うことが必要であるとの結論に至った。本書では、2018年のアメリカ中間選挙の投票期間中に偽情報〔による被害〕を予防するため、ロシアのインターネット・リサーチ・エージェンシーの活動を停止させた軍のサイバー作戦について説明している。その2年後、サイバー軍は2020年の大統領選挙への介入を事前に防ぐため、ランサムウェア集団に対して初めて新しいアプローチを採用し、〈トリックボット〉グループへの隠密攻撃を開始した。というのも、このグループがランサムウェアで選挙区を攻撃することで投票集計業務を妨害し、プーチンを助けることができるという懸念があったためである。[42] サイバー軍は〈トリックボット〉の遠隔操作サーバに侵入し、数千台の感染したコンピュータ（選挙システム全体を凍結させる発射台として利用できる選挙関係者のコンピュータを含む）へのアクセスを一時的に遮断した。[43]

このように、アメリカ・サイバー軍のドクトリンは前回の選挙の安全確保に貢献したが、ソーラーウィンズ社への侵害を防げなかったと批判されている。ロシアのネットワークに対する「持続的関与」は、モスクワの費用対効果の計算を変えなかったことは明らかだった。[44] サイバー軍は、反対勢力を思いとどまらせるための作戦では、前もって相手にコストを明確に伝える必要があることを学んだ。レーガン国防フォーラムにおいて、アメリカ・サイバー軍司令官は、アメリカの重要インフラに影響を与えるランサムウェア集団に対して「コストを賦課した」ことを公に認めた。[45] サイバー軍は〈REvil〉が使用しているウェブサイト周辺のトラフィック信号の出力先《リダイレクト》を変更したのだ。この措置により〈REvil〉は、被害者を恐喝し、身代金を集めるために使用するプラットフォームを奪われた形となった。〈REvil〉のリーダーは、ロシア語で書かれたサイバー犯罪者向けのフォーラムで、「サーバは危険にさらされ、彼らは私を探していた」[46]と書き込みした。まもなく、〈REvil〉によるマルウェアの拡散、身代金交渉、そして系列会社のリクルートにかかわる活動は停止した。このアメリカ軍がとった行動は、ランサムウェアの犯罪者に一時的にでも影響を与え、活動を停止させることが可能であることを示唆している。

ロシアのウクライナ侵攻

プーチン大統領は敵対者を威嚇し、自国に隣接する地域に勢力圏を拡大するために、あらゆるパワーの源を利用してきた。2021年12月、プーチン大統領はウクライナ国境沿いに大規模な兵力を増強し、東方拡大を止める保証をNATOから取り付けようとした。[47] 翌月の2022年1月、ウクライナで2件のサイバーセキュリティ関連のインシデントが発生した。中央と地方当局の70カ所のウェブサイトが暗転し、「気をつけよ、最悪のことが起こるぞ」などの脅迫メッセージが画面に表示された。ウクライナ文化情報政策省は、ハッキングは「ウクライナ人に対する心理的攻撃の一環かもしれない」と述べ、これはロシアの情報対決（information confrontation）ドクトリンの特徴である。[48] このハッカーは緊急対応機関を含む複数の組織のコンピュータ・システムにも破壊的なマルウェアをインストールした。[49]《ウィスパー・ゲート（WhisperGate）》という名で知られるこのマルウェアは回復手段のない虚偽のランサムウェアの通知画面を表示しながら、コンピュータのマスター・ブート・レコード（コンピュータにオペレーティング・システムのロード方法を指示するハードディスク・ドライブの一部）を破壊してファイルを上書きしてしまう。[50]《ウィスパー・ゲート》は検出を避けるため、Windows Defender Threat Protection を無効化する。[51] ウクライナ国家安全保障・国防会議は今回のサイバー攻撃について「ロシアと連携しているか、もしくはロシアから要請を受けたベラルーシのグループによって行われた可能性がある」[52]と述べている。

2022年2月、ロシアはウクライナ国境付近で実施してきたベラルーシとの軍事訓練を延長し、視覚効果の高い弾道ミサイルと巡航ミサイルの発射も行った。空中発射型「キンジャール」や海上発射型「ツィルコン」〔いずれも極超音速巡航ミサイルといわれる〕を含む通常ミサイルや極超音速ミサイルが設定された目標に命中したと公表した。[53] 同時にロシアは黒海とアゾフ海において、かつてない数の軍艦を投入した大規模な海軍演習を実施した。[54] こうした軍事訓練は、ウクライナがロシアを挑発したように見せかけることを意図したドンバス地域での一連の偽旗作戦を伴っていた。ウクライナ東部でロシアが支援する分離主義勢力の指導者からの支援要請を受けたとして、プーチンはロシア南部の隣国を非武装化するための「特別軍事作戦」を命じたのである。[55] 本格的な侵攻の前日には、今度はデータベースの売却を持ちかける脅迫的なウェブサイトの改ざんや、政府機関や銀行のサイトに対する分散型サービス拒否攻撃が行われた。これに引き続き、《Hermetic》と呼ばれる第2のタイプの「ワイパー型」マルウェアが、金融、国防、航空、ITサービス機関などの数百台のコンピュータで発見された。[56]《Hermetic》はコンピュータのマスター・ブート・レコードを操作して、コンピュータを動作不能にした。このマルウェアはコマンドライン引数を受け取り、攻撃者はマルウェアにシステムをスリープさせたり、シャットダウンさせたりするよう指示することができた。

《ウィスパー・ゲート》と《Hermetic》がウクライナで発見された後、アメリカのセキュリティ機関は「ウクライナの組織に対する破壊的なサイバー攻撃がさらに発生し、意図せず他国の組織に波及する可能性がある」と公開勧告を通じて警告を発した。[57] この警告はラトビアとリトアニアに所在するウクライナ政府の契約請負会社2社が《Hermetic》マルウェアの被害を受けたことも要因となっていた。[58] マイクロソフト社は「GRUとの関係が知られている、もしくは疑われている脅威グループ」が「侵攻前夜から週に2件から3件のペースで」標的とされたウクライナのネットワーク上で発見されたワイパーマルウェアまたは類似のツールを開発し、それを使用していると公表した。[59] マイクロソフト社は2月23日から4月9日までの間に「ウクライナの何十もの組織にわたる何百ものシステムのファイルを永久に破壊した約40件の個別の破壊的攻撃の証拠」を確認していた。[60]「特別軍事作戦」は迅速な勝利をあげられずに停滞し、都市への激しい砲撃と膨大な民間人の犠牲者を伴う古典的な包囲戦に移行していった。米欧諸国はプーチンが「宣戦布告に等しい」と述べた未曾有の経済制裁で対抗した。[61] アメリカ政府は国内の重要インフラに対する報復的なサイバー攻撃の可能性に備え、サイバー攻撃の被害に対するレジリエンスを最大化するため「シールズ・アップ」という警告を発した。これはセキュリティ態勢を強化するよう、すべての組織に対して技術的ガイダンスを提供する措置だった。[62]

分析枠組みの価値

ロシアは「サイバー攻撃について、敵対者を抑止し、エスカレーションを制御しながら紛争を遂行するための許容可能なオプションであると考えている」[63]というアメリカ国家情報長官の評価を裏付ける証拠は明らかに存在する。モスクワはウクライナとの国際武力紛争における戦争遂行の手段・方法としてサイバー行動を躊躇せずに採用した。2017年のウクライナに対する《ノットペーチャ》疑似ランサムウェア攻撃は、ロシア政府のサイバーアクターが政治的・軍事的目的を達成するためには冷酷非情に振る舞うことを証明した。GRU軍事部門による無謀な攻撃は、重要インフラに故意にダメージを与え、銀行、病院、空港、現金自動預払機（ATM）、小売店や交通拠点のカード決済システムなどのデータを消去し、市民生活に不可欠なサービス利用を妨害した。[64] 2022年、ロシアによる侵攻の1週間前、ウクライナの住民たちは自動預払機が誤作動を起こしたという虚偽のSMSテキスト・メッセージを受け取った。[65] その後、GRUによる分散型サービス拒否攻撃がウクライナの国防省、軍、国有銀行であるOschadbank銀行とPrivatBank銀行を襲い、その後ATMサービスが停止した。[66] 虚偽のテキストやサービス拒否攻撃の効果は破壊的ではなかったものの、国民に心理的圧力を与えるものだった。同じように、ロシアとつながりのある、もしくはロシアを拠点とするランサムウェア集団は、ターゲットに対して容赦のない恐喝を行っている。ロシア政府の治安機関とつながりをもつとされる〈リューク〉は、人命を危険にさらすことを顧みず、アメリカ国内の少なくとも235の総合病院と関連施設に攻撃を仕掛けた。[67]

ロシアは安全保障上の譲歩を引き出すため、ウクライナで恐るべき人道的危機を引き起こしただけでなく、係争海域で船舶の航行を制限するとともに、宇宙空間では対衛星ミサイルの実験を行うなど国際法を蹂躙している。[68] 破壊的な直接上昇型ミサイルのデモンストレーションや、大々的に報道された海上での極超音速ミサイル「ツィルコン」の複数の発射実験は、非対称的優位の達成を執拗に求め続けている大国の姿を物語っている。[69] このように、ロシアの軍備においてサイバー行動は、地政学的な優位を得るために利用できる非対称的ツールとして機能している。ロシアのサイバー行動に対するアメリカの対応策を検討するためには、その技術的・法的効果を十分に理解することが必要である。

本書の分析枠組みは、ロシアのサイバー行動が紛争や競争の中でどのように機能しているかを理解するうえで永続的な価値を有している。本書は、モスクワが侵入・回避・欺騙のために技術的手段をどのように活用しているか、そして法的曖昧性を引き出すために現行法体系をどのように利用しているかを明らかにするものである。また本書は、技術革新と作戦ドクトリンを取り入れたロシアのサイバー行動に対抗するための方法論を提示している。〔初版刊行後の〕過去2年間の不安定な状況は、ロシアの広範なサイバーアクターにより、国家安全保障と経済的繁栄に対してさらなるダメージがもたらされる可能性を暗示している。制裁措置によってロシア経済が破綻し、ウクライナ戦争が終息して軍事力が低下する見通しとなっても、プーチンやその後継者たちは米欧諸国に対して隠密裏にサイバー作戦に訴えることが可能である。ロシアを拠点とする犯罪者集団をしっかりとつなぎ止めるインセンティブが〔ロシア政府に〕なければ、報復や収入を得るために国家が推奨するランサムウェア攻撃が重要インフラに対して行われる可能性がなくなることはないだろう。[70] ロシアのサイバーアクターの目的を打ち砕くには、レジリエンスを備えたソリューションとコスト賦課の手法を組み合わせた積極的なアプローチが必要なのである。

ロシア・サイバー侵略＊目次

駐日ウクライナ特命全権大使の推薦文　1

2022年版への序文　2
前　言　キース・アレクサンダー退役大将　23
謝　辞　29
略語表　31

序　章　武力行使の閾値とサイバー行動　35
第1章　分析枠組み（国際法とサイバー技術）　45

第1部　現代ロシアのサイバー戦

第2章　非対称的軍備としてのサイバー戦　67
第3章　ハイブリッド戦とサイバー戦　95
第4章　情報戦とサイバー戦　121

第2部 安全保障理論とサイバー行動

第5章 合理的な国家行動 151
第6章 納得のいかない対応 179

第3部 サイバー防衛のソリューション

第7章 現在のセキュリティ戦略 207
第8章 サイバー防衛の自動化 237
第9章 技術のオフセット戦略 265

結 論 新しいアプローチ 291

訳者あとがき 305

用語集 *61*
原註 *1*

凡例

＊〔　〕は訳者による補註および説明註

＊人名は（　）内に原著に記載されている英語名を表記

ロシア・サイバー侵略
Russian Cyber Operations:
Coding the Boundaries of Conflict

前　言

第2次世界大戦以来、我々は冷戦期を通じてロシアと対峙し、「ベルリンの壁の崩壊」の後でも、紛争と競争に彩られた時代の中でロシアと向き合っている。アメリカ海軍大学院に所属するスコット・ジャスパーは、ロシアがアメリカをはじめとする関係各国に突き付けている現実と問題点を明らかにするという仕事を見事に成し遂げた。我々は今、重大な岐路に立たされているが、ロシアが今後どのような方向に進むのか、はっきりしない。こうしたサイバー領域における重要な問題に取り組むため、スコットは技術と法的視角から分析する枠組みを我々に提示してくれている。

1989年11月9日、東ドイツ政府のスポークスマンであったギュンター・シャボフスキー（Günter Schabowski）が、東ドイツ人民は西ドイツへ自由に旅行することができると発表し、これが引き金となってベルリンの壁が崩壊し、ドイツ統一が実現した。こうした一連の行動は1991年12月26日のソヴィエト連邦の解体のみならず、アメリカのライバルである超大国ロシアの地位を終わらせた。この事実は今日のロシア政治にもインパクトを与え続けている。

1991年以降は多くのことが一変した。アマゾン、iPhone、「クラウド」、ツイッター、フェイスブックに代表されるように、インターネット・ビジネスがアメリカ経済にもたらしたインパクトは絶大であった。しかし、ロシアにとってはそうではなかった。経済は弱体化し、経済制裁が国家に深刻な影響を及ぼしている。

しかし、ロシアはその間、ただおとなしくしていたわけではなかった。

2007年、我々はサイバーパワーが国力《ナショナル・パワー》の一つの要素として活用され、また、サイバー行動は混乱をもたらす（disruptive）攻撃から破壊をもたらす（destructive）攻撃へと変化するだろうと予測した。かかる背景には、国際ネットワークの基盤がアナログからディジタルへと移行した現実があり、そのプロセスを加速したのがiPhoneの開発と普及であった。ネットワークのディジタル化が急速に進むにつれ、ネットワークは不正アクセスやサイバー攻撃の通り道となっている。そしてロシアは数多くの行動で、サイバーパワーを攻撃手段として積極的に利用している。

2007年の春と夏、ロシアのハッカーたちはタリン〔エストニアの首都〕にあったブロンズの戦士像――ソ連軍兵士を精巧にかたどった墓標――の移設に抵抗し、エストニアをサイバー攻撃した。サイバーパワーは今や、国力の一要素として活用されている。ロシアは2008年8月、ジョージアに対する物理的な攻撃手段としてサイバー攻撃を用いた。そのとき、ロシア軍部隊がジョージアへなだれ込むのと時を同じくして、ジョージア政府と金融機関がサイバー攻撃を受けた。

2008年10月には、アメリカの機密指定ネットワークの中にマルウェアが発見された。皮肉にも、この国防省ネットワークへの不正侵入が引き金となり、アメリカ合衆国サイバー軍の創設へとつながった。2008年11月11日、ボブ・ゲーツ（Robert M. Gates）国防長官は、国防省傘下のサイバー防衛隊の作戦統制権を私のもとに置いた。その後、〔サイバー作戦の〕攻撃と防御を一人の指揮官のもとに置き、アメリカ合衆国サイバー軍の創設への道を切り開いたのだった。

２０１０年9月23日、下院軍事委員会での〔サイバー部隊の〕態勢に関する最初の証言の中で、我々は「サイバースペースにおける競争、そして紛争さえもが現在の現実である」と語った。それ以来、ロシアの行動を仔細に観察していると、彼らはあらゆる領域《ドメイン》において公然かつ隠然と対決姿勢を強めているように見える。ロシアを大国の地位に戻すという目標を果たし、世界政治の舞台で再び影響力を行使するとの目標を実現するためである。

ロシアはサイバー作戦を取り入れた戦争の新しい形態とモデルを作り上げた。我々はそれをロシアのクリミア併合の中で目撃し、その後、ウクライナのドンバス地方一帯では破壊と混乱が続いた。ウクライナでは、ロシア自身が規範の確立に尽力したはずの〔国家としての〕責任ある行動を律する国際規範を蹂躙していた。こうしたロシアの攻撃行動を通じて、彼らのサイバー行動が法的基準に照らし、違法行為もしくは武力攻撃に該当するか否かがテストされることになった。

２０１６年、ロシアはサイバースペースを活用した情報作戦を実施し、アメリカの選挙で、同盟諸国が属する欧州連合の選挙で、そして２０１７年にはフランス大統領選挙で、妨害活動を展開し、選挙プロセスに介入した。冷戦期からインターネット時代にかけて、ロシアは影響力《インフルエンス》を行使するために新しいツールを活用し、実験や実践を積み重ねた技法や手段を次々と採用してきた。

また、ロシアは混乱型および破壊型のサイバー攻撃〔混乱型は「バッド・ラビット」、破壊型は「ノットペーチャ」と名付けられた〕を行っている。２０１７年7月27日、ロシアはノットペーチャを使ってウクライナの著名な組織を攻撃した。攻撃を受けた企業の大半はウクライナ国内に所在する企業であったが、マースク社〔デンマークの海運会社〕、メルク社〔ドイツの製薬会社〕、フェデックス社〔アメリカの国際宅急便会社〕の子会社など、ウクライナ企業と取引する外国企業も被害を受けた。２０１８年8月23日付のネット誌『Wired』の中でアンディ・グリーンバーグ（Andy Greenberg）が語っているように、ホワイトハウスの元国土安全保障担当補佐官のトム・ボサート（Tom Bossert）は、この一度の攻撃による被害総額が100億ドルを超えたと発表している。

外交、制裁、法的訴追といったアメリカ政府の対応は、サイバースペースにおけるロシアの行動を変えることはなかった。結局、ロシアのサイバー活動によって、アメリカは「日々の競争に持続的に関与し、アメリカの利益を守る」という新しいサイバー戦略を採用する。それと同時に、ロシアの国家とその代理グループは、サイバー行動のスピード、規模、洗練性を高めてきた。彼らは革新的なテクニックとツールを駆使しているが、その一部は盗用品であり、中にはファイルを使用しないマルウェアや市販されている正規のアプリケーションなど一般公開されているものもある。

スコットは、商業分野のセキュリティ能力が自動化によるサイバー防御力を強化し、攻勢的なサイバー攻撃を撃退している点に注目している。民間企業では、クラウド・ベースの脅威インテリジェンス能力を備えたセキュリティ運用プラットフォームの中に、エンドポイントでの脅威の検知と対応機能を取り入れている。このようなデータ相関技術を取り入れた技術的オフセット戦略に基づく防御方法により、ロシアの優位性の低下を期待することができる。

紛争の一局面として、または競争の構成要素として運用されているロシアのサイバー行動に対処するため、スコットはロシアによる実際のサイバーキャンペーンを詳細に検討している。こうした事例検討を通じて、ロシアは攻撃元《アトリビューション》の特定と報復を回避するため、いかにして技術的手段を駆使し、法的レジームを巧みに活用してきたかについて理解することができる。このようなロシアの戦略が最も懸念された事例は、2018年にアメリカの電気エネルギー事業の制御室にロシアのハッカーたちが侵入したときだった。常に武力攻撃の閾値に至らない範囲で実施されるロシアのサイバー行動に対処するため、スコットはコスト賦課（cost imposition）の方法を評価するとともに、ロシアからの攻撃に耐えしのぐための復元力《レジリエンス》を備えた強靭なソリューションについて議論している。

将来、ロシアとのサイバー対決が起こる可能性が高まることを考えれば、本書は必読書《マスト・リード》である。スコット・ジャスパーは、「知ること」から恩恵を得るための優れた土台と分析を私たち全員に与えてくれている。

キース・アレクサンダー退役大将

元アメリカ合衆国サイバー軍司令官兼国家安全保障局長官

謝辞

アメリカ合衆国サイバー軍初代司令官であるとともに元国家安全保障局長官のキース・アレクサンダー（Keith Alexander）将軍には、その卓越した専門知識を各界から求められ、きわめて多忙であることを承知のうえで依頼した前言の執筆に快く応じていただき、格別の謝意を表したい。海軍大学院では、国家安全保障学部のクレイ・モルツ（Clay Moltz）現部長とモハメド・ハーフェズ（Mohammed Hafez）元部長、サイバー学術群のダン・ボージャー（Dan Boger）群長、セキュリティ・ガバナンス研究所のスティーブ・ピーターソン（Steve Peterson）所長は、本書の内容に関連した講座を企画し、在宅、オンラインそして海外で教育する機会を与えてくださった。また、サイバー教育の全学的な取り組みを指導・教育する私の能力を信頼してくれたジョン・アーキラ（John Arquilla）、クラーク・ロバートソン（Clark Robertson）、シャロン・ランデ（Sharon Runde）各氏に御礼を述べたい。本書でも紹介するサイバー・レジリエンスの強固なソリューションをキャンパス内に設置し、試験や測定を行うにあたっては、ジョー・ロピッコロ（Joe LoPiccolo）、クリス・ゴーシェ（Chris Gaucher）、ロバート・スウィーニー（Robert Sweeney）、クリス・アンゲロプロス（Chris Angelopoulos）、ジャスティン・ブラウン（Justin Brown）各氏から優れたアイディアと支援を受けたことに心から感謝している。

さらに、サイバーセキュリティ製品について議論し、実演してくれた数多くのセキュリティ業界の専門家の方々に感謝したい。また、本書の構成にあたっては、ドン・ジェイコブス（Don Jacobs）とハンナ・グレコ（Hanna Greco）から適切な指導を受けた。最後に、この分野の研究に取り組むきっかけを与えてくれた妻のアニー（Annie）に感謝したい。

略語表

A2/AD　接近阻止・領域拒否
APT　高度な持続的脅威
CIA　中央情報局
CIS　インターネット・セキュリティ・センター
CNSSP　国家安全保障システム政策委員会
DDoS　分散型サービス拒否
DHS　国土安全保障省
DLL　ダイナミック・リンク・ライブラリ
DNC　民主党全国委員会
DCCC　民主党下院選挙運動委員会
DOD　国防省
EDR　エンドポイントにおける検知と対応
EU　欧州連合

FBI　連邦捜査局
FSB　ロシア連邦保安庁
GDP　国内総生産
GGE　情報セキュリティに関する政府専門家会合
GRU　ロシア連邦軍参謀本部情報総局
G7　先進7カ国首脳会議
G20　主要20カ国・地域首脳会合
HTTP　ハイパーテキスト・トランスファー・プロトコル
ICS　産業制御システム
ICS-CERT　産業制御システム・コンピュータ緊急対応チーム
ICT　情報通信技術
IHL　国際人道法
IO　情報作戦
IoT　モノのインターネット
IP　インターネット・プロトコル
IRA　インターネット・リサーチ・エージェンシー
IT　情報テクノロジー
IW　情報戦
MMS　マルチメディア・メッセージング・サービス
NATO　北大西洋条約機構
NIST　アメリカ国立標準技術研究所

NSA　国家安全保障局
PDF　ポータブル・ドキュメント・フォーマット
PPD　大統領政策指令
RME　リスク管理枠組み
RT　ロシア・トゥデイ
SAP　国家軍備プログラム
SCADA　監視制御とデータ収集
SIEM　セキュリティ情報と事態管理
SMB　サーバ・メッセージ・ブロック
SMS　ショート・メッセージ・サービス
SOAR　セキュリティ・プロセスの連携および自動化
SOC　セキュリティ運用センター
SSH　セキュア・シェル
UK　イギリス
UN　国際連合
URL　インターネット上の情報資源の位置を表す標準的な記述方式
US-CERT　アメリカ合衆国コンピュータ緊急対応チーム
VPN　仮想プライベート・ネットワーク
WMI　ウインドウズ・マネジメント・インストルメンテーション

序章　武力行使の閾値とサイバー行動

サイバー攻撃は悪意に満ち、社会に混乱をもたらし、潜在的に破壊的な影響をもたらす手段であるが、被害を受けた国はどのように対応すればよいのだろうか？　アメリカとその同盟国・パートナー国は、ロシアからのサイバー攻撃への対応をめぐりディレンマに陥っている。2017年3月、アメリカのジョン・マケイン（John McCain）上院議員はウクライナのテレビ番組で、ロシアが関与したアメリカの民主党全国委員会（DNC）のコンピュータ・システムへの不正侵入は「戦争行為」[1]であると語った。それに対し、サイバー関連の国際法の権威であるマイケル・シュミット（Michael Schmitt）教授は、マケイン上院議員の見解にいささかの戸惑いを見せながら、2016年のアメリカ大統領選挙へのロシアによる介入は警戒すべきことではあるけれども、戦争行為とは言い切れないと述べている。シュミット教授は、DNCへのモスクワによるハッキングや窃取したeメールをウィキリークスにダンピングした行為は「武力紛争の開始」[2]には該当しないと語った。国家安全保障局（NSA）長官のマイケル・ロジャース（Michael Rogers）提督が数カ月前の議会公聴会で語った〔シュミット教授と〕同様の評価に対し、マケイン上院議員は反論していた。ロジャース提督は「ロシアによる選挙システムに対するサイバー攻撃は、より重大な影響や物理的破壊を伴わない限り、武力攻撃の要件を満たさない[▼3]」と証言した。つまり今日の課題は、シュミット教授が簡潔に言い表しているように、「クレムリンは、強靭な反応を招くと誰もが認めるような法的レッドラインの侵害に至らない程度の作戦行動に習熟している[▼4]」ということなのだ。ロシアのサイバー行動は社会の対立を煽り、アメリカや欧州各国の重要インフラを脅かしている。とりわけアメリカでは現在、武力紛争に至らないレベルで、サイバースペースにおけるロシアとの競争が繰り広げられている。

　戦争への閾値を巧みにかわすロシアのサイバー行動への対応策として、本書ではコスト賦課または防御的ソリューションに基づいた対処要領について検討する。本書は過去、現在、将来のロシアのサイバー行動がどのような状態に至ったとき、武力紛争のレベルに到達したと見なされるのか、あるいは、そうではなく〔大国間の〕戦略的競争の一つの構成要素として機能し続けるのか、という問題に答えるための分析枠組みを提示する[▼5]。本書はクレムリンが「攻撃元の特定」(attribution)と「懲罰的報復」(retribution)を避けるため、どのように技術的手段や法的レジームを活用しているのかを理解するため、実際に起きたサイバーキャンペーンや数々のインシデントを検討する。

　具体的に言えば、ロシアは高度な戦術とテクニックを駆使して不正侵入を行うとともに、自らが関与したサイバー工作を〔他国によって〕検知・立件されることからいかに逃れてきたかを解き明かす。また、ロシアによる欺騙、つまり代理勢力《プロキシ》や他の手段を使って「関与を否認できるもっともらしい根拠」(plausible deniability)を主張し、自らが関与するサイバー行動の責任をいかに回避してきたかについても深く掘り下げる。さらに、ロシアは自らのサイバー行動が、違法行為でもなければ非合法な攻撃にも該当しないと見なされるような法的規範を自ら模索してきた経緯についても説明する。技術によって攻撃元の特定《アトリビューション》を困難にする「不確実性」と、被害国が対抗措置――サイバー手段、経済制裁や法的訴追などの多様な方法――を合法的に行使することを避けるために〔サイバー攻撃の〕法的分類を不明確にしておくという「曖昧性」

をロシアは自国に有利となるように悪用していることを示す。

〔アメリカの〕マイク・ポンペオ（Mike Pompeo）国務長官は２０１９年のポーランドでの演説で、「ロシアは欧州を支配し、再び世界的舞台で影響力を行使するというグランドデザインをもっている。ウラジーミル・プーチン（Vladimir Putin）はＮＡＴＯ（北大西洋条約機構）同盟を分裂させ、アメリカを弱体化し、米欧民主主義諸国を混乱させようと目論《もくろ》んでいる」[6]と語った。２０１７年のアメリカの国防戦略は、ロシアが「政策目的を達成するため、公然たる戦争には至らない競争領域」を活用していると主張している（例えば、情報戦（ＩＷ）、国家との関係が不明瞭または一切の関わりを否認された代理グループによる活動、政府転覆工作）[7]。サイバー行動は、ロシアが政治目標や政治目的を達成するための単なる一手段にすぎない。しかし、ロシアがサイバー行動をハイブリッド戦（hybrid warfare）やＩＷにおける非対称ツールとして運用している実態を検討しておくことは、そこでサイバー行動が果たしている役割やサイバー行動がもたらす結果を理解するうえで欠かすことができない。ロシアは軍の近代化を推し進め、特に亜音速巡航ミサイルや極超音速滑空弾道ミサイルといった非対称兵器を重視している。極超音速滑空弾道ミサイルは、アメリカの限られた対ミサイル防衛網を突破し、迎撃を回避できるよう設計された無敵兵器となる可能性がある[8]。サイバー行動は非軍事的手段を代表する非対称兵器として役立っており、サイバー防御網を突破し、反撃を回避するという極超音速兵器と同様の目的を果たしている。ロシアは戦い方の新しいモデルを活用し、中でも最も取りあげられているのが「ハイブリッド」と呼ばれるものだ。２０１４年にロシアがウクライナに侵入して以来、米欧の戦略コミュニティは「ハイブリッド性という概念を理解するため懸命に取り組んできた」[9]。ちなみにＮＡＴＯはハイブリッド脅威について「ある時間や空間において、通常戦、不正規戦、非対称戦の活動が組み合わされた脅威の類型」と定義し、その中にサイバー行動を含んでいる[10]。さらには、ＩＷという競争の舞台で、ロシアは主にソーシャルメディアとサイバースペースを活用した情報作戦（ＩＯ）によって優位を保ち、対象国の住民に影響力を及ぼすとともに、その国の民主的プロセスに介入している。

ロシアの外交政策が米欧との対決へと舵を切った最初の兆候は、２００７年のプーチンによるミュンヘン演説だった。この演説の中でロシアの大統領は、到底受け入れ難い単極世界《ユニポラー・ワールド》モデルを強要しているとアメリカを批判し、そのモデルは「無制限ともいえる武力行使の乱用」と「国際法の基本原則に対する甚だしい侮辱」[11]に特徴づけられていると述べた。プーチンは公然と、ロシアは独自の対外政策を遂行する特権を有しており、国際政策の形成に指導的地位を与えられてしかるべきだと主張した。翌年、ロシアはさっそくこの特権を行使するかのようにジョージアに侵攻した。そこでロシアは戦いの新たな要素としてサイバー作戦を利用した。ロシアのハイブリッドな攻勢は２０１４年にウクライナへと拡大し、国家の主権侵害を企図した一連のサイバーキャンペーンが継続的に実施されている。[12]ロシアはＮＡＴＯ同盟諸国の公共政策に影響を及ぼす試みを続け、２００７年にはエストニア、２０１６年にはアメリカ大統領選挙が標的となった。責任ある国家としての行動を律する既成の規範を歪め、その責任を回避してでも、ロシアはサイバー工作を通じた国益増進を図っている。サイバー領域におけるロシアの不当な違法行為に対し、コストを強要する方法で対抗しようとするアメリカと国際社会の試みは、ロシアの行動を変容させるには至っていない。こうして法的曖昧性（legal ambiguity）と技術的複雑性（technical complexity）を巧みに操るロシアへの対応策として、本書ではロシアからのサイバー攻撃に持ちこたえ、作戦を継続するため、復元力《レジリエンス》を発揮できる新たな解決策《ソリューション》について議論する。そして、サイバーセキュリティにいかなる対策が必要であるかを検討し、そこで取りあげる自動化されたサイバー防衛に必要な能力について検証する。実効性ある対応を阻んできた法的曖昧性は依然として存在するものの、それを前提としたうえで、本書では技術面でのオフセット戦略について深く掘り下げたい。特に、統合されたセキュリティ運用プラットフォーム（integrated security operating platform）におけるデータ相関技術（data-correlation）の利用は、武力紛争のレベルであれ、戦略的競争の一つの要素として機能するものであれ、サイバー行動を駆使してきたロシアの優位性を低下させる可能性を有している。

基礎的な概念

ロシアは自立した大国としての地位を回復することを欲している。ウラジーミル・プーチン大統領と彼の側近たちが抱く長期的な野望は、ロシアの本来あるべき地政学的地位を自らの判断で決めることのできる立場を再び取り戻すことにある。[13] そうした地位に与《あずか》れる国は、世界でも2カ国ないし3カ国の限られた最重要国のみである。[14] かかる野望を成就するには、アメリカとその同盟国・パートナー国との競争を避けて通ることはできない。[15] ロシアは「政治、経済、軍事の分野で」競争し、「技術と情報を利用して競争を促進し、地域のパワーバランスを自国に有利なようにシフトさせる」。[16] 長期的な戦略的競争状態の再来は、アメリカとその同盟国・パートナー国の繁栄と安全を脅かす。これらの国々は第2次世界大戦後の数十年間にわたって、「自由で開かれた国際秩序を建設し、侵略や強制から自国民とその自由を保護してきた」。[17] 米欧による国際秩序の概念は、一般的には同盟、制度、ルールによって定義される。[18] ところが今日、アメリカ合衆国欧州軍司令官カーチス・M・スカパロッティ（Curtis M. Scaparrotti）将軍〔2016年5月～2019年5月在職。欧州軍司令官はNATO欧州連合軍最高司令官を兼任〕によると、ロシアは「戦略的競争に関与しながら」、「国際秩序を弱体化させる戦略を追求している」。[19] ロシアは「システムの恩恵に与《あずか》りながらシステム内部で」そうした行動を実行に移し、「同時に、原理とルールを切り崩そうとしている」。[20] ロシアはアメリカが率いる西側諸国とすでに紛争状態にあることを自覚している。[21] サイバースペースを含んだ広範な領域、偽情報キャンペーン（misinformation campaign）、第三国に対する軍事介入といったロシアの行動は、上述したような認識によって駆り立てられている。ロシアは「米欧からの現実的で偽りのない脅威から自分たちを守っていると信じているだけなのか、それとも昔ながらの拡張主義的パワーとしての性格を表明しているのか[22]」という問題をめぐっては、いまだ議論は尽きていない。

サイバー作戦はロシア流の紛争や競争の中心的要素になっている。サイバー作戦は「サイバースペースの内部において、またはサイバースペースを経由して主要な目的を達成するためにサイバースペース能力を運用すること[23]」と定義される。サイバースペースというドメインは「情報技術インフラとそこに内在するデータが組み合わされたネットワーク[24]」から構成され、サイバースペース能力とは「サイバースペースの内部において、またはサイバースペースを経由して（in or through cyberspace）効果を生み出せるよう設計された、ソフトウェア、ファームウェア、ハードウェア、コンピュータおよびコンピュータ・プログラム[25]」である。サイバー作戦には「コンピュータを利用し、コンピュータおよびコンピュータ・ネットワーク内部に蓄積された情報、あるいはコンピュータおよびネットワークそのものを妨害・利用拒否・機能低下・破壊[26]」する活動が含まれている。「サイバースペースの内部における効果」の一例として、保存されたデータの削除があり、「サイバースペースを経由した効果」としては接続機器の破壊がある。サイバーインシデントとは単一のサイバー行動がもたらす結果を指し、サイバーキャンペーンとは一定の時間をかけて特定の目的を達成するよう計画された一連のサイバー行動のことを指している[27]。ロシアはサイバースペースの「内部とそれを経由した」持続的キャンペーンを用いて、アメリカとその同盟国・パートナー国との長期的な戦略的競争を繰り広げているのである[28]。

アメリカは「速やかな、コストの高い、誰の目にも見える結果を相手に強要する統合的な戦略を用いて、悪意あるサイバー活動を特定し《アトリビュート》、それを抑止するために同じ目的をもったパートナー国と協力して対処[29]」

することを目指している。そうした対応の一部は、現行国際法のもとでは有責国（responsible state）の特定が困難であるという制約を伴う一方で、アメリカ軍のドクトリンには「適切な防御的対処を行うため、サイバースペースで脅威（実施主体）を特定することが、防御の万全を図り、サイバースペースの外部で行動する場合に不可欠である」[30]と明確に記述されている。さらに軍のドクトリンには「サイバースペースにおける行動を特定する際に最も厄介な問題は、特定のサイバー人格《ペルソナ》と行為を特定の個人、グループ、国民国家と結び付けることであり、相手に責任を負わせるための十分な信頼性と検証の裏付けが必要である」[31]と記載されている。ロシアは、通例であれば武力紛争の閾値に至らないとされている隠密活動にあらぬ影響が及ばないように、「攻撃元の特定」を回避する「不確実性」と、自らの行動がいかなる法的類型に該当するかに関する議論の「曖昧性」を巧みに操作している。ロシアが紛争と競争の手段としてサイバー行動にどのような役割を期待し、どのように運用しているかを仔細に検討しておくことは、ロシアへの対抗策を考えるにあたり、コスト賦課のオプションが望ましいのか、それとも防御的ソリューションのオプションが望ましいのかを見極めるうえで、きわめて重要なことである。

本書の概観

序章では、ロシアのサイバー行動が紛争全体の中の一断面を構成するのか、それとも戦略的競争の一つの構成要素であるのかを評価するため、議論の方向性と基礎的概念を提示した。第1章では、ロシアのサイバー行動を分析・評価するため、技術的な枠組み（侵入、回避、欺騙の手段）と法的な枠組み（武力攻撃、武力の行使、国際違法行為のいずれに分類されるか）から成る分析枠組みを提示する。その後、この分析枠組みを用いてウクライナの重要インフラに対するロシアのサイバー工作を事例研究として取りあげる。本書の各章においては、ロシアが関与したすべてのサイバー行動〔窃取、諜報、利用拒否、破壊〕の中から1つないし2つの事例を取りあげ、〔第1章で提示する〕分析枠組みに沿って分析・評価する。それぞれの事例研究では、ロシアが用いる高度な技術的手段や独自の法的レジームについて検討する。なお、本書は3つの構成に区分し、①ロシアのサイバー行動の役割、②サイバー行動を利用する合理性、③サイバー行動の対抗手段としてのコスト賦課オプションまたは防御的ソリューションの選択〔丸数字は訳者〕について記述する。

第1部「現代ロシアのサイバー戦」では、戦略的競争としてのロシアのサイバー戦を取りあげる。第2章では、はじめに非対称性に関するこれまでの理論的研究を概観し、サイバー戦がいかにロシアの非対称的軍備としてふさわしいものであるかについて論じる。そして〔第1章で提示する〕技術的・法的枠組みを用いて、ロシアの「愛国的ハッカー」〔普段はサイバースペースを利用して民族主義的・政治的な意見を表明している一般市民〕による2007年のエストニアに対するサイバー攻撃を分析する。2008年のジョージアとの紛争においても同じような運用がなされたが、〔エストニアとの違いは〕戦争における戦闘の構成要素としてサイバー作戦が取り入れられた点にある。第3章では、ロシアの軍事ドクトリンと対比しながら、ハイブリッド戦に関する米欧の理論について論じる。次に、2014年のクリミア併合の最中に実施されたロシアのサイバー作戦に〔第1章の〕分析枠組みを適用する。またロシアの新世代戦〔new generation warfare〕モデルを概観した後、東ウクライナでの分離独立紛争で見られたロシアのサイバー作戦を分析する。第4章では、ロシアのIW概念について説明する。現在ロシアのIW活動は、冷戦期に行われていた破壊工作〔subversion〕キャンペーンをインターネット時代に適応する形で蘇らせたものである。第4章では、〔第1章の〕分析枠組みを用いて、ロシアのサイバースペースを活用した2016年のアメリカ大統領選挙に対する介入事例を取りあげる。

第2部「安全保障理論とサイバー行動」では、ロシアのサイバー工作への対抗策としてコスト賦課オプションを実行するのは実際のところ困難であり、ほとんど実行されてこなかった経緯について論じる。第5章では、はじめに合理的選択理論を概観し、なぜロシアによるサイバー行動の利用は合理的であるといえるのかについて論じる。この章では、２０１７年の《ノットペーチャ（NotPetya）》疑似ランサムウェア攻撃において、ロシアは責任ある国家としての行動規範をいかに回避しようとしたかについて、上述した分析枠組みを用いて検証する。第6章ではまず、相手にコストを強要する抑止理論と方法論について概観する。そのうえでこの章では、サイバー領域での不法行為に対するアメリカの対応がロシアの行動を変容させることができなかった理由について、２０１７年のフランス大統領選挙のハッキング事例をもとに検討する。

第3部「サイバー防衛のソリューション」では、ロシアのサイバー行動への対抗策であるさまざまな防御的選択肢を提示し、検討する。第7章では、サイバーセキュリティのリスク管理について検討し、現在の戦略ではネットワークとシステム・セキュリティをどの程度改善できるかについて論じる。ロシアのサイバー行動は防御網をいかに突破し、アメリカのエネルギー部門の重要インフラに侵入できたかについて分析する。最後に、アメリカ合衆国コンピュータ緊急対応チーム（US-CERT）が提案しているセキュリティ措置について検討する。これは類似の攻撃を防ぐだけでなく、ロシアがサイバースペースにおける無責任な行動からいかなる利益も得られないように仕向けるための防御措置でもある。第8章では、復元力《レジリエンシー》に関する理論的検討を行った後、サイバー防御の自動化によってサイバー脅威の検知・解析・復旧に要する時間をいかに短縮できるかについて論じる。次に、２０１７年の《バッド・ラビット（Bad Rabbit）》によるランサムウェア攻撃を分析し、高度なテクニックに対し、ネットワーク全体にわたる規模と攻撃テンポを備えた自動化されたサイバー防衛の有効性について検証する。第9章では、ロシアのサイバー行動への対抗策として、技術的なオフセット手段の活用について検討する。国際規範を巧みに操作することによって、例えばケルチ海峡〔アゾフ海と黒海を結ぶ要衝に位置し、クリミア半島東部のケルチ半島とロシア領北コーカサスのタマ半島の間にある海峡。２０１８年にロシアがクリミア大橋を建設〕の衝突事件で見られたように、強制手段による対応は困難になる。ロシアが軍事分野の技術革新によって技術的オフセットに取り組んできたように、サイバースペースにおいて米欧諸国はデータ相関技術を用いて対応しなければならない。

終章では、サイバー行動の匿名性と不確実性を維持するため、クレムリンが法的曖昧性と技術的複雑性をどのように利用してきたかを改めて強調する。そのうえで、持続的関与戦略（persistent engagement strategy）を反映した前方防御（defend forward）の有効策として、より攻勢的なアプローチを導入することの是非について検討する。こうした攻勢的なコスト賦課の方法を採用した場合の抑止に及ぼすリスクを考慮すれば、復元力《レジリエンス》を備えたソリューションを採用し、相手からの攻撃に耐え、〔システムの〕運営を継続することが必要とされるであろう。

国家情報長官室の元カウンターインテリジェンス部門のリーダーであったジョエル・ブレナー（Joel Brenner）は「サイバーは、敵対国が武力攻撃や戦争法の閾値を超えない範囲で効果的かつ痛烈な方法で我我を攻撃し、報復することができる方法の一つである」[1]と指摘している。「サイバー攻撃」（cyberattack）という用語は「ウェブサイトの改ざん、ネットワークへの侵入、個人情報の窃取、インターネット・サービスの中断といった敵対的で悪意のあるサイバー活動」[2]を含み、こうした多種多様なタイプのサイバー行動を語る際に日常的に使用されている。したがって、「サイバー攻撃」と表現されるサイバー行動は必ずしも「武力攻撃」（armed attack）や「戦争行為」（act of war）を意味するわけではない。それは「武力の行使」（use of force）あるいは「国際違法行為」（internationally wrongful act）といった厳密な法的分類に該当しない条件のもとでも起こり得るものと見なされている。とはいえ、法的な分類は重要である。というのも、そうした分類は国際法のもとでサイバー攻撃を受けた際に、被害国がどの程度〔合法的に〕対処できるか――自衛権に基づき武力で対処するのか、あるいは対抗措置《カウンター・メジャー》として知られる武力行使未満の手段で対処するのか――を決定づけるのは法的分類に拠るからである。いずれのケースも、さまざまな法的要件が満たされなければならないが、有責国の特定は国際法のもとで適切な行動をとるために必要な条件となる。

ロシアによるサイバー行動は、相手に有効な対応策をとらせないように、それを正当化する〔武力行使の〕閾値や分類を巧みに回避して実施される。そこでは国際違法行為あるいは国際法で違法とされている攻撃に対し、被害国が対抗措置をとるのに必要な「攻撃元の特定」を避けるため、技術的な手段が利用される。「攻撃元の特定《アトリビューション》」という用語は「攻撃を実施した主体の身元や位置を特定すること」[3]と定義される。「攻撃元の特定」に使われる技術的な指標としては、スパイ活動の手口、暗号型式、ドメイン登録、インターネット・プロトコル（IP）の所有権、リソース言語、タイムゾーン〔同じ標準時間を使う地域〕情報などがある。政治的な観点から言えば、「攻撃元の特定」は宣言的な意味合いが強く、多くの場合、長い時間をかけて集められた状況証拠に基づいて行われる。悪意をもつアクターにとって、「攻撃元の特定」を回避するだけでなく、サイバー攻撃を実施している間はできる限り長く、匿名性（anonymity）を維持することが目標となる。したがって、サイバー領域における匿名性は重要であり、サイバー攻撃の実施主体が個人なのか集団なのか、それとも国家なのかを識別することを妨げ、〔被害国が〕「サイバー攻撃がすでに始まっているかどうかすら認識することができず、攻撃のターゲットや目標を隔離することを不可能」[4]にする。そこで本章では、ロシアのサイバー行動を分析・評価するため、技術的（侵入、回避、欺騙に用いられる手段）および法的な枠組み（武力攻撃、武力の行使あるいは国際違法行為に分類される国際レジーム）を提示する。そしてウクライナのエネルギー部門に対するロシアの破壊的なサイバー工作を事例研究に取りあげ、本章の分析枠組みを適用してみたい。

サイバー攻撃がいかなる段階で戦争行為と見なされるのかという問題に関しては、明確な法的定義はない。[5] アメリカ合衆国法典は「戦争行為」(act of war) について「Ⓐ宣戦布告された戦争、Ⓑ宣戦布告の有無を問わず、2カ国またはそれ以上の国家間の武力紛争、Ⓒ出自は何であれ軍隊間の武力紛争として発生した行為」[6]と定義している。「武力紛争」とは武力の応酬を意味する。戦争行為に関するよりインフォーマルな解釈は「2カ国またはそれ以上の国家間の敵対的な相互行為」[7]というものである。問題は、サイバー行動が武力紛争の開始あるいは政治的な宣戦布告の発生を意味することになるか否かが明らかでないことである。物理的領域では、その答えは明らかである。例えば、1941年のパールハーバーにおけるアメリカ艦隊に対する破壊的攻撃によって、アメリカは日本に対して宣戦布告することとなった。[8] すなわち、物理的な戦争行為には法的基準が存在するが、サイバー領域の戦争行為にはそれが存在しないのである。[9]

2016年5月、マイク・ラウンズ (Mike Rounds) 上院議員は「2016年サイバー戦争行為法案」(Cyber Act of War Act of 2016) を提出した。それは「サイバースペースで実行された行動が、アメリカに対する戦争行為に該当するか否かを決定するための方針の策定を大統領に求める」[10]法案であった。その数カ月後の2016年9月、マルセル・レトレ (Marcel Lettre) 情報担当国防次官は、上院公聴会で「人命の喪失・負傷、重要インフラの破壊または深刻な経済的影響を直接もたらすような」サイバー攻撃は「違法な攻撃と見なされるのか、それとも戦争行為と見なされるのかについて、厳密に評価されるべきである」[11]と語った。ラウンズ議員の発言は、いかなる状況が戦争行為に該当するのかをめぐる評価が「軍事的または法的判断以上に政治的判断であるという現実を物語っていた」[12]。マイケル・シュミット教授とサイバー・ロー・インターナショナルのリイス・ヴィフル (Liis Vihul) 会長によると、戦争とは「国家が『戦争状態』にあるとか『戦争行為』に関与しているという事実は、戦争法や中立法といった特定の法律が適用された結果を意味するものであって、数世紀にわたって〔戦争そのものは〕規範的意義を有さない歴史的な用語[13]であると述べている。「伝統的な戦争の意味は廃れ、現在ではさまざまな法的概念が混在した複雑な状態となっている[14]」。

第二次世界大戦後、国際連合憲章という規範的枠組みが国際コミュニティによって構築された。国連憲章は慣習的な国際法規範と組み合わされ、国家はいつ、どのように武力を行使できるのかを規定している[15]。戦時中に適用されるルールも国際コミュニティによって見直され、戦争法が適用される〔平時と戦時の〕分岐点として〔従来のように〕宣戦布告をする義務はなくなった[16]。従来の戦争法は「武力紛争法」(law of armed conflict)と呼び変えられ、一般的に「国際人道法(international humanitarian law)」と言われるようになるが、それは武力紛争が発生したときに適用される。アメリカは「武力紛争(armed conflict)」を1949年ジュネーヴ条約の共通2条に基づき、「戦闘の継続期間、強度、範囲に関わらず、2つの国の軍隊の間で敵対的行為が発生している状況[17]」と解釈している。この基準にしたがえば、「武力紛争の概念は、いかなるレベルにおいてであれ、強制的行為(forceful acts)を含んでいる[18]」。サイバー行動が武力紛争の要件を満たすには、人が負傷または死亡するか、財産の破壊を伴うものでなければならない。こうしたさまざまな法的レジームは、国際法がどのようにサイバー行動に適用されるのかという問題をめぐり、解釈を推し進めるための土台となる。

法的レジーム

国連憲章第2条4項は「いかなる国の領土保全又は政治的独立に対する[19]」武力の行使を禁じている。今日、国連憲章のほかには、サイバー行動を規制する国際協定は存在しない。国家間のコンセンサスに最も近いものとしては『サイバー行動に適用される国際法に関するタリン・マニュアル2・0』（以下『タリン・マニュアル2・0』と表記）がある。これは主として米欧諸国の見解であり、国際専門家グループ（International Group of Experts）と称される法律家、実務家、研究者らによってまとめられた。『タリン・マニュアル2・0』の狙いは、サイバー活動に関連する現存する国際法――「現行法」（lex lata）と呼ばれる――を法律の条文形式で整理することにあった。[20]『タリン・マニュアル2・0』のルール68には「武力による威嚇または武力の行使と見なされるサイバー行動も……違法である」[21]と記載されている。議会に提出された〔前出の〕「2016年サイバー戦争行為法」を見ると、アメリカ政府はサイバー行動を「戦争行為ではなく、武力の行使の観点から」[22]評価していることがわかる。特に同法は「物理的破壊や犠牲者の発生といった観点から、〔サイバー攻撃による〕効果が通常兵器を使用した攻撃」[23]と同等の効果をもたらしたかどうかを検討することにより、サイバースペースにおける特定の行為が戦争行為に相当すると判断するよう大統領に求めている。国務省の法律顧問を務めるハロルド・コウ（Harold Koh）は、同じように通常兵器との相関関係から2012年に「ほとんどの専門家は、サイバー攻撃による直接的な人体の損傷や物的損壊が、キネティック兵器による武力の行使がもたらす態様と似ているかどうかに注目している」[24]と語っている。

コウは、仮にサイバー攻撃が爆弾の投下やミサイルの発射による物理的被害と同等の効果をもたらした場合、それは武力の行使と見なされるべきだと主張している。[25]同様に、アメリカ国防省（DOD）の『戦争法マニュアル（Law of War Manual）』には、jus ad bellum（武力行使を規制する戦争法）のもとで武力行使と見なされ、伝統的な物理的手段〔通常兵器〕と同じような結果を引き起こした場合、国連憲章第2条4項の武力行使に該当すると見なされると記載されている。[26]このようなサイバー行動には「①原子力発電所の炉《メ》心溶解《ルトダウン》、②人口密集地域の上流にあるダムの決壊による荒廃、③航空管制業務の妨害による航空機事故」[27]

が想定される。また、「軍の兵站システムを機能不全にする」サイバー作戦が武力行使の要件を満たす[28]と考えられる一方で、国際司法裁判所によると「あらゆる武力の行使が武力攻撃のレベルに至るわけではない[29]」とされている。

『タリン・マニュアル2・0』の編集主幹であるマイケル・シュミットは「あらゆる武力攻撃が、少なくとも武力の行使に相当することは明白である」としながら、国際司法裁判所の考え方にしたがって、「重大な武力の行使だけが武力攻撃である」と語っている[30]。したがって、サイバー行動が武力攻撃に該当すると認められるためには、「すでに受けた被害あるいは加えようと意図された被害の程度が、一定の基準値に到達していることが必要とされる[31]」。その基準値は、サイバー行動の規模（scale）と効果（effect）で測られる。国際専門家グループは「多数の人々が重傷を負ったり死亡した場合、あるいは財産に深刻な被害を与えたり、破壊をもたらすようなサイバー行動は、規模と効果の要件を満たす[32]」という点で一致している。これとは対照的に、専門家グループは「諜報活動における情報収集や情報窃取のためのサイバー行動は、さほど重要でないサイバー業務の一時的、周期的な中断をもたらすようなサイバー行動と並んで、武力攻撃には該当しない[33]」と結論づけている。ただし、シュミットは「国家の経済基盤や重要インフラを標的とするような、きわめて深刻な結果をもたらす」サイバー行動は「武力攻撃と見なされ、〔サイバー攻撃を受けた〕国家は自衛権に基づく対処が認められる」と主張している[34]。

国連憲章第51条は「国際連合加盟国に対して武力攻撃が発生した場合には、個別的又は集団的自衛の固有の権利[35]」を加盟国が有する旨を定めている。すなわち、国連憲章は自衛権に基づく武力の行使——自衛権は軍事行動の正当な根拠であるが[36]、自衛には多くの制約を伴う——を国家の固有の権利として認めているのである。『タリン・マニュアル2・0』のルール72では、「自衛権の行使として国家によって採用されるサイバー行動を含む武力の行使は、必要かつ均衡のとれたものでなければならない[37]」と謳われている。

ここでいう「必要性」とは、急迫した攻撃または現に発生している攻撃を撃退するために武力の行使が必要であるということを意味する。また「均衡性」により、対処の「規模、範囲、期間および強度」が制限される。[38] そして、武力攻撃が終了した時点で、自衛権の行使も終了する。しかし、被攻撃国が「攻撃国はさらに武力攻撃の水準でサイバー行動を実施する意図を有している」と判断すれば、そうしたサイバー行動は「いかなる時点でも防御行動をとることのできる現に発生しているサイバー行動」として扱われるかもしれない。[39]

武力攻撃と見なされたサイバー行動は「国際違法行為」に該当する。とはいえ、武力攻撃の閾値未満の違法なサイバー行動も数多く存在する。『タリン・マニュアル２・０』のルール14では、「国際違法行為」を「⑴国家に適用される国際的な法的義務違反に該当し、かつ⑵国際法のもとで国家に帰属せられるべき行為または不作為」[40]と定義している。国際的な法的義務違反の第１要件は「国家による条約義務、慣習国際法、法の一般原則の侵害」[41]から成り立っている。国際違法行為に相当する慣習的規範の代表例は「主権の尊重（ルール４）、干渉の禁止（ルール66）および武力行使の禁止（ルール68）である」[42]。ルール４に関しては、遠隔地からのサイバー行動によって国家主権が侵害されているかどうかの判断は「⑴対象国の領土保全に対する侵害の程度、⑵政府固有の機能に対する介入または侵害の有無、という２つの異なる原理」[43]に拠るとされている。ルール４の⑴については「国家が主権領域へのアクセスをコントロールしていることを前提としており、⑵については、いかなる他国も排除され、国の領域内で国家機能を排他的に行使する国家主権」[44]に基づくものと説明されている。

「どの程度の違反行為が国家主権の侵害と見なされるか」という問題に関し、国際専門家グループの多数派は「標的とするサイバーインフラ機能に対し、比較的継続した方法で介入するなど、被害をもたらす行動」がそれに該当するという点で一致している。[45] 物理的被害や機能喪失までは及んでいないサイバー行動については、「サイバーインフラに蓄えられたデータの変更や削除……大規模なＤＤｏＳ〔分散型サービス拒否〕攻撃のケースといった一時的ではあるが深刻な機能喪失の発生」[46]などのように、主権侵害行為を表す特徴としてインフラやプログラムに異常をきたすサイバー行動を挙げる専門家もいる。国際専門家グループは「ある国家によるサイバー行動が他国に固有の政府機能に介入または侵害するとき」[47]、主権侵害が発生する第二の根拠〔前出の(2)〕について明確に定義していない。実際、選挙の実施、外交、国防など政府固有の機能であるといえるものもあれば、他の機能の中には明白にそうとは言い切れないものもある。[48]

国際違法行為の存在を立証するために必要とされる第2の要件は、問題となる行為が「国際法のもとで〔その責任が〕国家に帰属する」[49]ものでなければならないということであり、その判断は困難である。侵害の要件は「客観的に」表現されてきた一方で、攻撃元としての国家の特定は「主観的に」なされてきた。[50]侵害行為を判断する基準には国家機関や代理人そのものは関係をもたないのに対し、「攻撃元の特定」には国家機関や代理人の意図や知識が必要とされる。[51]最もわかりやすいケースを挙げると、「攻撃元の特定」が成り立つのは「軍隊やインテリジェンス組織のような国家機関が違法行為に関与しているとき」[52]である。ある個人またはグループによって実行されたサイバー行動が「実行の際に国家の指導を受け、その指示と統制のもとで行動しているとき」[53]、その行動の責任は国家に帰属することになる。

「他国が自国に対して負う国際法上の義務違反」への対処として『タリン・マニュアル２・０』のルール20は「性質上サイバーであるか否かを問わず、国家は対抗措置をとる権限を有する」と述べている。対抗措置とは「〔攻撃国に対して〕行為の中止と賠償を求めるものでなければ、通常なら被害国の国際義務違反となってしまうような措置のことである」[54]。サイバー攻撃に置き換えると、対抗措置は「攻撃実施国に国際法上の不法行為にあたるサイバー行動をやめさせるため、被害国が通常であれば使用できない逆ハッキングなどの緊急行動をとることを許容する自力救済のための有効な手段を意味する」[55]。対抗措置の事例には「遠隔地のコンピュータを制御することによる攻撃の中断」や「攻撃拠点に対するサービス拒否攻撃の実施」[56]などがある。対抗措置自体は「武力による威嚇または武力の行使を慎むという国際義務に作用する」[57]ことはない。

このような法的基盤があるにもかかわらず、ダニエル・ドノヴァン（Dan Donovan）下院議員は「私たちはサイバー攻撃がいつ戦争行為となるかがわからない」[58]と表明し、政治的ディレンマを浮き彫りにした。〔前出の〕レトレ次官が提起した基準は「軍の対処能力を脅かし、国家安全保障に脅威を与え、国民経済の崩壊を招きかねない」[59]サイバー領域における諸活動というものだ。ただし、レトレ次官は、個々のサイバー行動については行動の形態と行動がもたらす結果に基づいて議論されると指摘した。同様に欧州連合（EU）は、敵対的アクターからのサイバー攻撃は「戦争行為と見なされ、最も深刻な状況のもとでは通常兵器を用いた対応も正当化される」[60]と表明している。こうした曖昧さはアメリカや欧州パートナー諸国が、サイバー行動が戦争行為と認知される境界線をめぐり、これまで明確な定義をもたずにきた事情を反映しているといえよう。だが、それはさほど重要なことではないかもしれない。なぜなら、「戦争」という用語は国際法の目的に合わせ、〔現代では〕「武力紛争」という用語に取って代わられているからである。[61]国際法上の枠組みは、アメリカや他の国々がサイバー行動にいかに対応すべきかを方向づけるために存在する。それゆえ、本書では国際連合憲章や関連する慣習国際法をめぐる専門家の解釈を援用し、適切な法律用語や出典を付しながら、ロシアのサイバー行動とそれへの対処法について分類する。

技術的手段

匿名性を保持し、行為責任の特定を避けるため、悪意あるアクターは侵入、回避、欺瞞のために技術的手段を用いて発見や立証を妨害し、関与の実態や意図が暴露されることを防ごうとする。攻撃ベクターとは情報アセットの内部への侵入方法のことであるが、一般的には特定の個人に対するフィッシング詐欺や窃取した認証情報の利用を指すことが多い。[62] 悪意あるアクターたちはユーザーを騙し、マルウェアを忍ばせた悪質なリンクや添付ファイルをクリックさせたり、プロテクトのかかったウェブサイトのためにユーザー名やパスワードを提供したりして、ソーシャル・エンジニアリングの手法を日々更新している。[63] 偽メールを本物らしく見せる一般的な手法は、一見有効に見えるものの意図的にわずかに違った（しばしば、文字や数字を一つだけ変える）ドメインを使って相手を騙すこと、有効なドメインにサブドメインを設けること、短縮ツールを使ってウェブのＵＲＬを偽造することなどである。[64] 認証情報はキーロガー（操作されたキーを監視・記録するもの）とパスワード・ダンパー（ＯＳからハッシュ値または平文《プレーン・テキスト》のパスワードを取得）により盗み出すことができる。[65] 攻撃者は「水飲み場攻撃（watering hole attack）」として知られるウェブサイトに不正アクセスを行う。そのサイトを普段から利用している被害者は、ポップアップのアラート画面を起動させたり、ＯＳやアプリケーションに脆弱性のあるマシンを自動スキャンするエクスプロイト・キットを埋め込まれたりしてマルウェアに感染してしまう。キットの中にあるエクスプロイト・コードは、システムへの侵入を図るため、コーディング欠陥のような脆弱性を突いてくる。[66]

悪意あるアクターは、ソフトウェアの更新プロセスでマルウェアの感染を仕掛ける。それは「ソフトウェア・サプライチェーン攻撃」と呼ばれる。この攻撃スタイルは近年、国家による諜報活動に加え、破壊的キャンペーンの中で観察されている。[67] マルウェアはアクセス権のない不正処理を実行する悪質なコードであり、被害者のデータ、アプリケーション、オペレーティング・システムに不正アクセスするため、システムの中に埋め込まれる。[68] 攻撃者は多様な性質をもつマルウェアを使い、検知されないようにシグネチャ情報を変更する。コードを簡単に書き換えることで、まったく新しい二進法のシグネチャが作られる。[69] 多様な形態のマルウェアはファイル名や暗号化キー（暗号鍵）などを変更することで、一般の検出ツールでは検知できないようにする。[70] 検知を逃れるマルウェアを使用したテクニックとして、暗号化、ファイル圧縮、正規のファイルとの関連付け、ファイル容量の拡大といった方法がある。[71] また、平文《プレーン・テキスト》の文字列の暗号化、ジャンク機能の設定などによるマルウェア・コードの難読化によって、解析はますます難しくなる。さらに、マルウェアはサンドボックスの中での検出を回避することができる。サンドボックスはヴァーチャルな環境解析を行う空間のことだが、〔正常に機能していれば〕関連するレジストリ・キーやファイル、作業プロセスを検出することができる。

　検出を回避する最新のトレンドには、ファイルレス・マルウェアの利用がある。ディスクドライブでファイルを書き込むのではなく、記憶装置に自ら入り込んでシステムを感染させる。マルウェア対策製品は、マシンのローカル・ストレージ上で静的ファイルを探し出そうとするため、マルウェアの発見は困難になる。[72] ファイルレス・マルウェア攻撃は２０１８年にはサイバー攻撃の35パーセントを占めていたと見積もられ、ファイルベースの攻撃よりも成功する確率は10倍の高さであった。[73] 脅威アクターはマイクロソフト社のPowerShellのようなスクリプト言語を使用し、ファイルレス・マルウェアを使って――例えば、ランサムウェアのペイロードを検索し、メモリ内部で実行する――システムを感染させる。PowerShellは通常、バックグラウンド・コマンドの作動、システムにインストールされたサービスの点検、終了処理、システムとサービス構成の管理といった管理者業務を自動処理することに使われている。敵対者はPower-Shellを利用して、Start-Processコマンドレットで実行ファイルを起動させたり、Invoke-Commandコマンドレットで現場や遠隔地にあるコンピュータを起動させることができる。PowerShellは２００９年以降のWindowsのオペレーティング・システムに搭載されているため、システム・ポリシーによって完全に阻止することはできそうにない。[74] それゆえPowerShell、JavaScript、VBScript、ＰＨＰといったスクリプト言語は、攻撃者の活動を手助けし、手動でしかできない仕事をやり遂げる。このように、スクリプトは従来のコードやデータ配送の仕組みを変えた。[75] スクリプトは〔ソースコードの〕難読度を高め、検知されにくくする。例えば、PowerShellはコマンドを送るショートカットキー、エスケープ文字、エンコード機能を使い、難読化するのに有効である。[76] 直接メモリから実行されるPowerShellの効率性の良さがマルウェアのステルス性を向上させる。攻撃者は被害を大きくするため、自己増殖するワームのような機能をマルウェアに付加する。[77] ワームはソフトウェアの脆弱性を利用し、自動的にネットワーク中に拡散する。[78] また、攻撃者はPsExecのような正規の管理者ツールを使ってネットワーク中を横断的に移動し、他のシステムを感染させたり、有益なデータを見つけたりする。

欺騙というカテゴリーのテクニックを活用すれば、「敵対者はあなた自身やあなたの利益、あなたの国の軍隊と激しい競争を繰り広げている間」[79]、他の第三者の判断を惑わすことができる。欺騙は相手の認識に曖昧さ、混乱、誤解を引き起こす。[80] 攻撃者にとってサイバー欺騙の効果とは「監視の失敗（防御者がサイバー攻撃を探知することを防ぐ）、誤った方向に誘導する（防御者の関心を別の攻撃に振り向ける）、国の特定を誤らせる（防御者に攻撃を行っているのは別の国であると思わせる）」[81] などである。「監視の失敗」に分類される技術的手段の例はＤＤｏＳ攻撃であり、これは陽動作戦として機能する。第2の分類である「誤った方向に誘導する」では、攻撃者は「偽旗作戦」を実施し、あらかじめ用意した証拠や虚偽の主張により、第3国の仕業であることをほのめかす。[82] 例えば、「ＡＰＴ28サイバー諜報グループ」に所属するロシアのハッカーたちは、２０１５年4月、フランスのテレビチャンネルTV5Mondeを乗っ取り、〈サイバー・カリフ〉

〔テロリスト集団ＩＳＩＳとつながりをもつ〕のものと思われるイスラム聖戦士からのメッセージ——破壊の痕跡を報道するためのものだろう——を掲示した。[83] 同様に、言語識別文字列、タイムゾーン、使用されてきた構築環境を考慮すると、単一のアクターから攻撃を受けたものでないことが明らかになる。例えば、ロシア連邦軍参謀本部情報総局（ＧＲＵ）のハッカーたちは、北朝鮮のＩＰアドレスを使い、２０１８年冬季オリンピック開催中の韓国にサイバー攻撃を仕掛け、それを北朝鮮のハッカーの仕業に見せかけようとした。[84] 最後に〔第３の分類である〕「国の特定を誤らせる」であるが、国家は代理人《プロキシ》を使って責任を逃れようとする。一般的に代理人とは「政府と比較的緩いつながりをもった非国家アクター」[85] と定義される。サイバースペースにおける代理人は、一般的に愛国心の強いハッカー、犯罪組織、ハッカー集団、「高度な持続的脅威」（ＡＰＴ）集団の中に見られる。元アメリカ合衆国サイバー軍司令官のマイケル・ロジャース提督は、外国政府が犯罪者やハッカーを代理に使うことで「それをやったのは我々ではない。犯罪者集団だ」[86] と言い逃れる根拠を与えてしまうと証言している。

分析枠組みの適用

元国家情報長官のジェームズ・クラッパー（James Clapper）は「ロシアは重要インフラ・システムを標的とすることを厭わず、一段と高圧的なサイバー工作の態勢を整えているようだ」[87] と議会で証言した。ここでは、ウクライナ国内のエネルギー部門の重要インフラを標的とした２０１５年のサイバーインシデントを検討し、上述した法的・技術的枠組みを用いて、ロシアのサイバー攻撃を法的に分類し、いかなる対応が可能であったかを検証する。ロシア人は〔電力会社の〕現場作業員の認証情報を盗み出し、〔外部ネットワークと〕切り離された電力供給システムに侵入し、システムに被害をもたらすとともに、電力サービスを中断させることに成功した。ロシア政府は代理グループを活用することで、国際違法行為である〔ウクライナの〕主権侵害の責任を問われかねない「アトリビューションの決定的証拠」が明るみに出ることを妨害したのである。

ウクライナの電力網

２０１５年12月23日、ウクライナの電力会社３社は、予定外の電力供給の停止に追い込まれた。それは現地時間午後３時35分に始まった。ハッカーが外部から制御センターにアクセスし、電力の配電・管理システムである「リモート監視・制御システム」（ＳＣＡＤＡ）を乗っ取ろうとしたのである。こうしてハッカーたちは変電所30カ所のブレーカーを遮断し、22万５０００件以上の利用者の電力を停電させた。[88] このサイバー攻撃は広範な技術偵察を行ったうえで、綿密に調整されていたようである。電力会社の職員によると、30分以内に３カ所のサイバー攻撃が同時に起こったという。[89] 襲撃の結果、ハッカーたちは《killDisk》マルウェアでシステムのデータを完全消去したうえ、復旧作業が終わる頃を見計らって再び侵入してくる可能性もあった。[90] 電力会社は手動操作に切り替え、さいわいにも数時間後には電力サービスを復旧することができた。停電中にハッカーたちはネットワークへの不正侵入に加え、遠隔地からの電話によるサービス拒否（ＤＯＳ）攻撃を実施した。数千件にのぼる偽の呼び出し音が電力会社のコールセンターに殺到し、利用者からの被害通報への対応業務を妨害したのである。ハッカーたちの狙いは、利用者が屋内の照明や暖房の復旧の見込みが立たず、不満を爆発させることにあったように思われた。[91]

ウクライナのプリカルバティア地方の電力会社のオペレータは、自分のコンピュータ画面のカーソルがエリア内の変電所の回路ブレーカーの制御ボタンに向かって勝手に動いていく様子を目撃している。カーソルはブレーカーを遮断するため表示ボックスをクリックし、その途端、変電所の電流が止まった。そのオペレータはどうすることもできず、一つまた一つとブレーカーがクリックされ電流が止められていく様子をただ茫然と眺めているしかなかった。[92] しかしその攻撃は、不気味な遠隔操作が起こるはるか前から始まっていたのだ。

というのも、ハッカーたちは電力会社のネットワークを事前に偵察し、オペレータの認証情報を盗み出していたからである。ウクライナ全土の複数の電力会社にいる情報技術（IT）の専門職員とシステム管理者を標的としたスピアフィッシング・キャンペーンによって、事前偵察が同年の春から開始されていた。[93] このフィッシング・メールは信頼できる発信元から送付されたものであったが、《BlackEnergy 3》マルウェアを埋め込んで兵器化されたマイクロソフト社のWord文書が添付されていた。[94] 職員がそのファイルをクリックすれば、ポップアップ・アラートが命令を実行するよう指示する。もし職員たちがその指示に従えば、マシンは《BlackEnergy》に感染し、さらなる感染拡大を引き起こすためのバックドアとなる。この不正な侵入方法はオペレーティング・システムやアプリケーションの脆弱性ではなく、マイクロソフト社のWordプログラムの特徴を利用したものだった。[95]

《BlackEnergy 3》がダウンロードされた後、ハッカーたちはマルウェアに指示を送る遠隔操作《コマンド・アンド・コントロール》チャネルに接続する。[96] ハッカーたちはネットワークの配列を割り出し、ネットワーク環境の中を移動し、検知を避けるため標的システムに紛れ込んだ。[97] 最終的に、彼らはWindowsのドメイン・コントローラにアクセスし、職員の認証情報を窃取した。たとえ電力会社が配電網を制御しているSCADAネットワークから自社ネットワークを分離していたとしても、配電作業員が遠隔地からログインするために使っていた仮想私設ネットワーク（VPN）を通じて、SCADAネットワークにアクセスする手段が残されていた。[98]彼らはSCADAネットワークに入り込むと、数ある中から2カ所の制御センターに電力を供給するよう設定を変更した。電力会社のオペレータたちは何ら打つ手がなく、このサイバー攻撃が実施されている間、電力を復旧することができなかった。[99]ハッカーたちは十数カ所の変電所にあるシリアル・イーサネット・コンバータに悪質なファームウェアをアップロードした。正規のファームウェアの書き換えにより、停電が続いている間、攻撃者はオペレータがブレーカーを復旧するための遠隔コマンドの送信を妨害することができた。こうしてハッカーたちが「悪質なファームウェアで武装されている」ということは、「攻撃者の攻撃準備が整った」[100]ことを意味していた。

停電が終わるとまもなく、ウクライナ保安庁はこのサイバーインシデントにロシア連邦保安庁が関与していると主張した。[101]Dragosセキュリティ社の共同創始者であるロバート・リー（Robert Lee）は、速やかな「攻撃元の特定」を避け、関与するアクターが作戦の段階ごとに異なる可能性をほのめかしながら、「ネットワークに最初のアクセスを行ったサイバー犯罪者が、その成果を残りの仕事を引き継ぐ国家に引き渡すことだってあり得る」[102]と語った。サイバー脅威インテリジェンス企業のiSightパートナーズ社は、停電を引き起こしたのは〈Sandworm〉として知られるロシアのハッキング集団であると非難した。[103]この結論は《BlackEnergy 3》および《KillDisk》マルウェアの綿密な解析結果に基づいていた。iSight社は〈Sandworm〉が直接ロシア政府のために働いていたかどうかは明白ではないとしながらも、諜報分析部門のディレクターのジョン・ハルトクイスト（John Hultquist）は「国益と結び付けて行動するのがロシアのアクターたち」[104]だと語っている。しかし、国家利益とのつながりというだけでは、〈Sandworm〉がロシア政府の指示や統制のもとで活動していたことの証明にはならない。それから4年以上が経過し、国家安全保障局のサイバーセキュリティ勧告により、〈Sandworm〉チームが実際には情報総局（GRU）のフィールドポスト番号７４４５５に所属するロシアのサイバーアクターであることが明らかにされた。[105]
当時〔２０１７年〕は明確な有責国の特定はなされなかったが、〈Sandworm〉というロシアのグループは史上初めての他国の電力網に対するサイバー攻撃を実施したのである。[106] ハッカーたちは可能性として回路遮断器にさらなる甚大な被害を与える能力を有しており、発電所からの電力供給を永久に止めることができたし、そうしない選択もできた。実際に彼らがとった自制的行動は「復旧不可能なダメージを与えることなく、ウクライナの物理的インフラを攻撃できるロシアの能力を暗に伝達することを意図[107]」していただけなのかもしれない。このシグナルには警告の意味もあった。というのも、当時、ウクライナ議会はロシアの新興財閥《オリガルヒ》が所有するウクライナ国内にある民間電力会社を国有化する法案を審議中であったからである。[108] いずれにせよ、〔停電がもたらした〕冬季の広範囲な影響は主に心理的な効果を狙ったものといえた。結局、電力は1時間から6時間の間に復旧した。悪質なファームウェアによるブレーカー器材の損傷は数カ月間にわたって続いたが、ウクライナの作業員たちは手動制御により乗り切ることができた。

　人的な死傷者を出さず、重大な物的ダメージもなかったため、２０１５年12月にウクライナの一地方で起きた電力会社に対するサイバー攻撃は、ほとんどのアナリストが「武力の行使」に該当するとは見なさなかった。このサイバー行動がもたらした規模〔電力利用者の数〕と効果〔復旧に要した期間〕は、おそらく武力攻撃に相当する烈度（severity）の基準に達していたとはいえないだろう。あえて『タリン・マニュアル２・０』のルール4に記述されている遠隔地からのサイバー行動に関する2つの判断基準に沿って考えてみれば、このサイバーインシデントは国家主権の侵害にあたるといえなくもない。第１の判断基準である国家の領土保全をめぐる侵害の程度は、その国が被った重要インフラ機能の永続的損失によって測られる、というものである。第2の判断基準についての『タリン・マニュアル２・０』を作成した専門家らの見解は「国家固有の機能を行使するのに必要なデータやサービスを妨害するサイバー行動は、主権の侵害として禁止される」[109]というものだ。この判断基準は『タリン・マニュアル2・0』のルール4で説明されており、また、国連憲章第2条1項に規定されている「国家主権の平等」原則に基づき、国際法に抵触するという考え方である。しかし国際法のもとで、ある国の行為が主権侵害行為にあたると明確に特定できない限り、本件は国際違法行為と認定するいずれの要件（国際法上の遵守義務の違反および違反した国家の特定）を満たしているとはいえない。それゆえ、被害国による対抗措置は正当化されず、許容され得ないのである。

結論

２０１７年のアメリカの国家安全保障戦略では「アメリカ合衆国は現在、ロシアと戦略的競争を繰り広げており、それは冷戦期と同様に広範かつ危険な競争であり、ある意味で冷戦期のそれよりも複雑である」[110]と述べられ、ロシアとの戦略的競争状態にあることをはっきりと打ち出している。アメリカのサイバー軍でシビリアンの事務局長を務めるデイヴィッド・ルーバー（David Luber）によると、サイバースペースは「新たに開始された大国間競争の時代における戦略的対決の中心地」[111]となった。ドナルド・トランプ（Donald Trump）大統領は、ロシアの指導者であるウラジーミル・プーチンを敵ではなく、競争相手と見なした。[112]「競争相手」という言葉は、天然ガスの輸出量などのように、経済分野で使われるのがふさわしい。アメリカが世界最高の天然ガス生産国としてロシアを追い抜く一方で、欧州に政治的圧力を加える手段として天然ガスを利用しようとするロシアの影響力を減らすために、市場での価格競争を政治の舞台に持ち込むことができる。[113]そうした経済・政治分野の競争に加え、テクノロジーや通信の急速な拡大は影響力や強制力を行使する新たな手段となった。[114]アメリカのサイバー軍は、競争者たちは（一部は敵対者と見なされる）常に武力紛争の閾値に至らない範囲で活動を続けていると主張する。[115] ロシアは影響力を強め、有利な立場に立つためにサイバー工作を利用する競争相手であり、自国に法的または軍事的に不利な結果を招かないよう、紛争の閾値がどこにあるのかを探っている。

２０１５年のウクライナの電力会社に仕掛けたサイバー工作は、重要インフラをターゲットにするロシアの意図と能力の現れであった。インフラへの侵入は、ウクライナ議会を揺さぶり、脅しをかけるメッセージとも警告ともなった。イギリス政府通信本部に属する国立サイバーセキュリティ・センター長を務めるシアラン・マーティン（Ciaran Martin）は、モスクワはエネルギー部門のインフラという「伝統的な」ターゲットに加え、「民主主義制度、メディア制度および……言論の自由」を弱体化することを目的として「米欧全体に対して」サイバー技術を運用している。[116] その翌月、ロッド・ローゼンシュタイン（Rod Rosenstein）司法長官代理はアスペン安全保障フォーラムの場で、ロシアの影響力工作（influence operation）による脅威の増大について注意を喚起し、ロシアの行動は「持続的で、広く浸透し、平時において民主主義の土台を切り崩そうとしている」[117] と語った。しかし、こうしたロシアの持続的行動は、武力攻撃の認定を避けるよう、周到に計画されているように見える。アメリカでは、サイバーインシデントが「ケース・バイ・ケース」で評価されており、[118] 政府はサイバースペースの中にレッドラインを設定することに乗り気ではない。レッドラインを設定してしまうと、敵対者は報復を恐れることなく明確に引かれたラインのぎりぎり一歩手前まで行動できるからであり、ロシアのサイバーアクターなら間違いなくそのように振る舞うだろう。[119] このようなロシアの行動を念頭に置き、本書では「ロシアのサイバー行動は武力紛争のレベルに至っているのだろうか、それとも、戦略的競争の一つの構成要素の範囲内にとどまっているのだろうか」という問題意識に基づき、ロシアのサイバー行動を分析・評価するための分析枠組みを提示しているのである。

第1部
現代ロシアのサイバー戦

第2章　非対称的軍備としてのサイバー戦

非対称的アプローチは、これまで見逃されたり、我慢しなければならなかった脆弱性をうまく活用することで、強大な相手に対する優位性を生み出すことを可能にする。[1] ２０１８年のアメリカ上院に提出された報告書には、サイバー戦はクレムリンの非対称的な軍備《アーセナル》——軍事的侵攻と非軍事的手段（組織犯罪、偽情報、贈収賄、エネルギー資源を活用した強制など）を含む——の有力なツールであると記述されている。[2] クレムリンは強力な通常戦力と核戦力の生産・配備を進める一方で、時間をかけて非対称的ツールの役割を明確化し、その運用に磨きをかけてきた。２０１５年12月、プーチン大統領は新たな国家安全保障戦略を承認し、その中で「国家の基本的な長期的利益の一つは、世界大国の一国としてのロシアの地位」[3]を強化することであると宣言している。「大国の地位」という概念はロシアの国家的アイデンティティの重要な要素であり、決して手放すことはないように見える。[4] それゆえプーチン政権は、その地位に到達するためならば、軍事・非軍事を含むあらゆる手段と措置を講じるつもりなのだろう。米欧による制裁や不安定な原油価格に拘束されたエネルギー依存型経済の中で、サイバー戦はマクロ経済的視点から見る限り、政権にとって負担とはならない。[5] また、サイバー戦は〔通常兵力のような〕労働集約型ではないため、人口減少に直面しているロシアにとっては理想的なツールとなる。[6]

軍事作戦では「非対称的（asymmetric）」という用語は「相手の弱点に乗じながら、相手の強みを巧みにかわし、それを無力化するため、相手とは異なった戦略、戦術、能力および方法を採用すること」[7]を意味する。ロシアにとって、相手とはアメリカとNATOのことである。最新のロシアの国家安全保障戦略には「アメリカとその同盟国は世界情勢において優位を維持するため、ロシアを封じ込めようとしており、これはロシアの主体的な対外政策によって克服されるべき課題である」[8]とある。こうした考えを受けて、ロシアの軍事ドクトリンや軍備開発プログラムには非対称的アプローチが浸透している。大国的野心を支えるため、モスクワはパワーを投射する能力を保持し、ロシア外交に信憑性をもたせるための強靭な軍隊の建設を優先してきた。[9]その結果、NATO国境近くに目に見える形でロシア軍を展開させ、近隣の部隊指揮官や外相らを不安に陥れている。[10]ロシアは軍事力を用いて米欧諸国を威嚇し、その国の混乱を目論《もくろ》んでいるが、現実的には紛争を起こす余裕などない。[11]それに代えてロシアは、アメリカやその同盟国との終わりのない「日々の《デイ・トゥ・デイ》」競争の中で非対称的な軍備《アーセナル》であるサイバー戦やその他の曖昧な手段を駆使し、武力紛争の閾値がどこにあるのかを探っているのである。[12]

次に掲げる2つの事例は、サイバー戦に対するロシアの選好の強さを物語っている。最初の事例は2007年にエストニアで起きた。〔ロシアとエストニア間の〕政治問題の最中に、サイバー戦だけが単独で実行された。2つ目は2008年にジョージアで起こり、サイバー作戦は「単独の効果としてではなく、むしろ戦力増強装置《フォース・マルチプライヤー》としてキネティックの戦闘に」[13]統合して運用された。ジョージアでロシアが行ったサービス拒否型のサイバー作戦は、前年のエストニアでの経験がその戦法や技法の中で活かされていた。唯一の違いは、エストニアでは〔相手が望まないことを受け入れさせる〕強制力として運用されたのに対し、ジョージアでは戦いの一つの要素として運用された点にある。本章では、サイバー戦がロシアの国家戦略と軍事ドクトリンにどのように取り入れられてきたのかを描く。エストニアで起きたヴァーチャル空間での抗議運動、そしてジョージアで起きた国家間紛争のそれぞれにおいて、ロシアのサイバー戦が果たした役割と方法について評価する。最後に、非対称的な兵器分野に対する今後のロシアの投資の方向性について論じるが、これはサイバー戦が将来にわたってロシアの戦略とドクトリンの中で重要な存在であり続けることを示している。

非対称的アプローチ

戦い（warfare）において「非対称性（asymmetry）」という用語を使用する場合、「相手に対して優位に立つためのある種の相違性」[14]を活用することを意味している。自らの強みを最大化し、相手の弱みに乗じるため、相手とは違った行動をし、違った組織を作り、別の発想で考える、ということである。非対称性の重要な要素は、費用、手段、時間、意志、行動の非対称性にある。こうした視点から見ると、サイバー戦は低コストで技術的優位を保ち、時間的に効果が持続可能であることから、非対称的アプローチはサイバー領域《ドメイン》に適合しているといえる。また、非対称的アプローチは、自国の生存や死活的利益を守り抜こうとする強い意志を固めた敵対勢力によって採用される場合が多い。たとえ倫理や法律をめぐるさまざまな批判にさらされながらも、アクターはしばしば無責任ともいえる行動をとることを厭わない。さらに、サイバー領域における非対称性は「防御に対する攻撃の優位性」という観点から研究者たちによって提示されるケースが多い[15]。この一般的な見方は「攻勢作戦（offensive operation）は低コストで利得が高く、防勢作戦（defensive operation）はコストが高く非効率[16]」というものである。攻撃者はわずか1回のシステム内への侵入を成功させればよいのに対し、防御者はあらゆるベクターからの攻撃に備えてセキュリティの層を構築しておかなければならない。アメリカ中央軍司令官のジョゼフ・ヴォーテル（Joseph Votel）将軍はより具体的に「サイバー領域は競争相手に非対称的な優位性を与えている。そこでは、官僚組織の弊害や付随的被害を心配することなく、戦争のテンポに合わせ、比較的低コストで作戦を遂行することができる[17]」と述べている。

　戦略理論家のエヴェレット・ドルマン（Everett Dolman）は「戦略を最もシンプルな形で表現すると、優位性を継続的に確保するためのプランである[18]」と述べている。優位性とは、目的を達成するために武力を行使するうえで必要な物質、意志、方法といった形で具現化される。ライデン大学のルーカス・ミレウスキ（Lukas Milevski）教授は、戦略とは「戦争のために非対称性を創造し、それを活用することと解釈[19]」できると主張している。この解釈は、アメリカ海軍大学校のロジャー・W・バーネット（Roger W. Barnett）大佐の見解、すなわち「どのような場合に非対称性が起こるのか。それは相手方が十分な行動の自由を享受しているとき、あるいは相手方だけが利用できる兵器や技能を独占しているときである。彼らは敵の強みを無力化し、予測できない状況に追い込もうとする。彼らは特定の行動方針を信奉し、敵が予期することも効果的に対処することもできないような方法を最大限に活かそうと準備している[20]」と似ている。ミレウスキ教授は、この説明を「戦略の極意《ヴェリー・エッセンス・オブ・ストラテジー》[21]」と見なすことができると語っている。有名な軍事理論家のバジル・ヘンリー・リデル＝ハート（Basil Henry Liddell-Hart）卿は、戦略理論の重点を「敵がどうすることもできない状況を作り出す間接アプローチ[22]」に置いた。ロシアは敵をどうすることもできない状況に陥らせ、必要以上に流血を招くことなく、敵を降伏に追い込むことを企図した戦略を実行しているといえる。

　ロシア連邦軍参謀本部は「現代戦における非対称性の役割を体系的に研究し、世界中の歴史的事例から教訓を学び取り、米欧での議論の吸収に努め、軍事の理論と実践の中から本質を見抜いている[23]」。そうした参謀本部による研究の成果は「ロシアは通常戦タイプの手段の代わりに――または、それに加えて――非線形的《ノンリニア》で非対称的な戦術を行使する能力を身につけてきた」[24]というNATO国防大学のアンドレアス・ヤーコプス（Andreas Jacobs）とギョーム・ラスコンジャリアス（Guillaume Lasconjarias）の評言を見れば、その有用性は明らかであろう。NATO国際スタッフのディエゴ・A・ルイス・パルマー（Diego A. Ruiz Palmer）は、ロシアの非対称的な戦術やテクニックの運用の仕方が他の弱小国と異なっている点は「その規模である」[25]と語っている。パルマーは、ロシアは「弱小な隣国を孤立させ、従属させるために、ハードパワーとソフトパワーの道具を織り交ぜて使用する戦略的能力」をもっていると主張し、また「リスクとコストを最小限に抑え、ロシアにとって非対称的な利点を最大化する方法で」ハードパワーとソフトパワーを使い分けていると述べている。[26]非対称的アプローチ流に表現すれば、軍事的機能を強化するための先端テクノロジーの利用は戦闘の流れに決定的優位をもたらすものだが、コンピュータのハッキング技術の進歩は、武力紛争に至ることなく政治的優位の達成を図るものだといえよう。

戦略とドクトリン

２０１５年のロシアの国家安全保障戦略は、国内政策と対外政策における国益と優先順位を定義している。この戦略文書が重視する分野は、国防、国内治安、経済成長、教育、医療、文化、エコロジー、戦略的安定である。[27]２００９年版の国家安全保障戦略ではこれと同じような基本的課題が取りあげられていたが、新しい文書〔２０１５年版〕では「米欧に対する激越であからさまな批判が含まれていた」[28]。この文書では「ロシアの国家安全保障を不安定化させ、ロシアに脅威を及ぼす活動を進めている」[29]としてアメリカとＮＡＴＯを名指しで批判している。２０１５年の国家安全保障戦略は、米欧諸国が「国際法を軽視し」、「自国の政治体制を変更した国々」に干渉し、「その結果、テロリズムを生み出し」、「国際安全保障環境を不安定にしている」と主張している[30]。また、近年のＮＡＴＯの軍備増強については「同盟〔ＮＡＴＯ〕は軍事インフラをロシア国境に向けて拡張しているため[31]」、紛争を引き起こしかねない脅威だと見なされている。米欧諸国の〔ロシアへの〕対応を観察して、２０１５年の国家安全保障戦略は「クレムリンはロシアをグローバル・システムの中の主要国であると考えている[32]」ことを明らかにしている。そして、「最重要な国際問題の解決、軍事紛争の解決、国家間関係における戦略的安定性や国際法の優位性を確保するうえで」ロシアの役割が増大しているとの認識を示している[33]。

グローバル・システムで自国の役割が増大しているという認識が強まるにしたがい、利用可能なあらゆるツールを駆使して影響力を発揮しようとするモスクワの意図も強まりをみせた[34]。２０１５年の国家安全保障戦略では「戦略的抑止を確保し、武力紛争を予防するため、政治、軍事、軍事技術、外交、経済、情報およびその他の措置を相互に関連付けて政策を立案・実施している」と明確に述べられている[35]。また、「合理的な十分性と有効性」に基づき、非軍事的な方法と手段の活用を優先しているように見える一方で、過去の教訓から、抑止と予防を達成するには軍事的能力が不可欠であるとも書き記されている。それゆえ、国家の軍事組織の改編プランの概要が新戦略の中で描かれ、「ロシア連邦正規軍、その他の部隊、軍事機関に対し、近代兵器と軍事専門的ハードウェアを装備化[36]」することが含まれている。

２０１５年の国家安全保障戦略では、ロシアが世界舞台で指導的役割を演じるうえで悪影響を及ぼす恐れのある国内問題についても取りあげている。経済分野における国家安全保障上の主要な脅威は、輸出・原料モデルの停滞、将来技術の導入の遅れ、労働力不足の深刻化、闇経済と汚職構造の持続などである。ロシアに対する〔米欧による〕経済制裁は、ロシアの経済安全保障に負の影響を与えている。ロシアは４年間の制裁措置をどうにか生き抜いてきたが、[37] 2017年の国内総生産の成長率はポーランドやトルコなど近隣諸国と比べてかなり低かった。[38] 人口統計の観点から、合計特殊出生率〔15～49歳までの女性の年齢別出生率を合計した数値〕――女性一人あたり1・3という出生率は、安定した人口維持に必要な2・1という人口置換水準を相当に下回っている――の改善をもたらす刺激策および死亡率の減少――ロシアの死亡率は世界平均を上回り、それはロシア人の平均寿命である59年という数値に表れている――を追求すべきであるとしている。[39] GDPがアメリカのテキサス州（1・70兆ドル）よりも低い国であるロシア（1・28兆ドル）にとって、このような経済の近代化や人口圧力の克服は、大国に見合った軍事力を整備するうえでの阻害要因となっている。[40]

2015年の国家安全保障戦略は「軍事政策の基本原則」についてはロシア連邦軍事ドクトリンの中で取りあげていると述べている。ドクトリンの最新文書は2014年12月25日、プーチン大統領により承認された。同文書は「情報戦の重視」および「ロシアの国益を脅かす政策を実施している国〔NATO加盟国〕と隣接する国家体制の懸念」以外に新しい要素はほとんどない。[41] 軍事ドクトリンは、世界情勢を「グローバルな競争の激化を特徴とする」[42] と評価するところから記述が始められている。そのうえで、NATO同盟の拡大、ロシア連邦と隣接する国家の領域内への緊急展開部隊の配置や演習の実施、戦略的ミサイル防衛システムの配備など、国外における主要な軍事的リスクを特定している。ドクトリンには、軍事力と政治・経済・情報・その他の非軍事的手段との一体的運用、間接的・非対称的な方法の活用など、現代の軍事紛争の特徴についても記載されている。さらにドクトリンでは、情報通信技術〔サイバー行動に関連〕は国際法に抵触する恐れのある軍事・政治目的にも活用され、「国家の主権、政治的独立および領土保全に狙いを定める」[43] ことがあると認識されている。そうした技術の活用と目論見はロシア連邦にとって危険であるとの懸念が表明されているが、これは〔後述する〕エストニアやジョージアの事例研究では立場が正反対――ロシアと国境を接する近隣諸国にしてみれば、ロシアが圧力を加えている側であることの「ミラーイメージ」――となっている。

サイバーによる強制

学者のドミトリー・アダムスキー（Dmitry Adamsky）は、現在のロシア流の戦略は「領域横断的な強制《クロスドメイン》」[44]と呼ぶべきものであると主張している。トーマス・シェリング（Thomas Schelling）によれば、強制（coercion）の戦略とは『強要（compellent）』の意図とともに『抑止（deterrent）』の意図を含んでいる[45]。〔この強制の中に含まれる〕抑止的要素には、対象アクターに対し、問題となる行動をとった場合に被る結果への恐れを植え付けておくことで、自分たちの望まない行動が実際に起こることを防ぐ効果がある。それに対し、強要的要素には、仮に強要を受けなければ、そうしなかったはずの特定の行動を対象アクターに採用させることを促す効果がある。つまり、強要（compellence）は通常、「相手が反応した場合にのみ……やめさせることのできる……行動を開始することである[46]」。2014年の軍事ドクトリンは「核に拠らない抑止（nonnuclear deterrence）」に内在するアイディア（おそらく「強要」とも関連）を取り入れている[47]。「弱いプレーヤー」は伝統的な戦場での決定的勝利がなくとも、非対称的手段を用いることで自らの政治的意志を「強いプレーヤー」に押し付けることができる。この非対称的アプローチは軍事衝突を防止し、あるいは軍事的衝突がもたらす影響を緩和する。サイバー作戦は「領域横断的な強制《クロスドメイン》」の一つの要素であり、それが生み出す戦略的効果については、NATO加盟国であるエストニアに対する危機において試みられた（地図2-1参照）。つまり、ロシアは「ディジタル上で損害を与えるパワーを見せつけ、コストを強要することにより[48]」強制的に譲歩を勝ち取ろうとしたのである。しかし、サイバー作戦はたしかに「劇的な効果をあげた」のだが、ブランドン・ヴァレリアーノ（Brandon Valeriano）教授、ベンジャミン・イェンセン（Benjamin Jensen）教授、ライアン・メイネス（Ryan Maness）教授らはサイバー戦略に関する画期的研究の中で、〔エストニアからの〕「譲歩はなかった[49]」と結論づけている。いずれにせよ、ロシア人たちは個人やボットネ

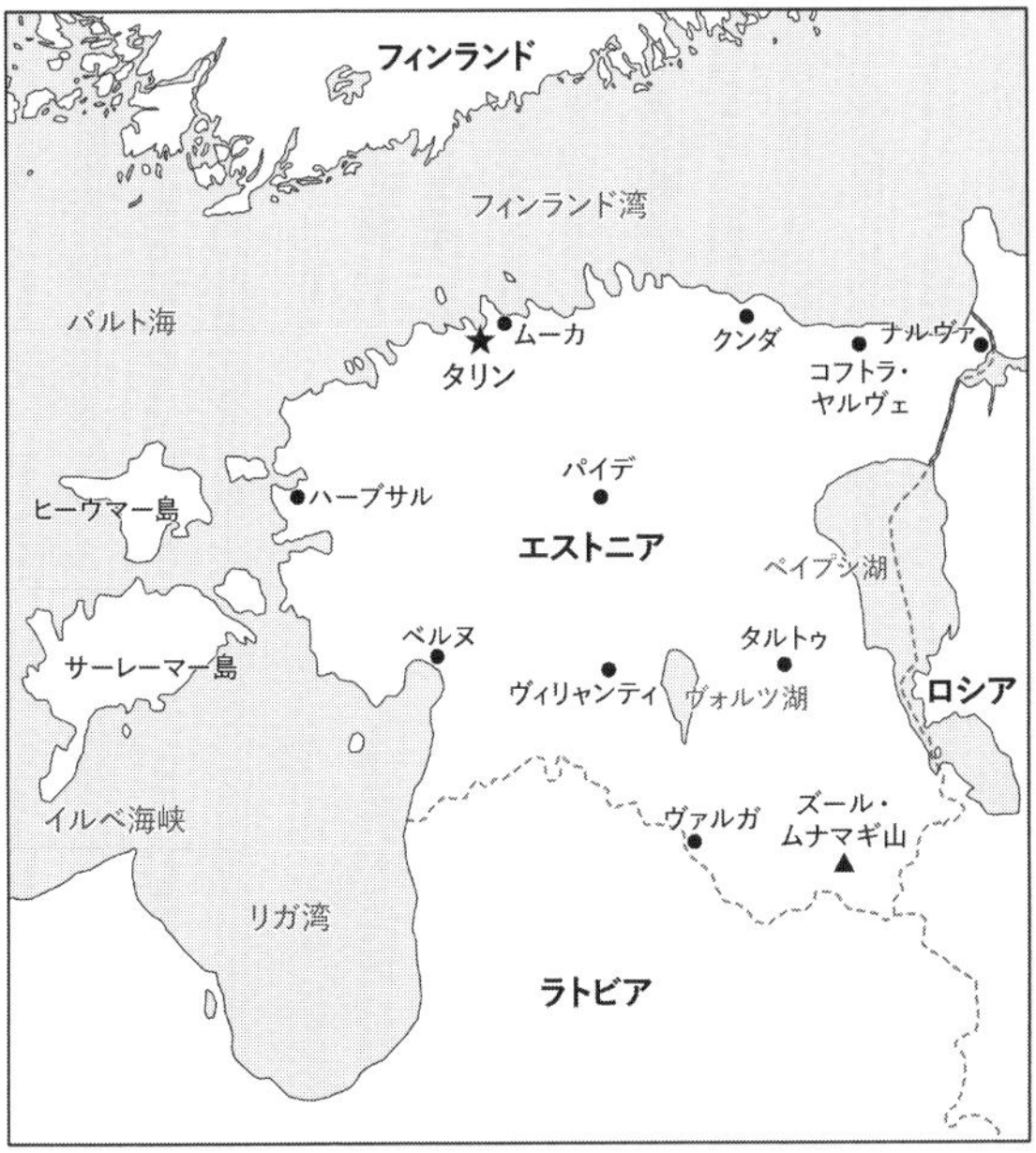

地図 2-1　エストニア
出典：Central Intelligence Agency, “ Europe: Estonia,” The World Factbook, https://www.cia.gov/library/publications/resources/the-world-factbook/goes/en.html.

ット（悪質コードに乗っ取られたコンピュータからのスウォーム攻撃）によるＤＤｏＳ攻撃で、エストニア政府および民間のウェブサイトをシャットダウンさせることができた。そして、ロシア当局は愛国的ハッカーを利用し、国内捜査を拒否したことで、それが武力行使に該当するかどうかの判断材料となる「攻撃元の特定」を防いだのである。

２００７年　エストニア攻撃

２００７年４月から５月にかけて、エストニアは猛烈なサイバー攻撃に見舞われた。このインシデントは、ソヴィエト時代に建立された戦勝記念像とその地下に埋葬されたソヴィエト軍兵士たちの遺骨を首都タリン市の中心部から首都郊外にある戦争墓地へと移設する計画をめぐって、街頭で暴動や略奪が起きたことがきっかけとなって生じた。赤軍の軍服をまとった高さ１・８メートルある兵士の青銅像は「大祖国戦争」――第２次世界大戦をロシア人たちはこう呼んでいる――において１１００万人の同志が払った崇高なる犠牲を象徴していた。[50] エストニアはもはやソヴィエトの支配下になかったが〔１９９１年８月に当時のソ連邦から独立〕、交通量の多い交差点に建てられたその記念像は、多くのエストニア人たちにとって自分たちの独立を拒む圧政のシンボルと映っていた。苦境に立たされた少数派のロシア人たちは記念像の撤去に反対し、撤去の日が近づくにつれ抗議行動は激しさを増した。はじめは穏やかだった抗議運動も次第に略奪を伴う暴力へとエスカレートしていく。エストニア警察は数百名を拘束し、１人の犠牲者が出た。クレムリンはロシア人の権利を冒瀆《ぼうとく》するような行為に不快感を表明し、軍事行動の代わりに報復的な経済措置を課し、タリンとサンクトペテルブルクとの間の旅行者の往来を禁止した。

エストニアの指導者たちは「サイバー暴動」（cyber-riot）――『エコノミスト』誌の造語[51]――がすぐ後に続く可能性を十分に自覚していた。エストニアのコンピュータ緊急対応部長は「もし街頭で争いが起きれば、次はインターネット上で争いが起こるだろう」[52]と語っていた。危険は明らかだった。エストニアは１９９０年代半ばからインターネットを基盤としたサービス・ソリューションを行える電子立国（e-state）に変貌を遂げていた。こうしてエストニアのインターネットは市民の日常生活に欠くことのできないものとなっていた。例えば、国民の40パーセントが日刊新聞をオンラインで購読し、銀行取引業務の97パーセントがインターネット上で電子決済されていた。エストニア人はインターネット接続を利用して、路上駐車料やバス乗車券の支払い、選挙の投票、納税を行っている。[53]２００７年までには固定回線または移動無線を使い、エストニア国土の98パーセントでインターネットにアクセス可能となっていた。[54]ほとんどユビキタス〔誰もが、いつでも、どこからでもネットワークにアクセスできる環境〕といえるインターネット・アクセスと利用環境を実現していたわけだが、エストニアは２００７年に経験したような規模、強度、期間のサイバー攻撃への備えはできていなかった。

　サイバースペースにおける暴動は、４月27日の夕方から政府系施設やニュースポータルサイトに対して始まった。約４週間にわたりＤＤｏＳの波状攻撃が行われ、銀行、官公庁、新聞社、放送局のウェブサイトが襲われた。ボットネットが各サイトに虚偽の情報要求を大量に送りつけた。最高時には１００万台のコンピュータが標的の端末に対し、１秒間に５０００回のクリックに相当するデータ要求トラフィックを生み出した。[55]エストニア国防相のヤーク・アヴィコソ（Jaak Aaviksoo）は「攻撃はエストニア共和国の基幹インフラを狙いとし、これはボットネットが一つの国家全体の安全を脅かした最初の例でした」[56]と語っている。普段のピーク時の10倍を超えるトラフィック量が発生したため、エストニア政府のウェブサイトや大部分の官公庁のウェブサイトがシャットダウンし、それが数時間あるいは数日間続いた。その間、多数のウェブサイトが書き換えられた。エストニア首相や他の政治家たちは大量のスパム〔迷惑メッセージ〕を送られ、エストニア議会のｅメールシステムは遮断された。エストニアの報道機関Postimees Onlineは、自社サーバの攻撃を受けた後、海外のネットワークとのアクセスを断たれた。[57]

攻撃の第2段階は4月30日に開始され、主に政府系ウェブサイトや金融サービス網が四波にわたって標的とされた。[58] 最初に短期間続いた第1段階では、主にネット掲示板が利用され、ハッカーたちの行動は同期されていたが、第2段階では攻撃の調整はボットネットの遠隔操作《コマンド・アンド・コントロール》サーバによって行われた。最初はロシア語のインターネット掲示板に愛国的ハッカーたちがピン・コマンド——標的とするコンピュータが正常に機能しているかを事前にチェックするためのもの——を送るための指示事項が掲載してあった。指示事項には、高度な技術的知識は必要なく、ただインターネットにつながったコンピュータがあれば誰でも攻撃が可能であると書かれていた。その後、実行ファイルはコンピュータ上でコピーされ、自動的にピンをリクエストする。大勢のユーザーにばらまかれると、ピンは有効であるが効果はすぐに減少してしまう。[59] 第2段階における大規模攻撃は引き続きネット掲示板が利用され、そこでは標的に対して特定の時間内に大量の一斉メールで攻撃を実施するためのスケジュールが調整された。ただし、5月4日の第一波攻撃は烈度と正確性が際立っていたため、ボットネットが利用された公算が高い。[60]

DDoS攻撃は5月8日（第2次世界大戦におけるドイツの敗戦を記念したロシアの戦勝記念日〔正確に言えば、ロシア国内での戦勝記念日は5月9日〕）に強まった。[61] 5月9日、58カ所のサイトが一斉にシャットダウンした。[62] 攻撃者たちはインパクトを拡大するため、北米や極東にまで及ぶスレーブ・コンピュータから成る巨大なネットワークを構築した。[63] 銀行は大打撃を受けた。特に、エストニア最大のハンザ銀行は数時間にわたって顧客からの苦情が殺到した。5月15日の第三波攻撃では乗っ取られた8万5000台のコンピュータがボットネットとなり、強烈なDDoS攻撃が行われた。[64] エストニア第二の大手銀行SEB Eesti Ühispankのウェブポータルは、1時間半にわたってネットワークから切断された。[65] また、ハッカーたちは自分たちのメッセージを貼り付けたり、個人ユーザーのウェブサイトに侵入して誹謗中傷記事を掲載したりした。[66] 最後の攻撃は5月18日に行われた[67]。このように攻撃全体を通じてエストニアでは、少なくともインターネット・サービス・プロバイダーの大手3社、ニュース配信またはポータル会社の大手6社のうち3社、そして移動体通信事業者3社が被害を受けた[68]。こうしてＤＤｏＳ攻撃はエストニアの公共および民間部門のターゲットに重大な影響を及ぼしはしたものの、より上位の目標を達成することができなかった。結局、ネットワーク上の混乱は収束し、ブロンズ像は静寂な墓地に佇んだままだったからである。

攻撃元は主にエストニアの外部――すべてではないが――からのもので、そこでは不正アクセスされた世界１７８カ国のコンピュータが使用されており、このことはボットネットが世界中に存在していたことを匂わせている。4月28日に立ち上がったロシアのハッカーサイトやインターネット掲示板によると、攻撃者の相当数が「民族主義や政治的感情を抱いた民衆」だった[69]。一部はＩＰアドレスから追跡できたが、その多くがロシア人で、その中にはロシアの国家機関や大統領府も含まれていた。ところが、ロシア当局はいかなる関与も認めなかった[70]。最初に責任を認めたのは２００９年3月、クレムリンの援助を受けて設立されたロシア青年グループ・ナシ人民委員のコンスタンティン・ゴロスココフ（Konstantin Goloskokov）で、彼は「自分と何人かの仲間が攻撃を行った[71]」と語った。ナシの主張により、ロシア政府の関与をめぐる疑惑がにわかに強まった。ＩＰアドレスの特定以外にも、ロシア政府がサイバー攻撃の絶頂期に国際犯罪シンジケートからボットネットをレンタルしていた証拠が見つかった。エストニアのPostimees紙編集者のメリット・コプリ（Merit Kopli）は「サイバー攻撃はロシアからのものです。疑問の余地はありません。これは政治的問題なのです[72]」と率直に語った。サイバー攻撃のタイミングと効果は「近隣諸国に対する影響力を保持し、近隣諸国に在住する少数派ロシア人を保護する」というロシアの外交政策の戦略とうまく適合していた[73]。

エストニア国防省スポークスマンのマディス・ミコ（Madis Mikko）は「もし銀行か空港がミサイル攻撃

を受けたとすれば、それは戦争行為であると主張することは簡単です」と言い、そして次のように問いかけた。「もし同じ結果がサイバー攻撃で引き起こされたなら、あなたはそれを何と呼びますか？」[74] とりわけ2007年のエストニアに対するサイバー攻撃以来、いつも議論の対象とされてきたのは、一定期間継続する物理的ダメージと「同等の結果」を引き起こす弾薬量の問題だ。エストニアの事例は一般的には「サイバー戦争（cyber war）」と呼ばれているが、「国際コミュニティから武力攻撃として」[75] 公式には認められていない。初版の『タリン・マニュアル』の編集チームである国際専門家グループは、「規模および効果の閾値に届かなかったという考えに基づき、この評価に同意した」[76]。サイバー攻撃は人の死傷や物理的ダメージをもたらさなかったが、エストニア社会全体の活動に深刻な影響を与えた。効果は即効的で、政府の各種サービス、経済、日常生活に対して直接的な影響を与えた。サイバー攻撃がもたらした結果は、単なる不便とか嫌がらせというレベルを超えていたが、ほとんどは破壊とか損害ではなく、サービス拒否の活動であったため、それを計量化することは難しい[77]。

全般的に見て、サイバー行動は政府機能と経済機能を故意に妨害した。それゆえ、マイケル・シュミットは「単一の『サイバー行動』として総合的に見れば、そのインシデントはほぼ間違いなく武力の行使の閾値に到達していた。仮に国際法のもとでロシアが責任をとるとすれば、国際コミュニティは国連憲章および慣習国際法違反である武力の行使として扱う可能性が高い[78]」と結論づけている。ロシア国家を攻撃元として特定するか否かの問題は、「2007年の対エストニア・サイバー攻撃に加わったハクティヴィストたちは、どの国の指示に従って攻撃を仕掛けたのか、どの国が攻撃を承認し、それを採用したのかをめぐる決定的証拠がない[79]」ため、決め手を欠いた状況が続いている。愛国的ハッカーのような代理アクターの活用は、国際違法行為の存在を厳密に確定することを求める「国際法のもとでの国家責任の特定」という第2条件を複雑にする。ロシア政府の関与をめぐる明白な事実はなく、あるのは関与を示唆するものだけだ。とはいえ、攻撃の背後にいたハクティヴィストを捜索する際に、ロシア連邦はエストニア検察当局への協力を拒んだことからも、ロシア国家関与の疑惑は強まっている。[80] エストニア検察当局によると、刑事共助協定に基づき、過去に同じような要請に応じてもらった経緯があるのだが、今回のサイバー事案のケースでは、ロシアの検察当局は体よく別の解釈を取ったのだった。[81]

サイバー戦

チャタムハウス〔イギリスの王立国際問題研究所〕のポール・コーニッシュ（Paul Cornish）は、サイバー戦（cyber warfare）は『非対称戦』——つまり、一方は通常戦の観点から言えば弱小かもしれないが賢明かつ機敏であり、もう一方は強大だが現状に満足しており柔軟性がない者どうしの戦い——の典型的実例[82]になり得ると論じている。サイバー戦に関するコーニッシュの定義は「国家間の紛争であるが、さまざまな形態で非国家主体も関わっている……ターゲットは軍、産業、民生分野に及ぶ[83]」というように、その内容は包括的である。ロシアの定義は「サイバーインフラに対する国家、国家群、組織化された政治グループによって実行されるサイバー攻撃であり、軍事キャンペーンの一環として行われる[84]」と翻訳されている。それに対し、アメリカ政府の定義は「全体または一部にサイバー手段が用いられる武力紛争。紛争において敵の軍隊によるサイバースペース・システムや兵器の効果的使用を拒否するための軍事作戦[85]」というものである。

ロシアとアメリカの定義には2つの相違点がある。第一に、サイバー戦の実施主体の違いである。ロシアの定義では国家機関にとどまらず、組織化された政治グループにまで実施主体の範囲が拡大されているのに対し、アメリカの定義からは〔サイバー戦は〕軍事作戦の一環であるため、唯一軍隊のみが使用されるとの考えが読み取れる。第二はターゲットについてである。ロシアにとってサイバーインフラが標的であり、アメリカにとっては敵軍隊のシステムや兵器である。これらが暗示しているのは、ロシアには武力紛争において民間のサイバーインフラを攻撃する意図があるということだ。ただし、ロシアではサイバー戦という用語は、主にアメリカとその同盟国の活動を指す場合にのみ使用されている。[86] いずれにせよ、実施主体とターゲットの両面におけるロシア版サイバー戦の特色は、2008年のジョージアとの国家間戦争の中に見出すことができる（地図2-2参照）。ロシアのジョージア侵攻において、組織化された政治グループはキネティックな軍事作戦と連携して民間インフラの機能を停止させ、ウェブサイトを改ざんした。そうした妨害と操作は武力紛争の一部をなしていると考えるべきだろう。

2008年　ジョージア侵攻

2008年8月、南オセチアの首都ツヒンヴァリへのジョージア軍による砲撃に対処するためという表向きの口実により、ロシア軍は陸・海・空から大挙してジョージアに侵攻した。クレムリンはこの軍事行動がロシアの平和維持部隊を防護するとともに、国外に居住するロシア市民を保護するという緊急の要請に基づくものであると主張した。[87] だが真の目的は戦略的かつ地政学的なもので、特に南オセチアとアブハジアに対するジョージアの主権を終わらせること、親米派のミヘイル・サアカシュヴィリ（Mikheil Saakashvili）大統領を失脚させること、ジョージアのＮＡＴＯ加盟を阻止することだった。[88] 大多数の住民にロシアの市民権を与え、経済界や官界との緊密なつながりを作り上げることで、ロシアはこの分離主義志向の2つの共和国〔南オセチアとアブハジア〕をこっそりと併合してしまう。ロシアは平和維持任務という特権を乱用し、例えば、増派の準備、兵器を積んだコンテナの搬入、アブハジアの主要鉄道の修理などを行う口実

地図 2-2　ジョージア
出典：Central Intelligence Agency, “ Middle East: Georgia,” The World Factbook, https://www.cia.gov/library/publications/resources/the-world-factbook/goes/en.html.

に使った。[89] 戦闘開始前、ロシアは自動車化狙撃連隊の先遣部隊を南オセチア領内に浸透させ、7月19日にはハッカーたちが「全面的サイバー戦争のための[90]」予行演習を行っている。正体不明者がサアカシュヴィリのウェブサイトに対して「多方面からのＤＤｏＳ攻撃を遠隔操作するため、Ｕ．Ｓ．『ドットコム（.com）』のＩＰアドレスをもつ」コンピュータを利用した。[91] 遠隔操作サーバはボットネットに指示を出し、ＴＣＰ、ＩＣＭＰ、ＨＴＴＰ式のプロトコル（それぞれ、Transmission Control Protocol、Internet Control Message protocol、Hypertext Transfer protocol の略）を利用した多様なフラッディング法でウェブサイトを攻撃した。[92] 攻撃を受けたウェブサイトは24時間以上にわたって使用不能になった。専門家たちは攻撃経路を追跡することはできなかったが、遠隔操作サーバが「ロシア語で書かれたMachBotのＤＤｏＳコントローラーであり、それを運営しているのがロシア人ハッカーであると特定できる」ことを確認した。[93] だが実際は、その攻撃がジョージアの推定上の同盟国〔ＮＡＴＯ加盟国。当時ジョージアはＮＡＴＯへの加盟を申請していた〕の民生コンピュータからのものとなるように巧妙に仕組まれていた。
ソヴィエト連邦崩壊後のロシアにとって最初の国家間戦争は2008年8月7日から8月12日までのわずか5日間で終結した。首都ツヒンヴァリ近郊で発生した最初の小規模な戦闘の後、2日目にはロシアの歩兵と戦車の大部隊がロキ・トンネルを通過して南オセチアに進出した。[94] 3日目には、黒海からの揚陸と修復した鉄道によって輸送された部隊がアブハジアに第2戦線を開いた。[95] ジョージア国内の標的に対するサイバー作戦は、物理的戦闘〔上述した通常戦型兵器と部隊による戦闘〕の始まりとともに開始されていた。ロシアのハクティヴィストたちのウェブサイトには攻撃対象とすべきジョージア国内のサイト一覧が掲示され、そこには愛国者たちが用意した指示事項とダウンロード可能なマルウェアが添付されていた。[96] こうしてサイバー作戦の主要フェーズは8月8日に開始され、複数の遠隔操作サーバからジョージアのウェブサイトを襲った。標的とされたのは、ジョージア大統領、中央政府、外務省、国防省、R2テレビなど主要報道機関であった。その翌日、ジョージア最大手の商業銀行TBCが攻撃を受けた。8月11日にはジョージア議会のウェブサイトが襲われ、このとき書き換えられた大統領のウェブサイトにはミヘイル・サアカシュヴィリとアドルフ・ヒトラーの肖像が重なるスライドショーが貼り付けられた。ジョージア国立銀行のウェブサイトでも同じような書き換えや不正改ざんが行われ、サアカシュヴィリ大統領が20世紀の独裁者の画廊に並べられて表示された。8月12日の停戦協定により軍事作戦は終了したが、DDoS攻撃は8月末まで続いた。[97]
ジョージア国内の公共・民間部門の標的に対する夥《おびただ》しいウェブサイトの改ざんやDDoS攻撃で用いられた手法は、前年にエストニアで用いられた手法と同じものだった。自動書き換えを引き起こす構造化照会言語〔SQL〕に脆弱なジョージア国内サイトのリストが、ロシア語のウェブサイトやインターネット掲示板に拡散された。そこにはマイクロソフト社Windowsのパッチ・スクリプトと一緒に、サイトに大量の情報を送りつける方法についての指示事項が添えてあった。ロシア人のブログやネット掲示板が、エストニア、ロシア連邦、その他の地域で見つかった。[98] StopGeorgia.ru と Xakep.ru のウェブサイトでは、ジョージアのウェブサイトに対する標的の選定と攻撃が調整されていたようだった。[99] 彼らはＤＤｏＳ攻撃用のツールを提供し、主要な攻撃目標として36の主要ウェブサイトを選定した。また、犯罪者集団と関連のあるボットネットがエストニアとジョージアで使用された。エストニアに対する最大規模のＤＤｏＳ攻撃は、サンクトペテルブルクからサイバー攻撃を実施したロシアのサイバー犯罪者集団――ロシア経済界とのコネクションをもつ――と接続されたボットネットを攻撃源としていた。結局、ジョージア紛争では、最大規模のＤＤｏＳ攻撃を行った6台の遠隔操作サーバがサイバー犯罪者集団によって運営されていた。サーバ自体は www.naunet.ru（ロシアで「bulletproof hosting」プロバイダーとして知られる）に登録され、攻撃に使われたドメインには www.steadyhost.ru（サイバー犯罪の隠れ蓑として知られる）が付与されていた。[100]

　このように緻密に調整された高度なＤＤｏＳ攻撃により、ジョージア政府は紛争の初期段階で自国の主張やメッセージを国際コミュニティに発信する有効な手段を失ってしまった。したがって、「ジョージアでのサイバー攻撃が引き起こした」妨害と操作の意義を過小評価すべきではない。たしかに国内社会に対するインパクトはエストニアほど深刻ではなかったものの、国家がジョージア国内で起きている事態を外部に伝える手段を失ったことが国際社会の反応の遅れを招いたかもしれなかった。[101] 全体として見れば、ジョージアのサイバー作戦は使い回しの道具《ツール》と技法《テクニック》が士気旺盛な実行者の手に委ねられて実施されたものであり、技術的には特に複雑なところがなかった。また、軍事的視点から見ると、サイバー攻撃は作戦面や戦術面でさほど貢献したとはいえなかった。とはいえ、サイバー作戦の利用は、現代戦のさきがけとしてジョージア紛争を際立たせることとなった。さらに、通常戦と非通常戦のいずれの任務を遂行するにせよ、現地の代理アクターを活用したことは、新しい戦い方の前兆となった。[102] 代理アクターたちが平和維持軍、民兵、ハッカーといった形で関与したおかげで、ロシア政府は「関与を否認できるもっともらしい根拠」をでっちあげることができ、武力紛争のための大規模戦力——組織的なサイバーアセットを含む——の展開を避けることができた。

US Cyber Consequences Unit（独立した非営利の調査研究機関）の報告書は「ジョージアの標的に対するサイバー攻撃は、ロシア政府や軍部と直接には関係のない民間人によって実施された[103]」と結論づけている。関連する証拠を辿ると、ソーシャル・ネットワークの掲示板を通じてリクルートされた愛国的ハッカー、ウェブサーバやボットネットを提供した犯罪組織に行き着く。ところが、攻撃のタイミングが示唆しているのは、主催者《オーガナイザー》はロシアの軍事的意図を事前に承知していたことである。例えば、パケット攻撃の素早い開始から読み取れることは、攻撃スクリプトの記載、新しいドメインの登録、新しいウェブサイトの開設といった作業は、一般公衆が侵攻に気づく前に準備されていなければならない、ということだ[104]。同様に、サイバー攻撃は時間的に軍事作戦と緊密な連携がとれていた。ロシア軍によるゴリ市空爆の直前、ハッカーは政府およびニュース系ウェブサイトを攻撃した[105]。それにもかかわらず、ロシア政府は関与を否認した。ワシントン駐在ロシア大使のスポークスマンであるエフゲニー・コリシュコ（Yevgeniy Khorishko）は「ロシアであれ、どこであれ、そうした攻撃を自ら引き受ける個人がいることはあり得ることだ[106]」と語った。

ロシア政府を攻撃元と特定《アトリビューション》できる確固たる証拠がないからといって、サイバー行動に関する法的分類が変わることはない。マイケル・シュミットとリイス・ヴィフルは「サイバー作戦が（2008年のロシア・ジョージア紛争のように）武力紛争に相当するキネティックな戦闘行為と一体となって実施されたとき、それが国家、非国家的集団、個人的ハッカーのいずれによって実施されたものであれ、IHL（国際人道法）は紛争と関連を有するあらゆるサイバー行動に適用される[107]」との見解を示している。例えば、国際人道法は民間人および民間の物件に対する危害または破壊を伴うサイバー攻撃を禁止している。この規定は『タリン・マニュアル2・0』のルール80に反映され、同ルールには「武力紛争の文脈で実施されるサイバー行動は、武力紛争法にしたがう」[108]と書かれている。『タリン・マニュアル2・0』の執筆者たちは「2008年のジョージアとロシアとの国際武力紛争の期間中に生起したサイバー行動に武力紛争法を適用する……なぜなら、そのサイバー行動は紛争を助長するために実行されたものだからである」[109]という見解で一致している。この場合、「二国またはそれ以上の国家間で繰り広げられる敵対行為」が発生していたため、「国際武力紛争」という用語を使用することは妥当である。[110]

ジョージアの事例をめぐる問題点は、武力紛争法のもとで特定の国に対し――この場合はロシア――サイバー攻撃の責任を負わせるためには、当該サイバー攻撃を特定の国家と直接的に結び付ける論拠を明確にしなければならないということだ。エネケン・ティック（Eneken Tikk）は「国際法における国家責任の主要原則は、国家が国の事務や機能の一部を民間主体に直接かつ明示的に委託しないかぎり、民間アクターの実行は――組織であれ個人であれ――国家に帰属されないということである」[111]と指摘している。2001年の「国際違法行為に対する国家責任条文草案」に成文化された国家責任を律する諸規則は、慣習国際法が反映されたものと見なすことができると、ティックは述べている。彼女は2008年のジョージアにおいては、2007年のエストニアのように「サイバー攻撃の背後にいかなる国の支援も証明すること」[112]ができなかったと結論で述べている。つまり、エストニアおよびジョージアのいずれのケースにおいても、サイバー行動のみでは「国家の国際的義務と見なされるもの」の侵害にはあたらず、それゆえ、国際違法行為と見なすことも、程度に見合った方法による対抗措置の行使も正当化することはできないということになる。

軍備への投資

２００８年のジョージア紛争において、通常戦力の戦術的パフォーマンスが惨憺たる状況だったロシア軍にとって、軍の近代化への要請は明らかだった。直射戦闘の場面では、反応装甲、高性能無線、火力統制システムを搭載した戦車や歩兵戦闘車などを保有していたジョージア軍は、ロシア軍に相当な損害を与えた。[113] ２０１０年、ロシアは野心的な国家軍備プログラム（ＳＡＰ）に着手し、近代的装備の割合を２０１５年までに全体の30パーセントまで、２０２０年までには70パーセントまで達成するとの目標を立てた。ロシアはプーチン大統領が２０１７年12月に「国家軍備プログラム２０１８－27年」を承認するまでに、実際の割合を60パーセントまで向上させている。[114] ＳＡＰは接近阻止能力の向上を含んだ、実効性ある21世紀型軍隊の建設プログラムを重視している。[115] ＳＡＰはアメリカのミサイル防衛網を突破し、それを無効化する狙いで、６項目の新たな核兵器および極超音速兵器システムを予算化している。[116] また、ＳＡＰは新型で高性能な兵器開発だけでなく、「地理的に限定された地域において、迅速に高い烈度の通常作戦」を遂行できるよう「練度が高く、人員や装備が充足された陸・海・空軍」を目指すプログラムでもある。[117]

ロシアは展示会やパレードなどで最新兵器を披露している。例えば、２０１８年８月にモスクワ郊外で開催された軍事展覧会では、最新のジェット戦闘機やＳｕ－27、アルマータ戦車が注目を浴びた。[118] その前月に行われた海軍パレードでは、40隻の艦艇がサンクトペテルブルク付近の海域を通航し、誘導ミサイル搭載フリゲート艦「アドミラル・ゴルシコフ（*Admiral Gorshkov*）」を含む11隻がパレード隊形で錨を下ろした。[119] そうした軍事力の示威は印象的であったが、実態は疑わしいところもあった。兵器の真の能力は、実際の作戦行動で証明される。「海でも陸でも空でも――すべての領域で――近代化を進めているロシア軍は、冷戦期以降かつて見られなかったほどの高い水準で作戦を遂行している」[120] と、２０１８年３月にアメリカ欧州軍司令官〔カーティス・スカパロッティ陸軍大将〕は議員たちに語った。アメリカ海軍指導部も「大国間競争の観点から」ロシアは「冷戦以降見られなかった速いペースで」北大西洋に最新鋭の攻撃型潜水艦を配備していると主張し、〔欧州軍司令官の見解に〕同意している。[121]

ロシアはシリアに対し、事実上あらゆる方向から戦力を投射できる能力を2年間にわたって示した。[122] カスピ海では、フリゲート艦「ダゲスタン（*Dagestan*）」とブーヤンＭ型コルベット艦3隻が26発のカリブル亜音速巡航ミサイルを９００マイル〔約１５００キロメートル〕以上離れたシリアに向けて発射した。[123] 地中海では、カリブル巡航ミサイルがフリゲート艦「アドミラル・グリゴローヴィチ（*Admiral Grigorovich*）」とキロ級攻撃型潜水艦「ロストフ・ナ・ドヌ（*Rostov-on-Don*）」から発射された。[124] また、ロシア北部から飛来した戦略爆撃機がシリア国内の攻撃目標に向けてカリブル巡航ミサイルを発射した。[125] ロシアのセルゲイ・ショイグ（Sergei Shoigu）国防相は、ロシアの新しい兵器は「紛争で自らの価値を証明した」[126]と語った。こうした印象的パフォーマンスは、２０１８年のランド研究所の報告書で語られた「過去10年間におけるロシア軍の改革により、かつてロシアとＮＡＴＯの間に存在した大きな質的および技術的ギャップは縮まりつつある」[127]との評価を裏づけていた。

だが、同じように先端能力を備えた航空機や水上艦艇の中には、技術的問題や資金不足に悩まされ、生産の遅延や数量制限を招いているものもある。例えば、ステルス性フリゲート艦「アドミラル・ゴルシコフ」は開発計画全体にわたって慢性的な資金不足が続き、予定より2年遅れで２０１８年7月に就役した。[128] しかし、ポリメント・リドゥート対空ミサイルシステムの互換性の問題が解決されたかどうかは定かではない。「アドミラル・ゴルシコフ」級の2番艦の建造は遅れ、追加の2隻もウクライナ製ガスタービン・エンジンを使用する予定であったため、はたして就役できるかどうかは不明である。[129] 航空部門についてプーチン大統領は、第5世代戦闘機Ｓｕ-57を２０２８年までに控えめに76機程度購入するつもりだと公表した。[130]このＳｕ－57はＭｉＧ－29、Ｓｕ－27の後継機として交代する予定であり、最初の計画では10年間をかけて１５０機が導入されるはずであった。調達機数が減少した理由として考えられるのは、国防上の優先順位の変化と予算不足である。

　軍近代化の優先順位は依然として高かったが、それを可能にするロシアの国防予算はきわめて制限されているという厳しい現実があった。ロシアはアメリカやＮＡＴＯに匹敵する軍事力を保持し、世界舞台で敬意を払われる存在になることを目指しながらも、プーチン大統領は国内の観衆に向けては、国内の政策課題を犠牲にしてまで国防費を増大するようなことはしないと約束していた。[131]２０１２年から２０１５年まで国防予算の増加率は平均すると毎年12パーセントにまで及んでいたが、その後、軍の近代化事業への配当額の減少により２０１５年から２０１８年までの国防費は15パーセント落ち込んでいる。[132]２０１８年から２０２０年の予算見積もりでは、国防費が２０１６年にはＧＤＰの３・８パーセントから２０２０年の２・６パーセントへと減少が顕著であり、２００８年以降では最低水準となっている。ＳＡＰのここ２年間の進捗を見ると計画より遅れているように見えるが、クレムリンでは近代化を断念するような兆しは見られず、「国家軍備プログラム２０１８－27年」に２７００億ドルの予算を承認している。[133]とはいえ、ロシアのようなエネルギー依存型の経済にとって、原油価格の変動は軍近代化への取り組みの障害となり、２０１８年12月には過去15カ月間の最低水準まで急落した。[134]ロシアは軍全体の近代化に取り組んできたが、２０１９年は主に「防空、潜水艦、電子戦の能力」で進展が見られるにとどまった。[135]以上のような背景から見ても、低コストで実行可能なサイバー作戦へのニーズがなくなることはないといえる。

ロシアの大国としての地位への復活は、ロシアの戦略文化に根づいた軍事力と密接に結び付いている。[136]「ロシアにとって安全保障上の課題とは、広い意味で非対称的なものであると見なしてきたロシア人の態度」[137]を考慮すれば、通常戦力と核戦力はいずれも必要不可欠なのである。モスクワはコラ半島、カリーニングラード、クリミアといった「戦略的前哨地」に「接近阻止・領域拒否（A2／AD）」能力を配備しており、第三者の介入を諫止（dissuade）・抑止（deter）し、命令があれば撃破（defeat）する。[138]著名な歴史家スティーブン・ブランク（Stephen Blank）は「モスクワによるワシントンとの戦略的競争の中で、軍事力は重要な役割を果たしているが、必ずしもプライマリーな役割ではない」という見方に同意している。彼は「モスクワは通常兵器や核兵器を増強しているときでさえ、それとは非対称的な情報戦やサイバー戦を容赦なく遂行しており、社会的・政治的基盤である政府機関やインフラ基盤である電力網をターゲットとし」、「エネルギー、犯罪組織、メディア、諜報活動による破壊工作、国外の政治家・運動・政党の助成金を使って、自らの目的を達成しようとしている」[139]と主張している。ロシアは欧州諸国との国境沿いに配備した通常戦力によって優位を維持する一方、法的報復を受ける心配を一切することなく、今日、ノンキネティックな非対称的軍備を途切れなく運用している。

2007年のエストニアに対するDDoS攻撃はモスクワにとって初めての大掛かりで組織的なサイバー行動であり、強制によって隣接国から譲歩を引き出そうとする試みであった。[140]隣接国で生じる社会不安はロシア連邦にとっては直接的脅威とはならないが、その国に居住するロシア系少数派住民の利益を脅かす。NATO加盟国であるエストニアはロシアからサイバー攻撃を受けている間、集団的自衛権の行使を謳ったNATO条約第5条を発動する決定をNATOに要請したものの、結局、NATOはサイバー攻撃とクレムリンを結び付ける決め手となる証拠を見つけられなかった。こうした状況から、ヤーク・アーヴィクソー（Jaak Aaviksoo）によると、「現時点では、ＮＡＴＯがサイバー攻撃を明白な軍事行動と見なしていない」[141]ことは明らかだった。エストニアへのＤＤｏＳ攻撃は第5条発動の原則的要件である武力攻撃に該当する「規模と効果」の閾値には至らなかったということであり、当然、エストニアの武力による自衛も許容されない。メディアが「サイバー戦争」と呼んだジョージア紛争でも同様に、サイバー行動そのものによる効果は「相当な経済的損失や重大な人的被害をもたらしたといえるほど深刻ではなかった」[142]ということだ。ジョージア紛争において、サイバー行動が原因の「損失や被害」と、伝統的な武力紛争が原因の「損失や被害」を識別することは難しい。たとえ効果が十分に「深刻」であると見なされたとしても、ハッカーや犯罪者たちの行動に国家がどれだけの役割を果たしていたかに疑問が残る以上、サイバー行動の国家責任は回避されてしまう。

サイバー行動が現代紛争に不可欠の構成要素になっているにもかかわらず、武力紛争法に基づいてジョージアにおけるサイバー行動の責任をロシアに負わせる試みは〔ハッカーや犯罪者たちなど〕代理アクターを利用することで妨害されている。ロシアは愛国的ハッカーたちに責任を負わせ、エストニアへの関与から目をそらさせる欺騙効果により「攻撃元の特定」を阻んでいるのだが、こうした状況はもっともらしく関与を否認しながら、「サイバーによる強制（cyber coercion）」という実効性あるオプションをロシアに与えているのである。ある意味、エストニアとジョージアにおける2つのサイバー作戦の事例は「ロシア流の勝利の理論」を表しているともいえる。ロシアの代表的な国防専門家アンドレイ・ココーシン（Andrei Kokoshin）によれば、それは「非対称性と呼べるもので、自らの強みを相手の弱点にぶつける競争戦略である」[143]。近年の軍の近代化にもかかわらず、ロシアは通常戦力の分野で米欧諸国と渡り合うことができないことは、ロシア指導部も認識している。プーチン大統領は「他国の軍隊の計画や開発の方向を考慮に入れなければならない……我々の対応は知的優越に基づくべきであり、それは非対称的で、さほど高価なものではない」▼144と語っている。まさしくサイバー作戦は、そうした独特なカテゴリーに適合しているのである。

第3章　ハイブリッド戦とサイバー戦

軍事分野で使われる「ハイブリッド（hybrid）」という用語は、さまざまな戦い方が相互に調整され、組み合わされて行使される状態を意味している。[1] ハイブリッド戦（hybrid warfare）では、敵対者はさまざまなアプローチを独自に組み合わせ、それを相手の弱点に向ける。国または集団は「多様な戦術やテクノロジーのメニュー」の中から最適な手段を選択し、「自らの戦略文化や地理的特性、そして目的に適合した斬新な方法で各手段を融合する[2]」。ハイブリッド戦の実態は、軍事的および非軍事的分野におけるさまざまな戦いの様式と方法が反映された21世紀の紛争の中に見出すことができる。ハイブリッド戦は全体としては戦争を意味しているが、ハイブリッド戦を構成する一つひとつの要素は必ずしも武力紛争レベルに至っているわけではない。北大西洋条約機構は現在、あらゆる戦略的正面からの脅威と、サイバー攻撃やハイブリッド攻撃からの脅威を受けており、そうした危険で予測不可能な、そして流動的な安全保障環境の中に置かれていると認識している。2018年のブリュッセル首脳会議の共同宣言において、各国の政府首脳は「偽情報キャンペーンや悪意あるサイバー活動などハイブリッドな脅威に直面している[3]」と表明した。そして、各国首脳は「ハイブリッドな活動を通じて、欧州大西洋《ユーロ・アトランティック》の安全と安定を脅かしている[4]」としてロシアを名指しした。さらに安全保障環境は「ロシアの違法かつ正当性のないクリミア併合およびウクライナ東部の不安定化が続いた結果、安定が損なわれ不確実性を増している」[5]と語った。

２０１６年のワルシャワ首脳会議の共同声明では、各国政府首脳はハイブリッド戦のことを「国家の目的を達成するため、通常手段と非通常手段を組み合わせ、公然かつ隠密に軍事・準軍事・民間の手段を広範かつ複合的・適合的に組み合わせた措置が、高度に統合された計画に基づいて、国家・非国家アクターにより行使されるもの」[6]と表現した。この幅広い定義は、同盟を構成する28の加盟国による合意と討議を踏まえたものであり、このタイプの戦い〔ハイブリッド戦〕に関する主に米欧流の解釈を示しているといえる。もともとハイブリッド戦という概念自体はアメリカ軍の中から生み出され、欧州の国防サークル内で発展したものである。２０１４年のロシアによるクリミア併合の結果、『ハイブリッド戦』というアイディアは、ロシアの軍事作戦の成功を説明するのに有用な概念として急速に広まった」[7]のである。クリミアにおけるロシアの迅速な勝利は「チェチェン紛争やジョージア戦争など主として通常兵力で戦われ、残忍な暴力性が非難を受けた従来の軍事作戦」と対照をなしていた。したがって、ハイブリッド戦という概念は「ロシアのアプローチが、成功とはいえなかった過去の戦争といかに異なっているかを説明するのに[8]」ふさわしいものであるように思われた。

モスクワはクリミア併合のため、広範にわたる政治的・軍事的手段を効果的に利用した。イギリスの国際戦略研究所〔ＩＩＳＳ〕が刊行している権威ある『ミリタリー・バランス』の２０１５年版序文では、ロシアのハイブリッド戦争について「相手の不意を衝き、主導権を奪い、物理面に加え心理的優位を獲得するよう設計された統合キャンペーンの中で、軍事的ツールおよび非軍事的ツールが利用され、そこでは外交的手段、質の高い迅速な情報、電子戦とサイバー戦、隠密に時には公然たる軍事行動とインテリジェンス活動、そして経済的圧力が用いられる」[9]と説明されている。こうした戦争の形態は真新しいものではないが、サイバー作戦の活用を含め、手段と方法の面できわめて革新的であった。米欧の研究者の中には、クリミアで実践されたロシアの方法はいわゆる「ゲラシモフ・ドクトリン」（後述）の適用事例であったのではないか、という点を解明しようと試みる者もいた。というのも、ロシアはハイブリッド戦という米欧起源の概念を正式に採用していなかったからである。それでも *gibridnaya voyna* というロシア語をあてて翻訳された学術的文献も一部であるが存在する。米欧の概念は「相乗効果を発揮するための軍事活動」に焦点を置いているが、ロシアの概念は公共生活のあらゆる領域を含んでいる。[10] 他方、ハイブリッド戦に代わる理論として、ロシアが「新世代戦（new-generation warfare）」と呼ばれる戦いを開始したという主張がある。この戦いが試みられたのはドンバス地域におけるウクライナとの非国際武力紛争〔ロシア政府およびウクライナ政府双方ともドンバスの紛争を両国の国家間紛争ではなく、ウクライナの内政問題と見なしていた〕においてであり、分離派組織をロシアがどこまで支援したのかは不透明であった。本章では、上述したさまざまな理論的主張を踏まえ、クリミアにおけるハイブリッド戦、そしてウクライナ東部における新世代戦の一翼を担ったロシアのサイバー作戦の役割および運用について説明する。

米欧の概念

ハイブリッド戦という概念の起源は、アメリカ軍の退役将校で学者でもあるフランク・ホフマン（Frank Hoffman）に遡《さかのぼ》ることができる。ホフマンは海兵隊戦闘開発コマンドで、新たな脅威の出現と最近の紛争の中に見出せる安全保障環境の趨勢《トレンド》を研究していた。そこでホフマンは戦史分析を行い、特にイスラエルとヒズボラが戦った2006年の第2次レバノン戦争からいくつかの教訓を導き出した。彼はヒズボラが

「台頭するハイブリッド脅威の代表例[11]」であると見なし、〔ヒズボラのような〕民兵組織の行動は、さまざまな戦争様式を収斂させようとしていた彼の理論にうまく適合することに気づいた。

ヒズボラは〔レバノンのイスラム教シーア派内で〕正統性を有する政党であったが、〔イスラエルとの〕捕虜交換に利用するためにイスラエル軍兵士を拉致したことをきっかけとして両者の間で戦争が開始された。〔拉致に対して〕イスラエルが武力で報復すると、ヒズボラはゲリラ戦術を交えて応戦し、ロケットランチャーでイスラエル住民を震え上がらせた。ヒズボラは隠密に行動し、路肩爆弾を使用する一方、長期間にわたり近接戦闘を行うなど、通常戦を戦う軍隊のようでもあった[12]。

ヒズボラは破壊力のあるミサイルを入手し、待ち伏せ攻撃でイスラエル軍のメルカバ戦車に甚大な損害を与え、洋上ではイスラエルのコルベット艦「ハニット（*Hanit*）」を損傷させた[13]。ヒズボラはインターネットや自分たちに同情的なCNNを情報戦の手段として活用し、軍事的勝利を大々的に宣伝したり、国際社会にレバノンの惨状を訴えた結果、国連の仲裁による停戦につながった。

2006年にヒズボラが見せた紛争の新しい構造と戦略を観察したホフマンは、ハイブリッド脅威（さらには、ハイブリッド戦争）が「通常戦能力、不正規戦の戦術と戦闘隊形、無差別の暴力と強制力を伴うテロ行為、犯罪による無法状態[14]」を含むさまざまな戦いの様式を広範に取り入れているとの結論に至ったようだ。アメリカのロバート・ゲーツ（Robert Gates）国防長官は、この新しいタイプの考え方に触発され、2009年に「ハイブリッド」という用語を最初に正式に採用した[15]。ゲーツ長官は「戦争というカテゴリーは曖昧になり、きちんとした箱の中に整理し切れなくなった。破壊のためのさらなる道具と戦術――高度なものからシンプルなものまで――を同時に混ぜ合わせて行使したり、より一層複合的な戦いの形態を予期することができる[16]」と書いている。同様に、統合参謀本部が作成した『統合作戦のキャプストーン・コンセプト』はホフマンの見方を引用しながら、「将来の紛争は、組織、テクノロジー、テクニックなど、多種多様でダイナミックな同時的組み合わせによる混合物（hybrids）の様相を呈するだろう[17]」と説明している。同年、NATOはアメリカの見方を取り入れ、「混合した作戦の中に見出せる通常戦、不正規戦、テロ、犯罪的な要素を重視した」ハイブリッド脅威に関する定義を起案し、それを関係部署に配布した[18]。

その後開催されたNATO主催の研究会では、ランド研究所とラッセル・グレン（Russell Glenn）上級国防アナリストの研究成果を含めながら、ハイブリッド戦に関する有効な定義が作られていった。それによると、ハイブリッド脅威のもとでは、さまざまな戦い方が同時かつ環境に適応した形で利用されるだけでなく、「政治、軍事、経済、社会および情報の手段が組み合わされて[19]」運用される。このような見方は「次の世紀の戦争は、活動の全範囲にわたって国力のあらゆる要素が投じられる一種のハイブリッドな戦争となるだろう[20]」と語ったアメリカ陸軍戦略大学のマーガレット・ボンド（Margaret Bond）大佐のスタンスが反映されている。『ハイブリッド脅威に対処するための軍事的貢献に関する新たなNATOキャプストーン・コンセプト』の中には、「ハイブリッド脅威とは環境に適応しつつ、目的追求に際しては通常的手段と非通常的手段を同時に運用する能力を有する敵対者が引き起こす脅威である[21]」といった同盟内でコンセンサスを得た説明が記載されている。コンセプト・ペーパーには、ハイブリッド脅威は「同盟全体に対し……サイバー、情報およびメディア、財政分野を含む非物理的領域にわたって重大な課題を提起[22]」していると語られている。『キャプストーン・コンセプト』は2010年に発刊され、ハイブリッド脅威の発生を見極め、それに対抗する効果的な戦略を作成するための作業が繰り返された[23]。そこでは実りある議論が行われたものの、NATO加盟国は政治的理由から、ハイブリッド脅威への対処に必要な能力の開発に資源を投じることには消極的だった[24]。

NATO加盟国の認識は、2014年のロシアによるウクライナ侵攻のあと、にわかに変化した。ロシアの作戦行動にNATOは不意を衝かれたのである。長年にわたって重装備の通常戦力を運用してきたせいで、「非軍事的な武力と手段」を使ったアプローチの利用をまったく予期していなかったのである。[25] 欧州の学者たちはこぞって論文を書き、関係機関ではロシアが引き起こした現象の解明を求めて連日会議が開かれた。欧州連合安全保障研究所のニク・ポペスク（Nicu Popescu）上級アナリストは「ハイブリッド戦術は新しいものではなく、ロシア人だけの発明品というわけでもない……ハイブリッド戦争は多種多様な行動を駆使して相手を倒すため……さまざまな敵対行為を包含している」[26] と論じた。NATO国防大学の研究者であるギヨーム・ラスコンジャリアス（Guillaume Lasconjarias）とジェフリー・ラーソン（Jeffrey Larson）は「ハイブリッド戦争のアプローチは新しくはない」[27] という点で同意しているが、「あたかも古い道具が再発見され、革新的手法で用いられたかのようであり、迅速かつ機敏に、時に汚れた手口で政治的目標を達成するため、相手に新たな種類の圧力を加えているかのようである」[28] と論じている。

欧州連合軍最高司令官のフィリップ・ブリードラヴ（Philip Breedlove）将軍は2015年、「ウェールズ首脳会議の結果からNATOの最も重大な課題は、東と南からの2つの異なる形態の戦略的脅威に同時に取り組むことだ」と語った。これらの課題は、まったく異なるアクターと現代のさまざまな形態のハイブリッド戦から成る。[29] 2015年春、NATO国防大学が主催した会議では、2つの戦略正面からのアクターが使用する範囲とツールが検討された。会議報告書には「ロシアによるハイブリッド戦の利用は戦略的かつ野心的なものだ。それは綿密な計画による多層的なキャンペーンの一環として、ソフトパワーとハードパワーの要素を融合して計画に取り入れられたものである」[30] と記されている。これらの要素は「通常戦タイプの軍事力（標章のない特殊部隊を含む）の使用、核戦力による威嚇、同盟諸国の社会を混乱・不安定化させるサイバー戦の運用、経済的手段の利用……大規模なプロパガンダと偽情報」[31] を含んでいる。ウクライナでの紛争が明るみになると、フランク・ホフマンは、10年前に海兵隊が開発した概念モデルが、もっぱら「暴力と戦いに関連した戦術の組み合わせ」[32] に焦点があてられたものであったと認識した。それは作戦レベルにおける通常戦について書かれたものであり、サイバー作戦のような非暴力的な行動については記述が及んでいなかったのである。ＮＡＴＯ国防大学の会議で交わされた議論の内容は、ロシアが戦略目的を達成するために用いた幅広い手段や措置を理解するのに有用だった。

ゲラシモフ・ドクトリン

クリミア併合の後、学者たちはロシアの権威ある軍事思想家の著作物を渉猟《しょうりょう》し、ハイブリッド戦ドクトリンの証拠集めに取りかかった。２０１３年に〔ロシア連邦軍〕参謀総長のワレリー・ゲラシモフ（Valery Gerasimov）将軍によって書かれた有名な論文が、紛争における非軍事的ツールの重要性を強調していた。戦争の本質的な変化に関する彼の見解は、ゲラシモフ・ドクトリンとして米欧諸国では知られている。ゲラシモフ将軍は論文の中で、そうした新しい展開を「軍事力の行使をめぐる新たな適応的アプローチ」と捉え、次のように語っている。

> 21世紀においては、戦争と平和の状態の区別が消え失せようとしている。戦争の開始は宣言されず、開始されても通常のパターンを辿《たど》ることはなく……戦闘で使われる方法の重点は、政治、経済、情報、人道、人民の抵抗する力を用いて実施される非軍事的措置の広範な利用へと移行している。こうしたものはすべて、情報対決（information confrontation）のための措置の実施や、特殊作戦部隊の行動といった隠密な軍事的措置により補完される。▼33

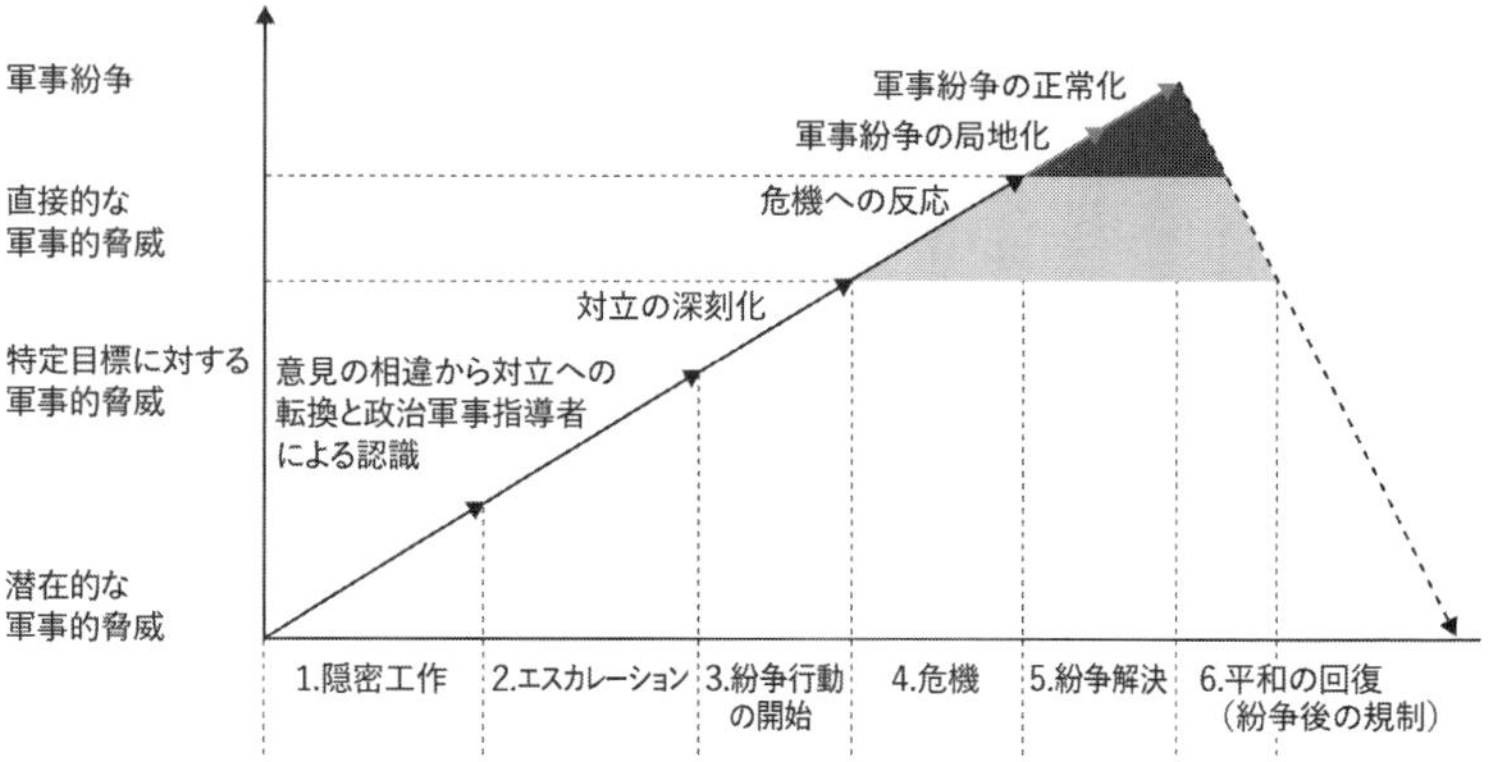

図 3-1　国家間の紛争解決における非軍事的方法の役割
出典：Charles K. Bartles, “ Getting Gerasimov Right,” Military Review, January/ February 2016, p. 35.

ゲラシモフは、現代の戦争はインテリジェンスと情報空間の支配に焦点が置かれ、目標は「遠隔地から〔敵と〕接触することなく」達成され、「戦略、作戦、戦術レベルの違い」はもはや無くなっていると論じた。[34] ただし、ゲラシモフが主張している内容については「彼がロシアの戦略として〔論文で〕描いているものは、実は米欧諸国がこれまで取り組んできたこと[35]」であると指摘されている。彼は論文の中でアメリカ軍による体制変更《レジーム・チェンジ》のパターンを取りあげ、特にアフガニスタンとイラクでは公然たる軍事侵攻によって、〔現地政府に〕対抗する政治勢力を擁立するという手法が用いられた点に注目している。[36] ロシア人たちは、米欧の政府機関がその国の反体制的な社会運動を後押しする役割を果たしてきたことを目撃してきた。それはジョージア、セルビア、ウクライナ、そして「アラブの春」では特にリビアにおける「カラー革命」の中で見られたと彼らは言う。しかし、ロシアでは「攻撃的な戦略や能力を論じる際に、イソップ寓話のように何事も相手の仕業だと考えて議論する性癖が昔から続いている」ことも確かである。[37]

ゲラシモフは作戦環境に関する彼の見解に基づいて、

「国家間の紛争解決における非軍事的方法の役割」というタイトルのついた現代戦モデルを作成した（図3－1参照）[38]。彼によると、戦争は「今では、非軍事的手段と軍事的手段が概ね4対1の比率で遂行されている」[39]とされる。このモデルに描かれているように、情報戦（information warfare）の遂行は国家間紛争の6段階（隠密工作、エスカレーション、紛争行動の開始、危機、紛争解決、平和の回復）のすべてにわたって普遍的に見られる現象である。

ゲラシモフのモデルは米欧起源のものかもしれないが、クリミア併合のツールとして用いられたサイバー作戦の役割を分析するうえで有益な概念である。ウクライナのウェブサイトには破壊的な攻撃が加えられたが、今回は携帯電話や選挙システムにまで攻撃の範囲が拡大された。サイバー作戦は武力介入の重要な一角を占め、武力行使に関わる国際法の侵害に相当するものだった。

2014年クリミア侵攻

ゲラシモフ・モデルの各段階では、非軍事的措置の優位性が特徴的であるが、時間が経つにつれて軍事的関与の度合いが増大している。第1段階の「隠密工作」は、ウクライナのヴィクトル・ヤヌコヴィッチ（Viktor Yanukovych）大統領が欧州連合と結ぶはずだった連合協定への署名を拒否したところから始まった。連合協定が成立すれば、〔欧州連合加盟国との間で〕通商のための国境が開かれるはずだった。ヤヌコヴィッチは〔署名拒否の〕決定の背後にロシアからの外交的圧力があったと語った[40]。2013年12月1日、35万人以上が参加した首都キーウでの集団デモは、のちにユーロマイダンとして知られるようになる政治運動あるいは抵抗運動として全国に拡大する転機となった[41]。デモ参加者が大広場《マイダン》を離れようとしないことが明らかになると、抵抗運動派のウェブサイトに対するサイバー攻撃が開始された。それらは主に「商業用ボットネットから《Black Energy》や《Dirt Jumper》マルウェアを使った[42]」ＤＤｏＳ攻撃の標的となった。「隠密工作」段階にはロシアによる経済的措置も含まれていた。12月16日、ヤヌコヴィッチはロシア政府との間でウクライナの１５０億ドルの負債を肩代わりし、天然ガスの価格を3分の1まで引き下げるプランに調印したが、これはユーロマイダンのデモ参加者からの激しい怒りを買っただけだった[43]。「エスカレーション」段階は２０１４年2月20日、ユーロマイダンの民衆に対して流血を伴う弾圧が引き起こされたときである。警察が実弾を使ったスナイパーを配備し、十数名が犠牲になった[44]。モスクワは、ヤヌコヴィッチが断固たる処置をとって混乱を収拾しなければ重要な援助を撤回すると脅した[45]。死をもたらす発砲と同時に、これまでにない高度なサイバー攻撃が行われた。野党系国会議員の携帯電話が「Ｓ《ショート》Ｍ《メッセージ・サービス》Ｓの電話コールの洪水に見舞われた。これは〔国会議員たちが〕防衛問題について連絡を取り合い、互いに調整することを妨げようとする行為だった[46]」。2月21日、マイダン広場にいた5万人の抵抗者たちは命を落とした仲間を追悼し、もしヤヌコヴィッチが辞任しなければ武装蜂起すると脅した[47]。そして次の日、ヤヌコヴィッチは大統領を辞任した。臨時大統領が任命され、ヤヌコヴィッチの同調者の何人かが逮捕されると、クリミアで親ロシア派によるデモが活発になった[48]。ロシア大統領のウラジーミル・プーチンは次なる措置を協議するため安全保障関係の閣僚たちと会合を開き、そこでプーチンは「我々はクリミアをロシアの手に取り戻す仕事を始めなければならない[49]」と言葉を締めくくった。プーチンの発言を受けて戦略展開が開始され、事前通告なしの大規模な軍事演習のため、3万人から4万人の部隊と装備がウクライナ国境に近い西部軍管区に配備された（地図３－１参照）[50]。

２０１４年2月27日に「紛争行動」段階が開始されると、武装した男たちがクリミアにあった政府の建物、空港、テレビ局、軍事施設を占拠した。ウクライナからクリミア半島へと至る主要な道路上には国境

地図 3-1　ウクライナ
出典：Central Intelligence Agency, “ Europe: Ukraine,” The World Factbook, https://www.cia.gov/library/publications/resources/the-world-factbook/goes/en.html.

検問所が設置された。[51] このいわゆるリトル・グリーンメンたちは「国章や認識票」がなく、「現地の治安維持部隊」として行動した。[52] モスクワはいかなる関与も否定していたが、のちに分析家たちは、その男たちがロシアの特殊部隊「特にスペツナズおよび黒海艦隊に配属された海兵部隊である第801独立海軍歩兵旅団[53]」であると結論づけた。即時隠密展開が可能なウクライナ海軍歩兵旅団の駐留は、ロシア産天然ガスの大幅な減額と引き換えにセバストポリへのロシア艦隊の駐留をさらに25年間延長する2010年の政治的取引に基づいていた。[54]「危機」段階は3月1日に訪れた。この日、ロシア上院が表向きはロシア語を話す少数派住民の生命を保護するため、クリミアへのロシア軍派遣を正式に承認した。[55] 派遣された部隊は、キーロフスク空軍基地や他の施設を占拠した。

　作戦の当初から、ロシア軍は半島の遠隔通信インフラを掌握するため行動を開始した。電話線やインターネットケーブルが切断されてしまう前に、ウクライナの国営通信会社であるウクルテレコム（Ukrtelecom）社の地方事務所を襲撃した。[56] さらにメディア系企業への物理的なアクセス経路を封鎖し、地方テレビ局の番組をウクライナ語からロシア語のチャンネルに切り替えた。[57] さらにロシア軍は議会議員の携帯電話に介入し、ウクルテレコム社の入り口に設置した機器を使って通話を遮断した。[58] 物理的な妨害工作や介入によってクリミア住民を外部世界から遮断し、影響力を及ぼそうとするロシアの行動は、2008年のロシア・ジョージア紛争で使用されたサイバーに関する作戦教範《プレイブック》とは異なる方法に基づいていた。クリミアの2カ所の政府系ウェブサイトが削除されたが、それが外国人ハッカーの仕業かどうかははっきりしない。[59] サイバー戦の専門家ジェフリー・カー（Jeffrey Carr）は、次の2つの理由から、ロシアは分散型サービス拒否攻撃を使ったウクライナ政府と社会との分断をあえて実施しなかったと論じている。第一に、ナシ（政府が出資して結成されたロシアの青年グループで、ジョージア紛争では分散型サービス拒否攻撃を主導した）が解体していたこと、第二に、ジョージア攻撃のときに積極的に召集に応じた愛国的志願者たちの公開フォーラムが〔ウクライナ紛争では〕どうやらロシアのハッカーたちを惹きつけなかったこと（彼らの多くはウクライナ独立を支持していたため）であった。[60] その代わりにロシアは〈サイバーベルクート〉（CyberBerkut）という名の民族主義的ハッカー集団に頼り、ウェブの改ざんや偽情報を拡散して不安を煽り立てた。[61]

「紛争解決」段階は、3月16日にクリミア暫定政府が主催したウクライナからの分離独立を問う住民投票の際に訪れた。数千の武装したロシア軍部隊が監視する中、出口調査では93パーセント以上の投票者がウクライナからの分離に賛成した。[62] 米欧の指導者たちは、ロシア連邦への編入をめぐる投票がウクライナ憲法と国際法に抵触しているため違法であると宣言した。また、彼らは国連安全保障理事会決議で住民投票が無効であると宣言しようとしたが、ロシアはそれに対し拒否権を行使した。[63] こうした情勢の最中、NATOの意見を押しつぶすかのようにサイバー作戦が開始された。親ロシア派グループの〈サイバーベルクート〉は、NATOの公開ウェブサイトの一部を削除した。メインサイトには住民投票の非正当性に関するアナス・フォー・ラスムセン（Anders Fogh Rasmussen）NATO事務総長の声明が掲載されていたが、画面は点滅を繰り返した。分散型サービス拒否攻撃がエストニアにある「NATOサイバー防衛協力センター」を襲い、NATOの非機密指定eメール用のネットワークが被害を受けた。[64]〈サイバーベルクート〉はウェブサイト攻撃の犯行を認め、NATOによる内政への介入に憤慨する愛国的ウクライナ人が実行したものだと語った。NATOのスポークスウーマンは「攻撃元の特定が複雑なため、NATOは責任者とその動機については推測しないこととする[65]」と語った。投票から2日後、プーチンはクリミアをロシア連邦に併合する条約に調印した。[66]

最後の「平和の回復」段階は、ロシア首相ドミトリー・メドベージェフ（Dmitry Medvedev）が2014年3月31日にクリミアを訪問し、膨大な経済援助を約束したところから始まった。[67]しかし、ロシア経済界の指導者たちがクリミアをロシア経済に統合するにつれ、地域の政治的統制を確立するために強制的なエネルギー政策が行われるようになった。[68]ロシアはクリミアという陸地のみならず、数兆ドルの価値が見込まれる原油とガス田を抱える沿岸部も手に入れたのであった。[69]ウクライナは自立的なエネルギー政策を目指す将来的な見通しを失ったことで、ロシアからの圧力にますます脆弱となった。キーウがロシア企業への負債金20億ドルの返済期限を過ぎた6月16日には、ただちにウクライナへのガス供給がガスプロム社によって停止されている。[70]同様にサイバー領域では、親ロシア派の〈サイバーベルクート〉がウクライナの内政に影響力を及ぼそうと活動を続けた。ウクライナ大統領選挙期間中の5月21日、〈サイバーベルクート〉は「中央選挙委員会（CEC）に不正アクセスし、中核となるCECのネットワーク・ノードと選挙システムの一部を使用不能にした[71]」。例えば、約20時間にわたり開票の最新状況の表示が不具合になった。5月25日、投票が終了する数分前に攻撃者は「CECのウェブサイト画面に右派指導者のドミトリー・ヤロシュ（Dmitry Yarosh）の顔写真を掲載し、彼が選挙に勝利したとの不正確な情報を伝えた[72]」。その日の夜、ロシアのチャンネル・ワンはヤロシュが37パーセントの得票率で当選したと報じた。[73]

CECへのハッキングに関し、ウクライナのコンピュータ緊急対応チーム（CERT）が行った技術評価によると、攻撃者は選挙の2カ月前から偵察を開始し、管理者権限を入手していた。[74] CERTは、APT28との関連が疑われる高度なサイバー諜報用のマルウェアをネットワーク上で発見した。APT28は以前からロシア政府との関連性が高いことが明らかになっていた。[75] 一方、〈サイバーベルクート〉は「CECのシスコ社製ASAソフトの中に『ゼロデイ』の脆弱性を発見し、それを利用」[76] したと自ら主張した。CERT長のニコライ・コーヴァル（Nikolay Koval）は「サイバーベルクートが本当にゼロデイ攻撃を行ったのであれば、そのグループは国家の支援を受けている可能性がある」[77] と語った。キーウにあるISACA（情報システム監査・統制協会）役員会のメンバーであるグリブ・パハレンコ（Glib Pakharenko）は、前述したマイダン革命でのサイバー作戦を調査したところ、攻撃者の身元を特定できなかったことから、「サイバー攻撃に関しては攻撃元の特定と動機が明確ではなく、欺騙のレベルが高かった」[78] ことを認めている。たしかに、ロシアのクリミア併合に関連するサイバー作戦を明確にロシアの責任であったと文書上では特定することができなかったが、ウクライナを混乱に陥れ、不安定化させようとする動機となると、かなりはっきりしてくる。

ロシアは、ほとんど無血の奇襲によってクリミア併合を達成した。サイバー作戦は混乱と動揺をもたらしはしたものの、死傷者は発生せず、物件の損壊も起こらなかった。これは米欧流の解釈と一致したハイブリッド戦の特徴であり、政治、経済、情報といった各分野で多様な措置が講じられた。これらの措置はいずれも、ゲラシモフ・ドクトリンの要素に沿った形で隠密または公然とした軍事的手段によって補完された。法的に分類すると、NATOサイバー防衛協力センターの軍事法律顧問であるジャン・スティニセン（Jan Stinissen）は「より広範な紛争全体の一部として遂行されるサイバー活動の法的性格は、当該紛争そのものの法的枠組みにより規定される」[79]と論じている。スティニセンは、ユーロマイダンの抗議運動は政府当局と市民グループとの間の紛争であったと見なしている。実際、抗議運動は犠牲者を伴う暴力事態へと発展したが、彼が言うには、抗議行動は国内問題であり、国家間の「武力紛争と見なすことはできない」[80]。

また、当時のサイバー攻撃が紛争当事者の双方で発生していたことに留意すべきである。〈アノニマス・ウクライナ〉グループに所属するハッカーは、EUやNATOそしてロシアからのウクライナ独立を推し進めるため、10月28日に「独立作戦（Operation Independence）」を開始した[81]。オペレーションの中身はDDoS攻撃と、米欧・ロシア双方のウェブサイトの改ざんであった[82]。反体制活動家はウクライナ政府に対するDDoS攻撃を行い、そこには大統領のウェブサイトも含まれていた[83]。こうしたユーロマイダンの最中に発生した対立相手のウェブサイトや携帯電話に対する政治的動機に基づいたサイバー攻撃について、ロシア政府が関与していたのではないかと推測することは理にかなっているが、その潜在的な役割の特定は国内の騒乱と市民による暴動の中で掻き消されてしまっている。そうした騒乱や暴動は、武力紛争の閾値に近づいているとはいえない。結局、抗議行動の中で生じたサイバーインシデントは、ウクライナの刑法に抵触した場合の単なる法執行の問題に還元されるのである[84]。

ところが、ロシア軍によるクリミア侵攻は、上記とはまったく異なる法的問題となる。ラスムセン事務総長は「ロシアのウクライナへの軍事侵略は国際約束の明らかな違反行為であり、ウクライナの主権および領土保全の侵害である」[85]と明確に述べた。ロシアのセルゲイ・ラブロフ（Sergei Lavrov）外相は、ウクライナのヤヌコヴィッチ元大統領から国連安全保障理事会に送付された書簡を公表しながら、ラスムセンの主張に対して反論を試みた。書簡には、ヤヌコヴィッチがロシア政府に武力介入を要請していたと記されていた。しかし、ケンブリッジ大学の国際法教授マーク・ウェラー（Marc Weller）は「ヤヌコヴィッチ氏が国内の事態に対する有効な統治能力を失ってしまった以上、外国の介入を正当化することはできない[86]」との見方を擁護し、結論として「ウクライナの合法的な国家機関に取って代わろうとする」ロシアの行動は「重大な内政干渉」と見なされ、ロシア軍の部隊が関与している以上、「それは武力介入の事例である」と述べている[87]。

これに関連し、ジャン・スティニセンは「この武力介入は、国連憲章第2条4項の侵害、つまり武力の行使だったのか？[88]」と問うている。スティニセンは「軍隊をその国の同意を得ることなく他国領土に動かすことは、間違いなく武力の行使と見なされるべきである[89]」と主張していることから考えても、この問題提起は妥当である。そして、答えはイエスである。たしかに武力介入時に見られたロシアの行動は、クリミアではほとんど一発の銃弾も撃たれなかったことから、それが武力攻撃に相当するとは見なせない。しかし、部隊標識のないロシアの部隊がクリミアにある基地から出撃し、増援部隊とともに戦略拠点を確保し、ウクライナ部隊の行動を阻止したことは武力の行使にあたる。したがって、クリミア併合をめぐるロシアの軍事作戦は、それと連携して行われたサイバー作戦を含め、武力の行使という国際法違反になり、それは国際コミュニティに対抗措置をとる権利を与えるものだといえる。こうした論拠に基づき、アメリカと欧州連合はロシアに対する経済制裁措置を選択したのである。

ロシアの立場

ロシアのクリミア併合は、米欧のアナリストたちから注目を浴びたハイブリッド戦の概念――先述したように、米欧流の概念はロシア軍に固有の考え方ではなかったのだが――に含まれるさまざまな要素を浮き彫りにする恰好の具体例となっている。[90] チャタム・ハウスのアソシエイツ・フェローであるキール・ジャイルズ（Keir Giles）は、ハイブリッド戦（hybrid warfare）という用語は――ロシア語に逐語訳すると *gibridnaya voyna* となる――戦い方（warfare）に関するロシア語の文献に登場するようになったと論じている。ジャイルズによると、ハイブリッド戦というフレーズは「ロシアの戦い方についてではなく、米欧の考え方に言及するときに[91]」使われることが多いようだ。さりとて、翻訳は重要である。ジャイルズはハイブリッド戦というアイディアを表すオリジナルなロシア語表現は存在しないと指摘しているが、ハイブリッド戦という概念はロシアの概念枠組みに馴染まないものなのかもしれない[92]。むしろ、ロシアの研究者たちは、ロシアに特有の政軍関係の文脈の中でこの概念を拡大解釈しようとしている。キングス・カレッジ・ロンドンの研究者であるオフェル・フリドマン（Ofer Fridman）によると、*gibridnaya voyna* とは「妨害・破壊工作の構想・プロジェクト・計画を浸透させ、影響力を行使するための機関を創設し、代理勢力にパワーをもたせるといった外部からコントロールするメカニズムの構築[93]」を意味するものであるという。

gibridnaya voyna の方法を支持するロシア人にとって、このタイプの戦争の主要な目的は「伝統的な戦場を回避すること、社会を成り立たせる社会文化的な骨組みを解体するため、イデオロギー・情報・財政・政治・経済の各手法を組み合わせて敵対者を打倒し、敵を内部崩壊へと至らせる[94]」ことである。つまり *gibridnaya voyna* の狙いは、内部から敵の政治的結束を瓦解させることである。この意味で「ハイブリッド戦」よりも、アメリカの「政治戦」（political warfare）概念と重なるところが大きい[95]。したがって、この新しいタイプの戦争では、破壊工作（subversion）と情報（information）が何よりも重要なのである。実際、*gibridnaya voyna* という用語が使われるに至った背景は「cyber war を kiber voyna と直訳したのと似ている[96]」〔kiber はサイバー、voyna は戦争の意〕。実際のところ、講演や論文の中で *gibridnaya voyna* という用語が使われるようになったにもかかわらず、軍内での使用は低調である[97]。軍人の多くは、自分たちこそが〔ハイ

ブリッド戦の」標的になると信じており、それを使いこなす達人ではないと感じている。さらに、「ハイブリッド戦」という用語を使ってロシア軍の作戦を説明することに軍内で抵抗感が存在した理由は、この用語は現代の全面紛争がどのように展開していくのかに関するロシア軍の考え方を正確に反映していないからである。

2011年、軍で影響力をもつロシア連邦軍参謀本部の軍事戦略研究センターに所属するセルゲイ・チェキノフ（Sergey Chekinov）退役大佐とセルゲイ・ボグダーノフ（Sergey Bogdanov）退役中将は、現代紛争の青写真を次のように描いている。「新世代の戦争は情報戦と心理戦に支配される。そこでは兵力と兵器を有利にコントロールし、敵軍の兵士や人民の士気と心理を挫くことが追求される。現在の情報テクノロジー革命の時代においては、主として情報戦と心理戦が勝利への土台を築くことになるだろう[98]」。また、彼らは紛争前の段階について記述しており、それはロシアのハイブリッド戦に関する米欧側の認識の中で描かれた種類の作戦であるように見える。「新世代戦争が開始される数カ月前、あらゆるタイプの戦い――情報、士気、心理、イデオロギー、外交、経済など――を融合した大規模な措置は、同盟国の軍隊の作戦に有利となる軍事的・政治的・経済的環境を整える統合計画のもとで立案・実行される[99]」。この二人の著者は、新世代戦争を概念化するにあたって、非軍事的手段を特に強調している。ところが、のちに二人が書いた論文では、軍隊の運用がなければ「新世代戦争の目的を達成することはできないだろう[100]」と指摘している。というのも、いったん情報作戦やサイバー攻撃が生じると、その戦争は破壊的な航空攻撃や激しい地上戦が行われるキネティック段階へと移行するからだ。それゆえ、*gibridnaya voyna* と「新世代戦争」の概念の違いは、いずれのケースでも非軍事的な手段と方法が利用されるが、*gibridnaya voyna* のケースでは非軍事的手段が「他とは切り離された非暴力的な政治的対立」の場面で使われるのに対し、新世代戦争のケースでは非軍事的手段が「次に続く軍事行動の下地を準備する」ことが意図されるという点にある[101]。

新世代戦（new-generation warfare）という呼び名はジョージア紛争を起源とし、ウクライナ東部で定着した。新世代戦とハイブリッド戦はともに政治工作、代理勢力という聖域の確保、強制的抑止（coercive deterrence）などの共通項を含んでいるが、新世代戦はハイブリッド戦よりも全体的で包括的である。[102] 新世代戦という概念において、実際の戦闘の要素は支配的である。新世代戦は多レベル（戦略、作戦、戦術）かつ多領域にまたがって実行され、その中には内戦的要素もあれば国家間紛争の要素もある。新世代戦は「サイバー戦、心理戦、電子戦、情報戦を一体化し、非通常戦タイプの代理アクターや正体不明の傭兵とともに通常戦力」を用いて戦われる。[103] この戦争形態では、無人航空システム、集中射撃、重歩兵戦闘車、移動式防空ネットワークといった公然たる軍事オプションが派手な効果を達成する間、サイバー作戦は隠密裏に戦場を形づくる有効な非対称的手段となる。アメリカ陸軍はこうした観察結果をカテゴライズするため新世代戦の概念を受容してきたが、新世代戦の要素をカバーしたロシア側の洗練された見方は、２０１５年にロシア軍事科学アカデミーのアンドレイ・V・カルタポロフ（Andrey V. Kartapolov）中将が行ったスピーチの中に見出される。彼は「新世代」（new-generation）を「新しいタイプ」（new-type）という言葉に置き換えたうえで、「新しいタイプの戦いの特徴を準備と実行にうまく活用し、敵との対決では『非対称的な』方法で対処してきた」[104] と指摘する。かかる方法の具体例として、ロシアが率いる分離独立派によるドンバス地域でのサイバー作戦があり、戦場は混乱《ディスラプション》、通信傍受、偽情報で覆われた。ロシアはウクライナ領内における自国軍の存在《プレゼンス》を否認してきたが、キネティック攻撃と連携したサイバー作戦は武力攻撃のレベルに至る可能性があった。

ドンバス介入

グローバル問題センターのマーク・ガレオッティ（Mark Galeotti）は「クリミアでの目的が新しい秩序を作り出すことだったとすれば、ドンバスでは、何が何でも混沌を作り出すことだった。たとえそれが制御され兵器化された混沌だったとしても」[105]と述べている。このように考えれば、新世代戦の概念は理解しやすくなり、モスクワは軍隊の使用に都合の良い条件を作ることから始めた。２０１４年3月から4月にかけて、ロシアの特殊作戦部隊と情報工作員は、ドンバス地域に潜入して親ロシア派運動を開始した。ロシア工作員に率いられた民兵たちはドネツク市およびスラビャンスク市の公共建造物を襲撃し、テレビ局や警察本部を占拠した。[106] ２０１４年5月、自治を問う住民投票がドネツク州とルハンスク州で行われた。半ば独立した「人民共和国」を新たに樹立する法案は、90パーセントの得票率という圧倒的支持を得た。[107] ロシアの代理政府は独自に民兵を配備するとともにロシアからの増援を受け、国家資産を奪回するためにキーウ政府が発動した大規模な「対テロ作戦」に対抗した。[108] ロシアは紛争の関与を否認し、ウクライナで戦っているロシア人たちはみな休暇中のボランティアであり、「自由のために戦う自らの信念にしたがって行動している」と説明された。しかし、次第にロシアは直接介入の度合いを強め、２０１５年2月までには最新の装甲部隊や火砲を装備した1万４４００名のロシア軍を配備し、ウクライナ東部の分離独立派の部隊編成を支援した。[109]

戦闘状態が始まると、ロシアの支援を受けた分離独立派勢力は「ウクライナのメディア、通信、金融サービスから地域を分離させる」ため、「ケーブル、放送施設、ＡＴＭネットワーク」[110]を破壊した。サイバー主体の攻勢作戦では、ウクライナ軍の通信ネットワークと個々の兵士が所有する携帯通信機器が標的とされた。ウクライナ軍では部隊レベルで使用できる暗号通信装置の配当が不十分であり、必要の都度、秘匿なしの携帯電話による通信が利用されていた。[111] ソーシャルメディアへの投稿内容の解析と並んで、個人の携帯電話の傍受により、分離派勢力はウクライナ軍兵士の正確な位置をつかむことができた。[112] これは大多数のウクライナ市民が、ロシアのソーシャルメディア・サービスで最大の利用者数を誇る「フコンタクテ」やMail.ru〔メイルルー。ロシア国内最大の無料の電子メール・サービス〕といったロシアのオンライン・サービスを利用していたために生じた。[113] あるウクライナ徴集兵は最前線でジオタグ〔位置情報〕付きの自撮り写真をネット上に投稿したため、簡単に自分の位置を標定されてしまった。[114] 管理下にある施設を経由する携帯電話メッセージやデバイスのプロトコルを操作すれば、ウクライナ軍兵士への中間者攻撃（man-in-the-middle attack）が可能となる。士気を動揺させるため、SMSやMMS《マルチメディア・メッセージサービス》のテキストが前線にいる兵士に直接送り付けられた。そこでは例えば、「ウクライナ兵士よ、一体ここで何をしているのだ？　きみたちの家族はきみたちが生きて帰ることを望んでいる」[115]と語りかけるのである。家庭にいる兵士の妻たちのもとには、同じようなテキストが送られ、ときに殺害の脅しまで含まれていた。このように携帯電話の利用は作戦遂行上の弱点を生み出したが、ウクライナ兵士たちにとって、それは電話し、eメールをチェックし、映画を観るための必需品でもあった。

一方で、ウクライナ軍のハードウェアや設備が旧式だったことから、ロシアのサイバー作戦が通常兵器システムの弱点を利用できないという面も見られた。[116] しかし、2014年後期から2016年にかけて、アンドロイドのデバイスに埋め込んだマルウェアを利用し、ウクライナ軍の砲兵部隊の行動が追跡され、攻撃対象となった。セキュリティ企業のクラウドストライク（CrowdStrike）社は、ウクライナ軍第55砲兵旅団の将校が開発した正規のアプリケーションにリンクされた不審なアンドロイド・パッケージを発見したと報告した。[117] その将校によると、9000名以上のウクライナ陸軍砲兵部隊の隊員が利用しているアプリケーションは、D-30型122ミリ牽引式榴弾砲の射撃速度を分単位から秒単位まで短縮した。また同社によると、ファイルの中には射撃指揮統制用プロトコルである《X-Agent》が含まれていた。《X-Agent》マルウェアはアンドロイド携帯電話の通信および位置データにアクセスできたため、対砲迫射撃用の大砲・迫撃砲の位置を特定し、標的化することに用いられた。[118] クラウドストライク社はそのマルウェアを、ロシア軍インテリジェンス部門の傘下にあるサイバー諜報グループ〈FancyBear〉の仕業であると特定した。同社の報告書の中には、マルウェアの展開は「ロシアのサイバー能力が戦場の最前線にまで拡張されている[119]」と書かれている。「モバイル・アプリケーションを軍事目的に活用する」ことで、ロシア軍は「戦闘のあらゆる範囲でサイバー戦の実用化」を達成しつつあった。[120]

　サイバー戦は新世代戦の重要な要素であるが、電子戦など他の戦いの形態もウクライナ東部で一般的に見られた。ロシアは「紛争エリア内でいかなる電磁波の発信も意のままに傍受し、アクセスできる[121]」能力を見せつけた。〔アメリカ陸軍の〕非対称戦グループが作成した『ロシア新世代戦ハンドブック』によると、ウクライナ東部では、ロシアの電子戦システムが「ウクライナ軍の無線通信を壊滅させ、無人航空システム（UAS）を妨害する能力をもち、偽のGPS（全地球測位システム）信号を送信できる能力（スプーフィングと呼ばれる効果）を証明[122]」したとされる。このハンドブックでは、〔ロシアの電子戦〕システムが電磁波信号の方向を探知し、火力指揮センターと連携して敵部隊に正確な射撃を発揮できると書かれている。また、無線メッセージを発信すると相手から正確な火力射撃を受けたという、ウクライナ東部に展開したウクライナ陸軍部隊の経験を紹介している。被害を受けた後、その部隊は「ロシア軍に率いられた分離独立派の指揮官から、火砲がどれだけ好きかをたずねるテキストメッセージを携帯電話で[123]」受け取った。電子戦以外にもウクライナ東部はロシア軍の最新の戦術や装備――多連装ロケットシステムや通常火砲の集中射撃に必要な目標捕捉用の無人航空機、統合アクティブ装甲防御システムを搭載した主力戦車、ネットワーク化された自走式防空システム――の実験場となった。[124] ロシアは第1軍団および第2軍団の部隊に対して近代兵器の供給量を増強した。これらの部隊は、ドンバス地域にある分離独立派部隊の駐屯地に展開していた。[125]

２０１５年４月16日のテレビの質疑応答ショーで、プーチン大統領は「そこを明らかにさせてほしい。ウクライナにロシア軍部隊はいない」と断定した。この毅然とした態度は年末の記者会見で語った「ウクライナ東部にいるロシア人兵士はボランティアたちだ」[126]との発言から一貫していた。だが、そうした言説はにわかに信じ難かった。２０１５年４月には、８個の大隊戦術グループが隠密裏にウクライナに侵入し、装甲車両の梯隊を組んでルハンスクとドネツクに向かう様子が目撃されている。[127]マイケル・シュミット教授は２０１７年に「ウクライナでの活動に関し、ロシアは戦争行為への直接的関与を覆い隠しながら、法の限界ぎりぎりで行動している。これは *jus ad bellum*（開戦法規）に関わる武力行使の違法性を示唆しており、また、*jus in bello*（交戦法規）のもとでロシアとウクライナとの国際武力紛争が公然と始まっている」[128]と自らの見解を述べている。

国際赤十字委員会はウクライナ東部の状況について、ウクライナ政府の軍隊と分離独立派武装勢力との間の非国際武力紛争（noninternational armed conflict）であると見なしている。[129]「非国際武力紛争」という用語の使用は、政府の軍隊と組織化された武装グループとの間で、武器を用いた暴力行為（サイバー作戦を含む）が長期間継続しているという意味で適切である。[130]ロシアは当該地域に「ボランティア」を送り、分離独立派を積極的に支援していると広く信じられているが、ロシアが全体にわたってコントロールを行っていることを裏付ける説得力ある証拠はない。[131]ウクライナ東部の広い範囲にロシア軍が存在していることは侵略行為を示唆するものであり、法的には実に許し難い武力行使である。[132]しかし、国際法の原則とルールを逆手にとって、ロシアは「非国家主体の行動に対する国家責任という複雑な問題への関心」[133]を呼び起こしている。この問題は、サイバースペースにおける「攻撃元の特定」という問題とともに、サイバー作戦の国家責任に関する主張の方向性を誤らせる。とはいえ、ウクライナ砲兵部隊を攻撃するためにアンドロイドのデバイスをハッキングした行為がGRUに帰属されると明確に特定された事実は、ロシアの国家としての関与を示唆するものであった。このケースでは、キネティックな攻撃に連携して行われたロシアのサイバー作戦は、武力攻撃のレベルに到達していたといえる。なぜなら、ウクライナ軍はD－30型榴弾砲の15パーセントから20パーセントを失うなど、甚大な損害を被っていたからである。[134]

結論

専門家たちの間では、「ハイブリッド戦」や「新世代戦」という用語がさまざまな意味で用いられている。ランド研究所のクリストファー・チヴィス（Christopher Chivis）は「ロシアは非軍事的ツールを重視しながら、国境の外で国益を追求するためパワーと影響力の複数の手段を併用している」[135]と語り、結局、専門家たちはこれと似たようなことを指摘しているのだと議会で証言している。ウラジーミル・プーチン大統領のウクライナでの戦略目標は、一つの人民としてウクライナ人とロシア人の統合を復活させることだ。プーチン大統領は「キエフはロシアの諸都市の母なる地です。古代ロシアは私たち共通の故郷であり、私たちは互いに相手なしでは生きていけません」[136]と語った。プーチンだけでなく、ロシアの政治階級や人民の大多数は、常にウクライナを独立した主権国家として認めることを拒んできた。ロシアはウクライナの国境を正当化されたものでも、自然なものでもなく、それゆえ不可侵なものだと考えたことなどなかった。[137]ヤヌコヴィッチ大統領がウクライナから脱出したとき、プーチン大統領は準備していた軍事介入のシナリオの発動を決断した。ウクライナの政治路線をめぐり米欧と競争を繰り広げていた現状変更国の指導者として、プーチン大統領は自らの行動を正当化するため、国際法に関する独自の解釈を適用した。バルト諸国に向けられた不透明で混乱した攻撃のように、代理アクター、偽情報、サイバー攻撃を駆使したハイブリッド戦モデルを繰り返し行えるシナリオはいくらでも存在したのである。[138]

チヴィスが指摘するように、ロシアは「通常戦力と核の脅威さえもハイブリッド戦略の一部として利用」するかもしれないが、「全般的に見て、伝統的な軍事力の実際の行使は最小限に抑え込もうとしている」。[139]公然たる軍事力の行使を節約しようとするロシアにとって、ウクライナのサイバー作戦は今や最適な方法であることが証明されたかに見える。研究者のマーク・ガレオッティは、他の米欧の学者や実務家と同様、「当初からそうだったともいえるが、ハイブリッド戦争は現在のロシアの戦い方を表す用語として受容されている」[140]ことを認めている。とはいえ、ロシア人にとって、そうした現象は新しい戦争様式の一部であり、〔ハイブリッド戦の中で〕直接的な武力の行使は中心的要素とはならないだろう。それゆえガレオッティは最近になって、ハイブリッド戦はロシアの広範な野心的試み《チャレンジ》の一部に適用されているにすぎず、そうしたロシアの新しい取り組みは「政治戦」（political warfare）というレンズを通して考えると理解しやすいと語っている[141]〔政治戦については第4章で解説されている〕。この点について、NATO戦略的コミュニケーション能力向上センターは「ハイブリッド脅威とは、本質的に政治的意思決定に影響を及ぼす効果を作り出すことをいう」[142]とガレオッティと同様の見解を示している。

〔ハイブリッド脅威による政治への〕効果はさまざまな分野へと拡散し、長い時間にわたって発展し、対応が遅きに失してしまうまで気づかれない。さらに事態を複雑にするのは、こうしたタイプの政治的活動は戦時と平時という伝統的な二元論の中間にある「グレーゾーン」に生じるケースが多いということである。[143]

ドイツ国防省スタッフのハイジ・レイジンガー（Heidi Reisinger）と『モスクワ・タイムズ』紙コラムニストのアレクサンダー・ゴルツ（Alexander Golts）は、「ハイブリッド戦」におけるロシアの行動には「サイバー作戦や情報作戦など、あらゆる種類の手段が含まれる」[144]との認識を示している。二人はロシアのアプローチが、クリミア介入やドンバス紛争で見られたように、5つの重要局面から構成されていると指摘している。すなわち、①合法性を装った行動、②軍事力の示威、③曖昧性と否認、④現地の代理勢力、⑤偽情報キャンペーン〔丸数字は訳者〕である。[145] さらにレイジンガーとゴルツによると、ハイブリッド戦には「どれ一つ目新しいものはない。あるのは異なる行動の組み合わせと組織化であり、それが奇襲効果と曖昧性を生み出し、適切な対応を著しく困難にしている」[146]。またキール・ジャイルズは、NATOにとっての課題は「〔同盟として〕行動するためには、特定の侵略行為に関する確実な攻撃元の特定が絶対的に不可欠である」[147]と指摘している。クリミアやドンバスでサイバー作戦を実際に行った現場の実行者は明らかになっているが、「攻撃元の特定」は曖昧にされたままである。ウクライナでは代理勢力が活用される場面が物理的領域からサイバー領域にまで拡大している。ロシアの大義を奉じて活動するサイバーアクターの中には、ロシア軍のインテリジェンス機関の第一線を担っているといわれている〈サイバーベルクート〉のような組織が含まれている。[148] そうしたサイバーアクターが採用する戦術や行動の結果は武力攻撃の閾値未満にとどまっているが、それは身元不明な武装した代理勢力が関与するハイブリッド戦や新世代戦の方法を間接的に適用した他の事例と一致している。こうしてロシアは国際法のガイドラインにしたがって、同盟〔NATO〕による強制力のある反応を阻止してきたのである。

第4章　情報戦とサイバー戦

　ロシア国内で「サイバースペース（*kiberprostranstvo*）」や「サイバー戦（*kibervoyna*）」という用語が公式に使われるのは、ほとんどが外国語のテキストの翻訳や外国の手法、活動内容が紹介される場合である。[1]それらの用語に代わり、ロシアではより幅広い「情報戦（*informatsionnayavoyna*）」という枠組みの中でサイバー関連の行動が概念化されている。[2]あるロシア語文献には「情報戦は他の教義と明確に区別される統一された完全な教義であるという、全体的かつ統合的な見解[3]」が示されている。ロシアの軍事理論家が用いる「情報戦」という用語には「コンピュータ・ネットワーク作戦、電子戦、心理作戦、情報作戦[4]」が含まれる。つまり、ロシア人がイメージするサイバースペースとは「国家が情報空間を支配することを可能にするメカニズム[5]」であると考えられている。ロシアの著名な戦略家であるセルゲイ・チェキノフ退役大佐とセルゲイ・ボグダーノフ退役中将によると「情報は国家の統治構造を破壊し、反政府抵抗運動を組織し、敵対者を欺き、世論に影響を与え、反対派の抵抗の意志を弱めるために利用できる[6]」。サイバースペースを活用した情報作戦は、モスクワにとって「関与を否認できるもっともらしい根拠」を維持しながら、目的を達成するための隠密な手段となっている。

チャタム・ハウスでアソシエイツ・フェローを務めているキール・ジャイルズは、ウクライナ紛争から明らかになったことは、いかに「ロシアがサイバー活動を、情報戦という広範な領域のサブセットとして、時には促進剤として捉えているか」[7]ということであったと指摘している。例えば、戦闘開始直後に行われたウクライナの国会議員の携帯電話や国家安全保障・国防会議のインターネット・インフラに対するサイバースペースを活用した妨害工作は、〔ウクライナ政府の〕意思決定に影響を及ぼす試みであった。[8]これは虚偽のニュースやイデオロギー色の強い捏造した物語《ナラティブ》を使って民衆を操作するため、ロシアのテレビ番組や各種メディア機関を通じてプロパガンダを広める情報作戦が大々的に展開されている最中に行われた。[9]ロシアの情報戦はソヴィエト時代に確立された政府転覆工作や秩序不安定化のためのテクニックを復活させ、それを現代のインターネット時代に適応させるよう実践的に進化させたものだった。[10]２０１４年の軍事ドクトリンに顕著に見られるように情報戦に関する前提は「古くからある手口（妨害工作、陽動戦術、偽情報、国家テロ、情報操作、攻撃的プロパガンダ、人民による潜在的な抗議運動の利用）に固執したもの」[11]として描かれている。現在のロシアにおける情報戦は「試行と実験を積み上げてきた影響力ツールと、新たに現代のテクノロジーと能力を導入したもの」[12]を結び付けて実行されている。

　ロシアの軍事ドクトリンを見ると、情報戦（information warfare）と情報作戦（information operation）は「平時に起こる事象であり、戦時下の活動に限られない」[13]ことが示唆されている。元副首相および元国防相の経験をもつセルゲイ・イワノフ（Sergei Ivanov）は「情報戦（ＩＷ）と情報作戦（ＩＯ）のおかげで、モスクワは真の政治戦と呼び得る戦いで運用できる新しい兵器を発見できた」[14]とはっきりと認めている。こうしてモスクワは情報を兵器として活用し、関心をもつ国々で政治的ナラティブを作り上げている。その中でサイバー作戦は、影響力工作（influence operation）に不可欠な有益情報の窃取に重要な役割を果たしている。

本章では、アメリカとその同盟国・パートナー国との戦略的競争で用いられるロシアの情報戦（ＩＷ）の概念と用語について取りあげる。そして、〔第1章で提示した〕技術的・法的枠組みを使って、2016年のアメリカ大統領選挙に対するロシアの介入について検討する。さらに、欧州諸国の選挙戦で見られたロシアの政治戦において、サイバー作戦がどのような役割を果たしたのかについて説明し、本章を締めくくりたい。

情報の概念

著名な学者であるスティーブン・ブランクは「民間および軍事を問わず、米欧全体の情報空間に向けられたロシアの攻勢は、ロシアの兵器庫の中で最も重要な兵器であるかもしれず、これは明らかにロシアに比較優位をもたらしている[15]」と論じている。ブランクによれば、ロシアの権力機構〔政治指導者や官僚組織〕は情報兵器の能力を完全に理解している。彼の観察結果の妥当性は、2014年の軍事ドクトリンに「情報戦の能力と手段を向上させること」と優先順位が記載されていることからも明らかである[16]。ロシア専門家のドミトリー・アダムスキーは「ロシアの公式ドクトリンは現代紛争における情報闘争に還元されており、その役割は十分に強調されるべきだ[17]」と述べ、ブランクの見解に同意している。キール・ジャイルズは、ロシアは自国が「全面的な情報戦の真っ只中にいる[18]」ことを自覚していると述べている。ジャイルズによると、ロシアのIWは「情報の窃取、埋め込み、阻止、操作、歪曲、破壊を追求するさまざまな活動やプロセス[19]」を包含している。この意味で、情報はツールであり、ターゲットでもある。ジャイルズは、ロシアのIWの伝達経路や方法が、コンピュータ、スマートフォン、ニュースメディア、オンラインのトロール・キャンペーンなど、計り知れないほどの広がりを見せていると述べている。

ロシアのＩＷは、武力紛争における勝利の手段となる。ジョージアやウクライナで見られたように、平時に長期間にわたって実施されるＩＷキャンペーンは、紛争が起きたときに顕在化するよう戦場が入念に準備される。ロシア連邦軍参謀本部軍事戦略研究センターのチェキノフとボグダーノフは、次のように述べている。

戦争は軍事、非軍事および特殊な非暴力措置を巧みに組み合わせることで解決が図られる。それは主に情報優越を獲得しながら、政治、経済、情報、テクノロジー、環境といった各分野を融合したさまざまな形態や方法から成る措置を通じて成し遂げられる。マスメディアやグローバルなコンピュータ・ネットワーク（ブログ、ソーシャルネットワークや種々のリソース）を広範に利用できる新しい条件のもとで、情報戦は今では新しいタイプの戦い、すなわちハイブリッド戦争と呼ばれる行動の出発点をなしている。▼20

ジャイルズは「さまざまな情報ツールの融合と調整は、いかにロシアが情報戦の遂行に必死に取り組んでいるかを示す顕著な特徴である」▼21と指摘する。ロシア国防省は公式上、ＩＷを「政治、経済、社会システムを弱体化させ……社会や政府を不安定化させるために相手国の人民に対して大衆心理キャンペーンを実行し……敵対国に有利な意思決定を強要する能力」▼22と定義している。

情報領域における紛争を表すロシア語に「情報対決（*informatsionnoye protivoborstvo*）」という言葉がある。この概念は標的とする観衆の認識を形成し、その行動を操作することを目的とする。「情報対決」には影響力を測るための２つの指標がある。第一に「情報の技術的な効果」であり、これは「コンピュータ・ネットワーク作戦に類似している」。第二に「情報の心理的な効果」であり、これは「人民の行動や信条を変える試みを指す」。[23] いずれの指標においても、サイバー作戦は情報環境をコントロールする試みの一翼を担う。ブランクは「民間の電力網のようなサイバーネットワークを攻撃すること、宇宙に設置された軍用ＩＳＲ（インテリジェンス、監視、偵察）ネットワークを攻撃すること、そして、社会とメディア空間を親ロシア的な言説で満たそうとすること、こうしたモスクワが用いる情報対決という概念の中に厳密な区分はない」[24] と述べている。だが、いずれのアプローチも情報の流れや保管に影響を及ぼす。情報対決の目的は、平時または戦時を問わず情報優越を確保することであるが、平時の情報工作は隠密裏に実施されるのに対し、戦時の情報工作は公然と行われることが多い。

ＩＯとは情報と偽情報を一体化したものであり、それはロシア流の現代戦の鍵を握る要素である。[25]〔2014年の〕ウクライナ侵攻前、「広範な社会心理的操作を包含する情報作戦」を重視する考えは「ロシアの軍事思想の主流（を占めていた）」。[26] クリストファー・チヴィスは、ロシアはＩＯを利用して政治的議論を巻き起こし、客観的真実に疑問を投げかけていると証言している。[27] 情報とは「情報が伝送される経路とは関係なく、作戦の対象」[28] である。ロシアは冷戦期にもＩＯを実施したが、〔当時と比較して〕今日の規模と野望は「劇的に高まり、インターネット、ケーブルニュース、中でもソーシャルメディアの存在により促進されている」[29]。さらにサイバーツールの存在は、ロシアに「米欧の政治情勢に対して直接的・間接的な影響力を発揮する新たな手段」[30] を提供している。最近〔2018年〕のアメリカ国防省の『サイバー戦略』は「ロシアはサイバー技術で可能になった情報作戦を利用してわが国民に影響を与え、我々の民主主義プロセスに挑戦している」[31] と述べている。この文言はロシアの著名な理論家Ａ・Ａ・ストレリツォフ（A. A. Strel'tsov）が提示したＩＯの定義、つまり「政府の情報政策を実施するため、比較的長期間にわたって関係機関が実施する、時間、努力および目的を調整して行われる活動であり、中期的ないし短期的な政治的タスクの遂行を目的としたもの」[32] と一致している。

ロシアのＩＷの主眼は、敵対国の社会を弱体化し、その土台を掘り崩すことである。その活動や原則の根本にある考え方は「冷戦期やそれ以前からあった政府転覆工作を現在に蘇らせたものであると広く認識されている」[33]。このトピックに関して最も急進的な見方をしているのがエフゲニィ・メスナー（Evgenii Messner）で、彼は「政府転覆戦争《サヴァージョン・ウォー》（myatezhevoina）」を「人民の心と魂の征服を狙いとした心理戦[34]」と定義している。ソヴィエト時代のインテリジェンス機関や治安機関は政府転覆を活動の中心に据え、「積極《アクティブ・》工作《メジャー》（*aktivnye meropriyatiya*）」として知られる方法を用いた[35]。積極工作という概念は「１９８０年代のソヴィエトの影響力工作に関する米欧の文献の中で主に使われた[36]」。１９８４年に刊行された研究では、積極工作を「外国におけるイベントや行動、そして諸外国の行動に影響を及ぼすため、公然および秘密裏に用いられるテクニック[37]」と定義している。冷戦期のソヴィエト政府機関は積極工作を用いて、ＮＡＴＯの分断、ソ連と協調しない政府の転覆、共産主義を受け入れる社会思想の形成を図ろうとした[38]。

　今日のロシアは、同じ論理に基づき積極工作を運用している。すなわち、対象国政府の政策に影響を及ぼし、その国の指導者や制度の信用を貶《おとし》め、諸外国との外交関係を分断し、反対派の評判を傷つけようとする[39]。積極工作に共通して見られるサブカテゴリーは偽情報《ディスインフォメーション》（*dezinformatsiya*）である[40]。冷戦期、ＫＧＢは偽情報のことを「ソヴィエト・インテリジェンスの心と魂《ハート・アンド・ソウル》[41]」と見なしていた。ソヴィエト時代の専門用語として、偽情報は「相手国の意思決定エリートや世論を欺くため、相手国の通信システムに密かに忍び込ませた偽のメッセージ[42]」と記述されている。それゆえジャイルズは、政府転覆キャンペーンの主眼は「国家機関の業績に関する偽情報を人民の間に拡散し、国家の権威を弱め、行政機構の評判を貶めること[43]」であると指摘している。ロシアは政府転覆工作の諸原則をインターネット時代に適応させ、偽情報の拡散を推し進めている。そしてテクノロジーや組織への新たな投資により、ターゲットを絞った情報および偽情報キャンペーンを展開しているが、米欧社会はそれに対処する準備がまったくできていなかった。

影響力工作

２０１７年、元国家情報長官のジェームズ・クラッパーは「ロシアはサイバー戦術やテクニックを使って、欧州とユーラシアの世論に影響を及ぼそうとしています[44]」と議会で証言した。さらにクラッパーは「ロシアのサイバー工作はおそらくアメリカを標的とするでしょうし……ロシアの軍事的・政治的目的を支える影響力工作を実施すると思われます[45]」と主張した。ＩＷという概念の中には、心理作戦、影響力、偽計（*maskirovka*）や偽情報といった分野に加え、コンピュータ・ネットワーク作戦が含まれている[46]。こうしたさまざまな分野が集合して「敵、人民、あらゆるレベルの国際コミュニティの認識と行動に影響を及ぼすシステム、方法、タスクの全体[47]」を形成している。したがって、ＩＷに対するロシアのアプローチは概念的にも実践的にも「単なる虚偽や否認の拡散にとどまらず、もっと広範な〔影響力をもつ〕もの[48]」なのである。

ロシアの国家および非国家アクターは「歴史、文化、言語、ナショナリズム、不信感を巧みに活用し、〔他国よりも〕広範な目的をもったサイバー仕掛けの偽情報キャンペーンを展開[49]」してきた。ディジタル技術と通信技術の発達により、ロシアは影響力工作において「セキュリティ対策が不十分な多くのアクセスポイント」を経由し、偽情報を高速で拡散できるようになった[50]。偽情報に対するロシアのアプローチは、海外での公然たるプロパガンダ、ソーシャルメディアを使った浸透工作、サイバースペースにおけるハッキングや情報漏洩の中に見ることができる。ロシア・トゥデイ（ＲＴ）〔ロシアの多言語放送（英語、スペイン語、アラビア語など）のニュース・チャンネル」やスプートニクといったクレムリンと結び付きのあるメディアは、意図的に偽情報や事実を捻じ曲げた情報を流し、トロールでソーシャルメディアに潜入し、それを操作して偽情報であることを隠蔽する。トロールは魚のために水をひくのにも似て、個人から反応《リアクション》を誘うために行われる。無礼で扇動的、名誉を傷つけ、人を惑わし、論争の火種となるようなコメントをオンラインに書き込む。[51] そしてロシアのハッカーたちはeメールや情報を窃取して漏洩し、偏向報道や偽情報で作られたナラティブをまき散らす。[52]

2016年　アメリカ大統領選挙

アメリカのインテリジェンス・コミュニティは「ロシアのウラジーミル・プーチン大統領は2016年のアメリカ大統領選挙に狙いを定めた影響力キャンペーンの実施を命じた[53]」と信頼度の高い情報評価を行った。ロシアの活動は「アメリカ主導の自由民主主義的秩序の土台を突き崩すことを企図した長期的な欲求」の現れであり、過去の影響力工作と比べると、その範囲においてエスカレートしていた。[54] ロシアの影響力キャンペーンは多岐にわたり、「隠密の情報工作」――サイバー活動など――と、ロシア政府機関、国営メディア、第三者代理機関、給料で雇われたソーシャルメディアの利用者やトロールによる公然の活動とを融合させて実施された。[55] 情報作戦（IO）の構成要素は、アメリカ観衆向けに選別された情報やインディケーターを発信し、アメリカ国民の感情、動機、理性、振る舞いをロシアの目的にかなう方向へと誘導した。[56] それは不信感の種をまき、アメリカ国内の分断に成功したように見えた。

公然たる対外プロパガンダ

影響力キャンペーンの中でも人目を惹くが捉えにくいのが、プロパガンダ放送であった。学者たちの間では、プロパガンダは「コミュニケーションを通じて、多くの観衆の信念や行動に影響を与え、個人の十分な情報に基づく合理的で反省的な判断を、回避または抑圧する態度を植え付けようとする組織的な試み」[57]と定義されている。ロシア国営のプロパガンダ・マシンは、客観的で偏りのない真実という考えに異議を唱えるメッセージを発信して、現実を覆そうとする。ロシアは事実に基づいたストーリーではなく、斬新で感情に訴えかけ、しばしば虚偽のストーリーを使って〔世論を〕操作している。[58]現実を覆そうとするロシアの戦略には、相矛盾するナラティブや真実の代用品を供給し、客観的な報道への信用を貶めることも含まれている。[59]国家の公式プロパガンダは、米欧メディアとともに〔自国の〕外国語放送のニュース・チャンネルを通じて海外に配信される。最も有名なのは、政府が出資するテレビニュース・チャンネルのRTである。当初、RTはロシア文化の独自性や民族の多様性を強く打ち出し、海外におけるロシアのイメージを改善する目的で設立された。やがて米欧社会のネガティブな側面——例えば、大量失業、社会的不平等、金融危機など——を報道の対象に含むようになった。[60]ロシア国営テレビ、アメリカ国内での英語放送、そして世界中で多言語により放送されているRTは、政府が出資するテレビ、ラジオ、オンライン放送のスプートニクとともに、フェイクニュースで2016年のアメリカ大統領選挙に影響を及ぼすうえで最適の位置を占めていた。

アメリカのインテリジェンス・コミュニティは「ロシアの国営メディアは、2016年のアメリカ大統領選挙の本選挙と予備選挙が進むにつれ、一貫してクリントン国務長官のネガティブ報道を流し、ドナルド・トランプ候補に好意的なコメントを増やしていった」[61]と評価した。ＲＴとスプートニクは、ヒラリー・クリントン（Hillary Clinton）元国務長官に関する報道をメール流出疑惑に焦点を当て、彼女の心身の不調と汚職疑惑を非難する一方で、トランプ候補には、腐敗した政治家の意見に同調していると〔トランプ候補が〕主張する、アメリカの伝統的なメディア・チャンネルの偏向報道の恰好の餌食とされているとの役回りを与えたのだった。こうしたテーマに沿ってＲＴが制作した大衆向け英語ビデオには「トランプ氏に勝利は許されていない」、「クリントン氏の慈善基金の１００パーセントは……自分たちの懐へ」といったタイトルがつけられた。[62]これらのビデオはソーシャルメディアにもアップされ、数百万人が閲覧する。感情や偏見で目がくらみ、一見異様で明らかに虚偽だとわかるような主張でも、人々は「〔自らが共鳴する〕政治的イデオロギーと一致する」[63]フェイクニュースや偽情報の影響にさらされやすいのである。

ソーシャルメディアの浸透

選挙期間中、クリントン長官を中傷し、トランプ候補を擁護するメディア報道は、ロシアのプロフェッショナルなトロール部隊によって広められた。トロール部隊とは情報戦（ＩＷ）部隊のことで、主にサンクトペテルブルクに本拠を置くインターネット・リサーチ・エージェンシー（ＩＲＡ）が担っていた。ＩＲＡは「ロシアの情報機関とつながりをもち、プーチン大統領との親密な支持者」[64]によって資金援助されていた。ＩＲＡでは一人あたり「毎日50件のニュース記事を投稿し、フェイスブック6件とツイッター10件のアカウントに、一日あたり50件のツイートをすること」[65]という取り決めがあった。ＩＲＡはソーシャルメディア上でボットという自動化されたアカウントや、なりすましアカウントを使用していた。この活動はソヴィエト時代の工作員たちによる積極工作と何ら変わるところがなかった。ソヴィエトの工作員たちも「プロパガンダを織り交ぜて現存するナラティブに作り替えようと試み」[66]たであろう。トロールは偽情報を拡散するため、現在進行中のニュース・トレンドを把握し、しばしばツイートの中にＲＴ報道を織り交ぜた。トロールたちは、メッセージの拡散に協力してくれる熱狂的信者《トゥルー・ビリーバー》たちのネットワークをうまく利用していた。[67]２０１６年のアメリカ大統領選挙の期間中、トロールたちはソーシャルメディアのアカウントやトレンドにプロパガンダを埋め込みながら、他方で、アメリカの熱狂的信者たちの声を広める役割を果たした。そうしたニュースを多くのアメリカ人たちが視聴していたのである。例えば、第1回目の大統領選候補者討論会のすぐ後、「#TrumpWon hashtag はたちまち世界でナンバーワンのトレンドとなった。TrendMap アプリケーションを使えば、世界的に拡散した hashtag がロシアのサンクトペテルブルクが本拠地らしいことが誰にでもすぐにわかった」[68]。

選挙期間中、ＩＲＡはアメリカ市民に狙いを定めた「翻訳プロジェクト」に80人以上のトロールたちを従事させた。プロジェクトの目標は「候補者および政治システム全体に対して不信感を広める」[69]ことだった。トロールたちはフェイスブック、ツイッター、ユーチューブ、インスタグラム上に架空のソーシャルメディア・アカウントを作り、それらがアメリカの市民たちによって運営されているように見せかけた。そのアカウントはアメリカのプロバイダーが管理する数百のeメール・アカウントとともに登録され、監視された。トロールたちは例えば、ツイッター上の March for Trump、フェイスブック上の Clinton FRAUDation といった選挙関連のアカウント名を使用した。また、#Trump2016、#MAGA、#Hillary4Prison といった選挙関連のハッシュタグも使用した。[70]アカウント・ページでは銃規制や移民問題など、アメリカ国内に分断をもたらしかねない政治的・社会的問題を取りあげていた。

ＩＲＡのトロールたちは特に、アイオワ州、ノースカロライナ州、フロリダ州の民主党による不正投票疑惑を煽った。また、アフリカ系アメリカ人やアメリカのムスリムに対し、投票の棄権や第三の候補者〔民主党・共和党以外の候補者〕への投票を促すメッセージを掲載した。[71] メッセージ効果を増幅するため、ソーシャルメディア掲載用の広告を制作し、広告権を購入し、掲載した。のちにフェイスブック社は議会証言において、2016年選挙に向けた準備期間中「対立の種となる内容を含み、標的を定めた政治広告を利用して分裂を助長した」470頁——IRAとのリンクがあったページ——を削除したことを明らかにした。[72] 同様に、ツイッター社はロシアとリンク付けられたアカウントから「約140万件の自動処理された選挙関連のツイートが確認された」[73] ことを明らかにした。上院情報委員会への調査報告では「ロシア人が1000件を超えるユーチューブビデオを投稿した」こと、「インスタグラムの投稿はフェイスブックやツイッターの利用者のエンゲージメント率の2倍を上回った」ことを明らかにした。[74] ロシアの投稿、広告、ツイート、ビデオが2016年のアメリカ大統領選挙にどれだけの影響を及ぼしたのかは定かではないが、一つ言えることは「トランプ支持と反クリントンのレトリックの組み合わせが、ある種の提携を生み出した」[75] ことだった。

不正侵入と情報漏洩

ロシアの影響力キャンペーンでは、民主党の組織と個人を狙った不正侵入が行われ、そのあとに不名誉な一連の情報漏洩が続いた。ロシア政府が支援する2つのハッカー集団はまず、スピアフィッシング・キャンペーンを展開して職員の認証情報を取得し、いくつかの情報を窃取した。非公開データへの不正侵入と情報のリークは武力攻撃には該当しないが、〔主権国家への〕禁じられていた干渉に該当し、国際違法行為と見なされる。機密扱いの通信文や私文書を公開するため、実行犯はウィキリークス、DCLeaks、〈グシファー２・０（Guccifer 2.0）〉など多様なプラットフォームやペルソナを利用した。犯行者たちは「DCLeaks はアメリカのハッカー集団によって立ち上げられ、〈グシファー２・０〉とはルーマニアに住む一人の孤独なハッカーのことである」[76]とうそぶいた。スタンフォード大学国際安全保障協力センターの研修者であるハーバート・リン（Herbert Lin）とジャクリーン・カー（Jaclyn Kerr）によると、政治的ライバルに関する「他人に知られては困る不名誉な材料」（compromising material）を戦略的に公表することは何も珍しいことではない。なぜなら、ロシアがいわゆるコンプロマート（kompromat）〔英語の compromising material をロシア語式に短縮表記した造語〕として「相手の評判を落とし、メッセージの信用を失墜」[77]させるため、長年にわたって利用してきた手口であるからだ。歴史を振り返ると、コンプロマートは——素材は本物であったり偽物であったりするが——文書、写真、録音、ビデオなど、さまざまな形態をとった。冷戦初期にはＫＧＢが東側陣営の政治亡命者や反体制派に関するコンプロマートを活用していたし、近年ではロシア連邦保安庁（ＦＳＢ）によって、ロシアの反体制活動家や腐敗した官吏、そしてアメリカの外交官に関するコンプロマートを活用している。[78] 現代世界では、コンピュータ技術やディジタルカメラの普及により、利用される材料や犠牲者の範囲は増加している。それは２０１６年のアメリカ大統領選挙に影響力を及ぼそうとしたロシアの一連のキャンペーンで明らかになった。

２０１６年6月のトップ記事は、ロシア政府が雇ったハッカーが民主党全国委員会（ＤＮＣ）のコンピュータ・ネットワークに不正侵入し、対立候補のドナルド・トランプ大統領候補に関する調査データにアクセスしたと報じた。[79] ＤＮＣ職員は、侵入者がＤＮＣシステムの奥深くに浸透し、すべてのｅメールとチャットの中身を読める状態であったことを認めた。実際のところ、ＤＮＣはＩＴチームがネットワーク活動の異変を検知した4月にハッキングを受けていたことに気づいていた。24時間以内にセキュリティ企業のクラウドストライク社が、ＤＮＣコンピュータにデータ解析のためのソフトウェアをインストールした。報道の翌日、クラウドストライク社は解析結果をまとめた報告書を公表し、その中でロシア・インテリジェンス機関の傘下にある２つの別々の勢力がＤＮＣネットワーク内に存在していたと報告している。[80] 同じ日、WordPressサイトに、ある人物のブログが〈グシファー２・０〉の名前で投稿され、ＤＮＣシステムに単独で侵入したのは自分だと主張した。そのハッカーは「彼は洗練されたハッカー集団である」と評価したセキュリティ企業をあざ笑い、ハッキングは「簡単だった、実に簡単だった」[81] と書き記した。〈Guccifer 2.0〉はそのあと窃取した文書の一部をリークし、その中にはトランプ候補に関する全部で２３５頁の批判メモが含まれていた。そのハッカーは「私は数千のファイルとメールから成る文書の大部分をウィキリークスに渡した。まもなく、彼らは公開するだろう」[82] と語った。クラウドストライク社は自社の結論を改めて擁護し、〔〈グシファー２・０〉の〕ブログ記事がロシアの偽情報キャンペーンの一環なのかどうか率直に疑問に思う、という声明を出した。

２０１６年6月に始まり、その後もアメリカ大統領選挙期間を通じて、DCLeaksのウェブサイトはクリントン陣営の選挙運動に携わった人物から窃取したｅメールや文書データを公開し続けた。２０１６年７月末、ウィキリークスはＤＮＣ上層部の2万通に及ぶｅメールを一括公開した。その中にはバーニー・サンダース（Bernie Sanders）の選挙キャンペーンへの苛立ちを表明したものもあった。[83] メールの公開はフィラデルフィアで民主党全国党大会が開催される数日前のタイミングに合わせて実施され、そこで民主党の指導者たちは大統領候補への指名を控えていたヒラリー・クリントンのもとで団結を訴える予定であった。最もダメージとなったメールは、予備選挙中に中立を維持してきたと思われたＤＮＣ幹部らが明らかにクリントン支持であったことを示すものであった。[84] そのメールはサンダース支持者たちを憤慨させた。ＤＮＣ議長デビー・ワッサーマン・シュルツ（Debbie Wasserman Schultz）が朝食会でフロリダ州の代表団にスピーチをしようとしたとき、サンダース支持者たちは繰り返しブーイングを放ち、スピーチを遮った。[85] 1週間におよぶ党大会の間、抗議活動は継続して行われ、ついにシュルツは正式に全国委員会議長を辞任する決意を固めた。[86] 最後に２０１６年10月、ウィキリークスはクリントン陣営の選挙対策委員長を務めていたジョン・ポデスタ（John Podesta）からハッキングしたeメールを公開した。ほとんどは政治的に無害な内容だったが、その中の一部に党の選挙運動と人間関係に悪影響を与えかねない内容が含まれていた。例えば、カトリック教義と福音派のキリスト教徒について語るメールのやり取りの中にネガティブな言い回しが含まれていた。窃取された大量のメールはニュース報道で大きく取りあげられ、大統領選挙投票日までトランプ候補に〔クリントンを〕非難する材料を与え続けた。

ＤＮＣシステムは、〔ＤＮＣの〕技術チームが発見するかなり以前から不正侵入を許していた。２０１５年の夏、〈Cozy Bear〉と呼ばれるハッカー集団がＤＮＣのシステムに侵入し、eメールやチャット通信をモニターしていた。２０１６年の春になると、〈Fnacy Bear〉を名乗る別のハッカー集団がネットワークを突破し、対立政党の調査ファイルに狙いを定めた。クラウドストライク社によると、２つの集団は協同しているようには見えなかったという。[87] 両者はこれまでにもさまざまな政府機関、民間企業、国防産業に不正侵入してきた。例えば、〈Cozy Bear〉（ＡＰＴ29とも呼ばれる）は国務省、ホワイトハウス、統合参謀本部の機密指定のないコンピュータ・ネットワークに不正侵入していたのに対し、[88]〈Fancy Bear〉（ＡＰＴ28とも呼ばれる）はジョージア政府の省庁、コーカサス諸国や東欧各国の政府や軍、ＮＡＴＯや欧州安全保障協力機構などの安全保障関連組織を標的としていた。[89] 今となっては、ＡＰＴ29はロシア連邦保安庁（ＦＳＢ）、ＡＰＴ28はロシア連邦参謀本部情報総局（ＧＲＵ）の傘下にあったと広く信じられている。[90] ロシアの影響力キャンペーンにおいて、このような「高度で持続的な脅威」（advanced persistent-threat）グループの利用は「代理アクターによる戦いの激化」[91] の現れである。ロシアは代理アクターが政治的・経済的な利点を与えてくれることを理解しているようだ。その利点とは「エスカレーションのリスクを最小限に抑えること、関与を否認できるもっともらしい根拠を提供してくれること、そして、直接的関与に伴うコストを回避できること」[92]である。

クラウドストライク社は、上記2つのグループがいかにしてDNCネットワークに侵入したかについて、報告書作成の段階では理解できていなかった。ロバート・モラー（Robert Mueller）特別検察官による分析は〈Fnacy Bear〉が使った侵入テクニックに関する夥《おびただ》しい量の技術情報を明るみにした。APT集団（正確に言えばGRUだが）は、最初に民主党下院選挙運動委員会（DCCC）にアクセスし、DNCのコンピュータに入り込むことに成功している。[93] GRUはDCCC職員宛てにスピアフィッシング・メールを送り、その職員はリンクをクリックした後にパスワードを入力してしまった。GRUはこうして窃取した認証情報を使ってDCCCネットワークに入り込み、少なくとも10台のDCCCコンピュータに《X-Agent》マルウェアをインストールした。このマルウェアは使用者の打鍵《キーストローク》を記録し、コンピュータ・スクリーンの写真を撮ることができた。こうしてGRUはキーログ（keylog）とスクリーンショット・ファンクションを使い、DNCネットワークへのアクセス権限をもっていたDCCC職員の認証情報を窃取したのである。GRUは盗んだ認証情報を使用してDNCネットワークに入り込み、33台のDNCコンピュータへのアクセス権限を入手した。その後、GRUはワード検索を使って重要ドキュメントを見つけ出した。検知を逃れるため、ドキュメントの収集・圧縮には公開ツールを使い、それを暗号化したチャンネルを通じてネットワークの外部に持ち出すことに成功した。[94] また、GRUはDNCのマイクロソフト・エクスチェンジ・サーバに不正アクセスし、数千人のDNC職員のeメールを窃取した。DCCCおよびDNC双方のネットワークで、GRUはログとコンピュータ・ファイルを故意に消去していたため、検知されずに済んだのである。[95]

2016年3月、GRUは多様な手段を用いてヒラリー・クリントンの選挙運動の職員やボランティアたちのeメール・アカウントを不正入手した。その最たるものは、選挙対策責任者ジョン・ポデスタ本人のアカウントへの侵入だった。GRUはURL（ビットリーというURL短縮サービス）を使い、スピアフィッシング・メールの中にリンク先を隠して送り付け、受信端末にGRUが作成したウェブサイトにつながるよう指示を出した。[96] GRUは発信者のeメールアドレスになりすまし、Googleからのメールを装った。そのメールは一見するとセキュリティ関連の通知文のようであり、組み込みリンクをクリックしてパスワードを変更するよう利用者に指示していた。[97] ポデスタの秘書はそのメールに気づき、専門のコンピュータ技術者に送信した。ところが、その秘書は誤って「これは正規のメールです。ジョンはすぐにパスワードを変更する必要があります」[98] と書いてしまった。この過ちにより、ポデスタの私用Gmailアカウントにある5万件以上のeメールにGRUがアクセスすることを許してしまった。モスクワはeメール用キャッシュメモリすべてをウィキリークスに渡した。[99]

国土安全保障省（DHS）と連邦捜査局（FBI）が公表した合同分析報告は、〈Cozy Bear〉が用いた基本的な侵入テクニックを明らかにした。APT集団——具体的にはFSB——は、悪質なリンクを含んだメールを利用して、スピアフィッシング作戦を展開した。[100] FSBは実在するアメリカの組織や教育機関に関係する正規のドメインを利用して、自分たちの正体を隠した。標的とされた一人の個人が運用インフラ上で待機していたマルウェアとつながったリンクを起動させ、FSBはついに民主党システムに不正アクセスしたのだ。[101]

クラウドストライク社の報告書によれば、〈Cozy Bear〉がDNCネットワークの内側に入り込むと、SeaDaddyと名乗るインプラントに依存し、別のものは〔マイクロソフト社の〕PowerShellをバックドアとして利用して、予定時間になると自動的にマルウェアの放出を開始した、ということである。PowerShellのコードは、検知を回避するとともに持続的に活動を続けるため難読化されていた。[102] このコードにより遠隔操作チャンネルとの接続を暗号化することに成功し、さらに必要なモジュールをダウンロードできた。〈Cozy Bear〉はPowerShell用のMimikatz（認証情報を取得するツール）を使い、ネットワーク内での横断的侵害《ラテラル・ムーブメント》に必要な認証情報を取得した。[103]

ハッキングやリークの実態を正確につかんでいたにもかかわらず、モラーの調査には、GRUのハッキングチームが２０１６年のアメリカ大統領選挙の結果を変えたり、集計結果を改ざんしたことに対する告発は見られない。[104] 実際、GRU以外のロシア人ハッカーたちは、投票日の前に少なくとも39の州で選挙システムに侵入していた。[105] 技術的観点から言えば、ロシア人ハッカーの手口として、職員〔ターゲットにしているパソコンのユーザー〕に、VBScript〔Windowsで使用するプログラミング言語〕を起動するMS Wordドキュメントをクリックして開かせる方法が多く使われている。Wordの中にあるVBScriptを使用不能にすれば、マルウェアの起動を防ぐことができた。モラー検察官は、ハッカーたちがある州で有権者情報の削除または変更を試みたのだが、それに成功しなかった証拠を見つけ出した。[106] ロシア人ハッカーたちは、フロリダ州タラハシーにある選挙備品製造会社のVRシステムズ社にマルウェアを植え付けた。この会社は電子投票用紙の綴りや職員の選挙業務を支援する機器を製造していたが、自動集計機は製造していない。[107] つまり、開票プロセスに直接タッチする方法がなかったため、ロシア人たちは有権者のマインドを間接的に操作する影響力キャンペーンに頼るしかなかった。冷戦期と同様、ロシアは強い偏見を抱いているターゲットに偽情報を広め、そのターゲットは偏向した情報源から無批判に情報を得ようとする。[108] 冷戦期は我慢ができたかもしれないが、２０１６年のアメリカ大統領選挙に対するロシアのあからさまな干渉は、武力紛争とは見なされなかったのだろうか？

先に紹介したように『タリン・マニュアル』の編集主幹を務めるエクセター大学の国際法教授であるマ

イケル・シュミットによると、モスクワによるハッキングとリークは「武力紛争の開始にはあたらない。それは国連憲章の武力行使の禁止規定の侵害ではない」[109]と明確に述べている。その一方で、「ウィキリークスを使ってeメールを公表し、選挙結果に影響を及ぼす」ことを明らかに企図した試みは「おそらく国家の内政干渉を禁じる国際法に違反している」[110]と語っている。『タリン・マニュアル2・0』のルール66では「国家は他国の国内または対外事項に、サイバー手段による場合を含め、干渉してはならない」[111]と明示されている。『タリン・マニュアル2・0』の執筆者たちは「干渉の禁止は慣習国際法の規範である」[112]という見解で一致している。この慣習法による規範は根本原理である国家主権に由来し、不干渉の義務は「国家が有する主権、領土保全、政治的独立の権利の当然の帰結」[113]である。したがって、国家は他国の領土内で生じる活動に対して統治権を行使する他国の権利を尊重しなければならない、ということになる。仮に、あるサイバー行動が「国家の管轄権に属する問題について、標的とする国家政府を強制（合法的な影響力の行使と区分される）しようと意図された（例えば、選挙結果に介入するためサイバー手段を行使する）」場合、そのサイバー行動は違法な干渉と見なされる。[114]

シュミットは「サイバー行動が違法な干渉と見なされるには、2つの要件が満たされなければならない。第一にその行動が『留保領域（domaine réservé）』〔国家の管轄事項〕に影響を与えていること、第二にその行動が強制的であること、である。これら2つの要件のうち一つにでも該当しなければ、その行動は介入に該当するかもしれないが、違法な干渉のレベルには至らないということになろう」[115]と説明している。〔『タリン・マニュアル2・0』を起草した〕国際専門家グループは「明らかに国家の留保領域内にある問題は政治システムと政治組織の選択の結果であり、国家主権の中核と見なされる」[116]という見解で一致している。それゆえ、シュミットは「選挙が実施されるプロセスや選挙の結果に影響を及ぼす」サイバー行動は「違法な干渉の第2の要件である強制性が満たされている限り、禁じられた干渉に該当する」[117]と主張している。

「強制性」を構成する要素として、「他国から選択の自由を奪うことを意図した高圧的な行為が挙げられる。これは、他国が不本意ながら、ある行動をとるように仕向けるか、もしくは他国が不本意ながら特定の行為を控えるように仕向ける」[118]ことを指す。2016年のアメリカ大統領選挙に関し、シュミットは「ロシア政府の統制下に置かれたメディアによる偏向報道」やソーシャルメディア上の「広告の買収」は強制性を構成する行為とはいえず、それゆえ禁止された干渉とは見なされないと主張する。「アメリカ市民を装ったサイバー活動、個人データのハッキングやリーク」は〔違法な干渉か否かを判断するための〕単なる候補材料にすぎない[119]。

また、欺騙的性格を有するトロール作戦は、アメリカ市民の判断を惑わすことによって彼らから選択の自由を奪うだけでなく、政治に積極的に関与する能力を弱めることになる。同様に、ハッキングとリークはアメリカの国内法上、不正に入手された情報――たとえ真実であっても――を公の場に持ち込むことで選挙プロセスを正当性のないものに変えてしまう。ジョージタウン大学サイバー・プロジェクト長のキャサリン・ロトリオンテ（Catherine Lotrionte）は、大統領選挙に影響力を及ぼそうとするロシアの活動は「武力攻撃のレベルに至っておらず――武力の行使にさえ至っていない。しかし、ロシアの活動は『強制的介入』（coercive interference）を禁じている国際法の規定に従えば、許されない行為である」[120]と主張している。もしこの見解が正しければ、アメリカは通常であれば非合法と見なされるような対抗措置をとる根拠を有していたことになる。こうしてみると、ロシアによるDNCのハッキング行為は「武力による（または重大な）反応を引き起こす現実的可能性はない」[121]という前提に立って、アメリカの反応をテストし、サイバースペースで許容される行動の限界を見極めようとするモスクワの企てであったといえる。

政治戦

70年前、アメリカ国務省の初代政策企画室長だったジョージ・ケナン（George Kennan）は、政治戦（political warfare）を「国家目的を達成するため、国家の指揮に基づき戦争を除くあらゆる手段を行使すること。そうした行動には公然たる行動と隠然たる行動が含まれる」[122]と定義している。第2次世界大戦では連合国が心理戦キャンペーンを展開したが、ケナンは冷戦向きにこの概念を復活させ、再解釈を施した。今日ではマーク・ガレオッティが、クレムリンは「戦争に相当すると見なしながらも――戦争に至らぬよう政治の領域内にとどめようと判断した――米欧に対するキャンペーン」[123]を実施してきたと論じている。これに加え、ブルッキングス研究所のアリーナ・ポリアコヴァ（Alina Polyakova）とスペンサー・ボイヤー（Spencer Boyer）は、ロシアの影響力工作は「個別のイベントに焦点をあてるものではない。むしろ全体として、米欧の制度と大西洋を横断したコンセンサスを弱体化するための――欧州の東側〔ロシア〕で磨かれ、西側に向けられてきた――政治戦略の中核に位置づけられる」[124]と述べている。ロシアの政治戦の戦略は、アメリカとその同盟国の利益を犠牲にして自らの外交政策の目的を達成するよう設計されている。その主な特徴は、標的とする国の人民、慢性的に続く紛争、キネティック戦力の節約に焦点が置かれていることである。[125]ロシアは政治戦で、情報作戦のためのマスメディア、諜報活動や直接的攻撃のためのサイバーツール、代理グループ、経済的手段による強制、隠密行動、政治的圧力、軍事的威嚇など多種多様な手段を用いている。[126]

ケナンの定義には、敵対者の行動を変えるために政治戦で強制力を行使することが含まれている。ロシアは国外からの有害なナラティブを排除し、好ましい政策への支持の増大、行動の自由を阻もうとするライバル国の攪乱、修正主義的な行動への抵抗の緩和といった活動を実現するため、政治戦に関与している。[127]

そして、モスクワは影響力キャンペーンを重視し、自らの行動にほとんど限界を設けず、攻撃的な形態をとった政治戦を遂行している。このように、政治戦は野心を抑えた軍事的紛争の代替手段として使い勝手がよく、「主要目標は圧倒的な勝利《ハード・ヴィクトリー》ではなく、単に不信の種をまいたり、混乱を生み出したり、相手にコストを賦課する」[128]ことである。また、政治戦はハイブリッド戦と同一視されることがあるが、かならずしも完全に一致しているわけではない。たしかに方法論の面では重なるところは多いが、主要な違いは軍事的手段の役割である。ハイブリッド戦は明らかに軍事力の使用を伴うが、政治戦には暴力や殺傷力は用いられない。[129]その代わり、〔政治戦では〕軍事力は瀬戸際政策や威嚇の手段として主に「重金属外交《ヘビーメタル・ディプロマシー》」に使われる。ＮＡＴＯの軍艦の派遣や航空機の低空飛行、欧州諸国やアメリカの領空近傍への爆撃機の派遣、隣国への攻勢を想定した軍事演習など、いずれも外交手段として武力による威嚇を行使しようとする試みの一部である。[130]〔ハイブリッド戦と政治戦では〕プレーヤーも大きく共通している。例えば、特殊作戦部隊、傭兵、インテリジェンス機関などである。ただし政治戦のほうが、犯罪者集団、宗教指導者、エスニック集団の軍閥、離散コミュニティ、政治戦線などを利用して広範囲な分野に深く浸透している。[131]

ウラジーミル・プーチンが権力〔大統領職〕に返り咲いた２０１２年以降、クレムリンは積極工作《アクティブ・メジャーズ》という軍備の復活に動いたことに疑いはない。積極工作とは「かつてソヴィエト連邦が用いたもので、メディア、社会、政治を操作することにより世界的イベントに影響力を及ぼすことを狙いとした政治戦のツール」[132]と見なすことができる。ポリアコヴァとボイヤーによると、クレムリンの影響力戦略には、偽情報キャンペーン、政治同盟の構築、サイバー攻撃が含まれる。[133]マルコム・ナンス（Malcolm Nance）は、プーチン配下のインテリジェンス機関が国家の支援を受けた組織や国営ニュースメディアと連携し、「ソヴィエト連邦のもとで開発され、十分な発展を遂げた諜報メソッドを駆使し、２０１６年のアメリカ大統領選挙でサイバー攻撃を実行し」、その実績は「絶大であった」[134]と語っている。これらのアクターが駆使した諜報活動のメソッドが積極工作なのである。[135] マーク・ガレオッティは、ロシアは「欧州に影響力を及ぼす活動に不可欠な手段として……偽情報と諜報活動を通じてポピュリスト政党を支援するという観点から」[136] 積極工作を捉えていると指摘している。ガレオッティによれば、積極工作はロシアのインテリジェンス機関の正規の活動分野であるという。インテリジェンス機関は〔標的とする人物の〕脅迫材料を入手するためのコンピュータのハッキングから、偽情報の拡散、そして政情不安を煽り直接的な妨害活動を助長するなど、広範な政治的任務に従事している。[137]

アメリカのインテリジェンス・コミュニティは「モスクワはプーチン大統領が命じたアメリカ大統領選挙を標的とするキャンペーンから学んだ教訓を、将来の世界的規模での影響力活動――アメリカの同盟国やその選挙プロセスに対するものも含めて――に活用するだろう」[138] と評価した。選挙への介入はアメリカ国民にとって大きな驚きであったかもしれないが、多くの欧州諸国にとっては何ら目新しいことではなかった。ソヴィエトの偽情報活動に関する権威であるジョージタウン大学のロイ・ゴッドソン（Roy Godson）教授は「彼らにはそれに従事してきた長い歴史がある」[139] と証言している。モスクワは特にイギリス、フランス、ドイツの政治プロセスに狙いを定め、この種の活動を一段と強化している。例えば、2016年の「イギリスのEU離脱」（Brexit）をめぐる国民投票までの期間、IRAは#LeaveEU陣営〔EU離脱支持派〕に有利な方向に投票行動を誘導するため、ソーシャルメディアを使った広範なキャンペーンを実施した。ツイッター上にはロシア国内を起源とした15万6000件以上のアカウントから#Brexitを支持する文章が投稿され、#Brexitを支持する論調が目立つようになった。その間、RTは分断を煽るようなメッセージを盛んに宣伝した。国民投票では数千万のイギリス市民が投票することを念頭に、投票結果に揺さぶりをかけるため、ロシアのハッカーたちはその権力の源〔有権者たるイギリス市民〕をターゲットに据えた。[140] ハッキング、フェイクニュース、偽情報のインパクトは正確には測り難いが、結局、離脱支持派は加盟存続派を上回る51パーセントの票を獲得した。２０１７年のドイツ連邦選挙では、〈Fancy Bear/APT28〉の仕業とされるサイバー攻撃が連邦議会とアンゲラ・メルケル（Angela Merkel）首相の党〔キリスト教民主同盟（ＣＤＵ）〕の州政府事務所から16ギガバイトのｅメールを窃取した〔外部に公開されることはなかったが〕。ドイツ語放送のロシア・メディアは右翼の論調を助長するロシア統制下のソーシャルメディアのアカウントとともに、虚偽のストーリーでドイツ国内の緊張を煽り、例えば、移民受け入れなどの問題を大々的に誇張する報道を行った。[141] 選挙の結果、メルケル率いる与党は票の過半数を獲得したものの、極右政党や反移民政党もかなりの議席を伸ばした。

さらにモスクワは、親クレムリンの態度を示す欧州の極右政党および極左政党を支援している。フランスの「国民戦線」、オーストリアの「自由党」、ドイツにおける「ドイツのための選択肢」や「左翼党」、イタリアの「同盟」など、多くの政党がプーチンの「統一ロシア党」と協力協定を結んでいる。[142] スペインの「ポデモス」〔極左政党〕、ハンガリーの「ヨッビク」〔より良いハンガリーのための運動。極右政党〕、オランダの「自由党」といった政党も、頻繁に親プーチン・親クレムリンの声明を発している。こうしてみると、欧州各国におけるクレムリンの影響力戦略は、亀裂と不和を植え付けるのに一定の成果をあげているようだ。ロシアの指導部は欧州連合とＮＡＴＯの終焉を欲している。それゆえ、上述した〔各国の政権党と〕競合する陣営を後押しすることは、そうした国々を「ロシアに味方し、隣国と対決する」よう説得する試ともなる。また、クレムリンがアメリカ国内で行っている影響力キャンペーンは「同盟の信頼できるパートナーとしてのアメリカの地位」の正統性に疑問を抱かせることにつながる。その狙いはアメリカを衰退する国——多事に気を取られ、無能で一貫性がなく信頼できない政権に率いられた国家——に仕立て上げることである。[143]

結論

２０１６年のアメリカ大統領選挙に対するロシアのハッキングは、ウラジーミル・プーチンが想像した以上にアメリカの世論を分断した。ロシアによる情報リークとストーリーはクリントン国務長官の身体的スタミナと道徳的立場に関し、有権者の心に疑念を植え付け、それがトランプ候補に有利となるような選挙の風向きを変えるのに十分な効果を発揮した。国家情報長官のダン・コーツ（Dan Coats）は、ロシアが主にサイバー手段を使って行った影響力工作は「アメリカの国益に重大な脅威であり続けるだろう。影響力工作は低コストで比較的リスクが低く、そして敵対者に報復し、外国の認識を〔自国に有利となるように〕形成し、住民に影響を及ぼす方法でありながら、関与を否認できるからである[144]」と評価した。研究者のリンとカーは、影響力工作が「本質的に開かれた社会[145]」である自由民主主義国家に対して使用するのに理想的であると述べている。開かれた社会における選挙や政治運動は、影響力工作の恰好のターゲットとなる。それゆえ、コーツ長官は「２０１８年のアメリカ中間選挙は、ロシアによる影響力工作の潜在的なターゲットである[146]」と証言した。その６カ月後、ロシアが「アメリカの社会的・政治的亀裂を悪化させるため影響力の手段」を行使し続けるという彼の予測は現実のものとなった。２０１８年10月、エレナ・クシェノヴァ（Elena Khusyaynova）という名のロシア人が、２０１８年のアメリカ中間選挙とアメリカの政治システムに介入したとして起訴された。[147]

起訴内容によると、クシェノヴァはＩＲＡにおけるラフタ・プロジェクト（Project Lakhta）経理部の会計主任を務めていた。伝えられるところによると、プロジェクトの関係者たちは「ソーシャルメディア・プラットフォームやインターネットベースの各種メディアを使い、架空のアメリカ人の人格《ペルソナ》」になりすまし、彼らが「アメリカ合衆国に対する情報戦」と呼んでいた活動を行っていたという。[148] 彼らはウェブページやネットグループを運営し、対立を生じさせる問題を扱ったり、２０１８年のアメリカ中間選挙では特定の候補者に対する支持や反対を呼び掛けたりした。[149] その潜在的インパクトについて、司法次官補のジョン・デマーズ（John Demers）は「〔選挙戦での〕討論に対する非合法的な外国の介入は民主主義の一体性を貶めている」[150]と簡潔に要約している。選挙当日、選挙関連のインフラへの不正アクセスの兆候は見当たらなかったが、ソーシャルメディア会社は意図的な偽情報の企て——不正投票があったとする虚偽の申し立てなど——に気づいていた。[151] その１週間後、ロシアのハッカー——いわゆる〈Cozy Bear/ APT29〉——はスピアフィッシング・キャンペーンの一環としてＤＮＣへの侵入を試みた。[152] アメリカ合衆国サイバー軍司令官のポール・ナカソネ（Paul Nakasone）将軍は、社会に不信感をまき散らし、選挙を妨害する企てを引き合いに出しながら、アメリカの敵対者は「武力紛争に至らないレベルで我々に戦いを挑んでいます」と語った。「これこそが今日の大国間競争の実態なのです」とナカソネは主張した。[153] ダン・コーツは前述した評価の中で、ロシアは影響力のツールキット——偽情報、ハッキングとリーク、データ操作——を用いて「２０２０年のアメリカ大統領選挙を自分たちの利益を増進させる好機」と見なしていると語っており、これはナカソネの見解と一致している。[154]

情報戦（ＩＷ）は、ロシアの公式な軍事ドクトリンと非公式なゲラシモフ・ドクトリン〔この概念は一貫性に欠けるとして〔名付け親である〕マーク・ガレオッティ自身が撤回しているが、ここで使うことに問題はないと思われる〕の中にしっかりと組み込まれている。[155] 戦争研究所（Institute for the Study of War）のキャサリン・ハリス（Catherine Harris）とメイソン・クラーク（Mason Clark）は「すべての階級に属するロシアの将校たちは、ＩＷの存在もその優位性も疑っていない」[156]と主張している。ゲラシモフの構想を実践したウクライナとシリアでの作戦から学んだ教訓はロシアの軍事誌に掲載され、ドクトリンに吸収されている。ロシア研究者のティモシー・トーマス（Timothy Thomas）が繰り返し強調しているように、ワレリー・ゲラシモフは「情報テクノロジーが対立者間の空間的距離と時間的間隔を短縮させてしまった結果」、現代戦で最も顕著な戦い方は「非接触戦あるいは遠隔地戦」であると語っている。[157] ２０１９年3月のスピーチでゲラシモフは「情報領域は対象国の国家安全保障の状態に直接的に影響力を及ぼすことにより、重要な情報インフラだけでなく、その国の住民に対して遠隔地から隠密裏に効果を及ぼす能力を与えてくれる」[158]と繰り返し語っている。ゲラシモフは常に一貫して、武力紛争に至らないレベルで敵と遠隔地から交戦する戦い方として、第一にサイバー作戦、その次にサイバースペースを活用したＩＯについて言及している。

第2部
安全保障理論とサイバー行動

第5章　合理的な国家行動

「合理的（rational）」という用語は「ある状況下で特定の目標を達成するための適切な行動」[1]を意味する。ウラジーミル・プーチン大統領の目標は「世界の舞台でロシアが偉大さと尊敬される地位」[2]を回復することである。しかし、ロシアの現状はというと、米欧諸国に封じ込められ、特にロシア国境沿いの旧ソヴィエト連邦諸国において侵食を受けているとロシア人たちは認識している。このような認識を抱いている国家指導者にとって、サイバー工作は政治的効用を得るための隠密な手段となる。ここでいう効用とは「敵対者の政策的立場を隠密裏に変える力」[3]と定義される。合理的人間は、代替となる行動方針の価値を比較考量し、選好の優先順位を定め、期待効用が最も高い選好を選択する。ロシアの指導者たちは、送り手の出所を曖昧にしたまま対外政策のメッセージを伝達することができることを知り抜いている。それゆえ、プーチン大統領は「もし貴国が、我々が敵対的と見なすような政策に関与するなら」、ロシアは「貴国の情報や経済インフラに重大な被害を与えることができる」[4]というシグナルを送るため、重要インフラに対するサイバー工作を利用してきた。プーチンは政治的効用を達成できる潜在的可能性に基づき、たとえ国際法を侵害し、国際秩序を乱すことになっても、諸外国の内政に秘密裏に介入する手段としてサイバー行動を利用する選択をしてきたのである。

先進7カ国（G7）は、2018年のトロントで開催された閣僚会合において「ルールに基づく国際秩序[5]」へのコミットメントを表明した。そして「力による、腐敗した、隠密または悪質な手段を用いて、民主主義の制度やプロセスを弱めようとしている」特定の外国アクターが「戦略的脅威となっている」ことを確認した[6]。ロシアは現状変更国として戦略的脅威と見なされてきた。モスクワは「アメリカの価値観や国益と正反対の世界[7]」の形成に力を入れることで、現行の国際秩序を変更することを欲している。ロシアは「現在の米欧起源の思想に基づいた国際秩序に不満を抱いている[8]」ように見える。米欧の秩序観は、現行の国際ルール、規範および合意のセットに具現化されている。そうした国際秩序の変更と挑戦を試みようとする背景に、ロシアの根強い不満がある。とりわけロシアは多国間フォーラムへの参加を通じて、サイバースペースにおける責任ある国家行動に関する〔自国に有利な〕国際合意の形成を試みている。その一方で、ロシアは伝統的な武力紛争に至らない形で、現行の国際秩序に対し、軍事またはサイバー次元での闘いを挑んでいる。

プーチンはかつて「競争相手のいない米欧の指導者たちは、国際法が自らを守ってくれる石垣《ストン・ウォール》のようなものだと感じることはない……〔彼らは〕そのような国際環境の中にいる[9]」と述べたことがある。米欧による侵食への不安に対処するため、ロシアはローカルな勢力圏を設定（または再設定）し、緩衝国を築き、近隣諸国をグローバル経済や政治システムから切り離すため、新たなパワーの源を活用している。合理的な国家アクターとして、プーチンは国家目標を達成する最善の方法を選択し、それを最大化する戦略を採用している。その戦略の中には、地域のパワーバランスを米欧に不利に働かせる手段として、弱小国を分断するという選択肢も含まれている[10]。

ウクライナ以上にそうした戦略の犠牲となってきた国はない。ウクライナは重要インフラに混乱・被害をもたらすロシアのサイバー行動の標的となり、その実験場とされてきた。ロシアが介入する狙いは「将来、破綻国家となり、米欧の制度に加盟できなくなるまでウクライナを弱体化させること」[11]にあるようだ。実際、ウクライナの社会部門や経済部門は、ロシア国家の代理アクターや機関によって、その影響を顧みることなく〔サイバー攻撃の〕標的とされている。結局、サイバースペースで責任ある国家行動に求められる国際規範を遵守することよりも、他国の政策的立場を変更するチャンスを利用するほうが勝るのである。

本章では、ロシアや他の国々は「政治的効用を得るためにサイバー行動を活用する」という合理的な判断を行うにあたって、規範を打ち立てようとしたのか、それとも、規範を避けてきたのかという点について検討する。また、既成の規範を揺るがせた《ノットペーチャ（NotPetya）》疑似ランサムウェア攻撃に関連する意思決定について検討する。最後に本章では、国家、特にロシアを公布された規範の遵守に近づけるためのオプションとイニシアティブを掲げたい。

国際規範

規範とは「特定のアイデンティティをもつアクターの適切な行動に対する集合的期待」[12]と定義される。つまり、規範はアクターが関係する集団内で共有された信条に基づいている。したがって、規範は「ある集団が期待される行動に関する特定の信条に同意し、それを保持した場合にのみ存在する」[13]。これは、集団がその規範を受け入れ、〔規範が求める〕行動規定がその集団に適用されることを容認しなければならない、ということを意味している。アクターは完全に規範に同意していない場合でも、とにかく集団内における自らの立場を維持するため、あるいは、〔所属する〕集団が目指す目標に価値を見出しているため、その規範に従うこともある。[14] 規範に従わなければ、自らの評判を貶めてしまうからである。秩序や平和を促進する規範やルールは、原則とは異なる。原則とは行動の指針となる「事実、因果関係、公正さの表明」である。[15] 原則とは正式な条約の土台にもなる。例えば、1967年のいわゆる宇宙条約とは「月その他の天体を含む宇宙空間の探査および利用における国家活動を律する原則に関する条約」を指す。条約の当事国たる国家は、平和目的（軍事活動を規制する軍備管理規定を含む）のための宇宙の探査と利用に関する条文に同意している。

さまざまな組織がサイバースペースにおける国家の責任ある行動について自発的で拘束力のない規範・ルール・原則を追求してきた理由は、サイバー領域を対象とする正式条約の適用可能性に対して広範な疑問が存在しているからである。サイバー分野の専門家であるジェームズ・ルイス（James Lewis）は「法的拘束力のあるコミットメントを行うには重大な欠陥がある」[16] と語る。サイバーセキュリティに関する条約には、定義、両立性、遵守、履行段階での検証といったさまざまな問題が存在する。[17] 例えば、サイバー兵器の定義とは何であろうか？　特にデュアルユース技術という観点から、それはセキュリティを検査する試験用として利用できる一方、インテリジェンス目的としても利用できる。広く行き渡り、簡単に利用でき、比較的安価なマルウェアをどのように管理するのか？　また、条約の遵守状況をどのように検証するのか？　自国のコンピュータやデバイス類の検査を〔第三者に〕許可する国家はおそらく存在しないものと予想され、機密指定のシステムならば特にそうである。[18] このため、規範は条約の良き代替手段となる。というのも、サイバー領域とは「攻撃ベクターと攻撃能力が継続的に発展を遂げる」領域であり、条約は「サイバー領域の急速かつ予測できない技術革新のペース」に追いつけないからである。[19]

2011年に公表されたアメリカの『サイバースペース国際戦略（International Strategy for Cyberspace）』は「我々は、責任ある行動の規範がサイバースペースにおける国家の行動を導き、パートナーシップ関係を持続し、法の支配を支える環境を構築し、それを維持していく」[20]と宣言している。かかる期待に基づく安定した環境を築くため、アメリカは「何が受容可能な行動であるかに関するコンセンサス」[21]の形成にコミットしている。規範の遵守は、国家行動に安定性と予見可能性をもたらし、それは紛争の予防にもつながる。原則は、伝統的な国家の義務ないし責務に関する規範の基礎を提供する。[22]サイバー問題担当調整官室(Office of the Coordinator for Cyber Issues)は2017年8月に閉鎖されるまで、中国やロシアへの対応を含んだアメリカが従うべきサイバー規範のイニシアティブを担当していた。[23]その業務は副次官補レベルの職員らを通じて継続されている。[24]2018年6月には、上院議員らが新たな名称のもとでサイバー政策室の機能を復活させることを盛り込んだサイバー外交法案を議決した。[25]

ロシアはサイバー領域における国際秩序のルールを構築するため、国際パートナーシップを提唱し、それに取り組んできた。2015年1月、ロシアは中国と中央アジア4カ国との共同で国連に書簡を提出し、その中で「情報セキュリティ分野で共通の課題に取り組むため、関連する国際規範を定式化する……必要性に関する国際的コンセンサスが目下、形成されつつある」[26]との認識を示した。これに向けて、6カ国は上記書簡に対する〔諸外国からの〕意見を検討したあと、それに修正を加え「情報セキュリティの国際的な行動規範」を提出した。[27]それを支持するか否かは各国の任意とされたが、改定された行動規範に署名した国は「すべての国の主権、領土保全、政治的独立」を保障する普遍的に承認された規範を遵守するとともに、情報と通信技術を「他国の内政に介入し、あるいは〔他国の〕政治的、経済的、社会的安定を危うくすることを意図して」利用しないことを約束するものと見なされた。[28]奇妙なことだが、上述した規定内容は、ロシアが自国の利益のためにサイバー工作という隠密行動を行っていることと矛盾しているように見える。

2015年7月、ロシアはアメリカ、中国、その他17カ国と共に「情報セキュリティに関する国連政府専門家会合」（ＧＧＥ）の第４回会合に出席した。この会合の起源は、情報セキュリティ問題を討議するため１９９８年にロシアが提起した決議案にまで遡ることができる。[29] ２００４年の第１回会合では、アメリカおよび欧州の同盟国の立場と、ロシアおよび中国の立場との隔たりが大きく、提言をめぐる合意に達することができなかった。[30] それに続く第２回と第３回の会合では、２０１０年と２０１３年にそれぞれ報告書を提出することができた（第２回会合では規範に関する対話の継続が勧告され、第３回会合ではサイバースペースに国際法を適用することが確認された）。２０１５年のＧＧＥでは、サイバースペースには各国が尊重すべき規範が存在することが合意された。この合意は、正式な国際条約に代わるものとして規範を後押ししてきたアメリカ外交団にとってさらなる前進への突破口《ブレークスルー》となった。[31] この２０１５年のＧＧＥ合意文書では、規範は「国際コミュニティの期待を反映したものであり、責任ある国家の行動の基準を定め、国際コミュニティによる国家の活動と意図の評価を可能にする[32]」と述べられている。現存する、そして新たに出現した脅威、リスク、脆弱性を考慮し、２０１５年のＧＧＥでは、国家の責任ある行動に関わる任意で拘束力のない規範の構築に向け、国家が検討すべき数多くの提言がなされた。それには、次のものが含まれている。

・各国はＩＣＴ（情報通信技術）を利用した国際違法行為のために故意に自国領土を使用させてはならない。
・国家は国際法の義務に反し、重要インフラに故意に被害を与えたり、その利用や活動を妨害するようなＩＣＴ活動を自ら実施したり、故意に支援をしてはならない。
・各国はＩＣＴに対する潜在的脅威を局限し、それを可能な限り取り除くため、ＩＣＴの脆弱性に関する責任ある報告を奨励するとともに、脆弱性に対する利用可能な対応策に関する情報を共有すべきである。[33]

2015年のGGEは、国家によるICTの利用問題について国際法がどのように適用されるかについて、包括的とは言えないものの、次のような見解を提示した。

・各国は、国際法の諸原則の中でも特に国家主権、主権の平等、平和的手段による紛争の解決、他国への内政不干渉を遵守しなければならない。

・各国は代理アクターを利用してICTを利用した国際違法行為を行ってはならず、また自国領域を利用して非国家主体がそのような違法行為を行わないよう確実を期すべきである。[34]

2015年12月、国連総会は「2015年の政府専門家会合報告書に定められた情報通信技術の利用を指針とするよう[35]」加盟国に求める決議を採択した。この決議はそれまでの議論の進捗を反映した内容であったが、報告者のジェームズ・ルイスは「サイバー主権の基本原則に関する合意には程遠い[36]」と語っている。さらにルイスによると、ロシア代表団は「次のGGEを支配し、自分たちが望む合意を獲得できると考えている[37]」という前提に立ち、次のGGEを2016年に開催するよう要請した。国防情報局のヴィンセント・R・スチュワート（Vincent R. Stewart）中将によると、ロシアが望んでいる合意とは「国家主権を維持する手段として情報空間を統治する国家の権能」を確保するためのものであり、「主権」という用語を用いて「ロシアの内政に干渉する他国を糾弾する」ためのものだという。[38]

疑似ランサムウェア

ロシアは国連の枠組みのもとで「責任ある国家行動」の規範を提議し、それを支持している。しかし、２０１７年のウクライナを標的とした疑似ランサムウェア・キャンペーンを見ると、規範を巧みにかわし、その土台を突き崩そうとする意図が明らかになる。《ノットペーチャ》キャンペーンは、２０１５年のＧＧＥでロシア代表が支持した規範を直接侵害し、意図的に重要インフラに被害を与えた。《ノットペーチャ》はウクライナに対して新しいタイプの戦いを行うための手段と方法であった。[39] クレムリンは進行中の国際武力紛争において、国家の脆弱な経済・政治システムを弱体化させるため、大規模なサイバー作戦を実行したのである。破壊的でコストの高いサイバーキャンペーンは、隠密行動の階梯の最上位に位置し、政治的意思決定に影響を及ぼすだけでなく、ロシアの戦争目的を促進するために国家を不安定化する試みでもあった。[40] サイバー兵器としてランサムウェア・マルウェアを使用したのは、捜査当局を惑わすための欺瞞効果を狙ったからであった。ＮＳＡから窃取したエクスプロイトを含めて、ネットワークの隅々までマルウェアを伝播させる多様な技法は、ロシアのサイバー行動の高度な技術的複雑性を表していた。

ノットペーチャ・キャンペーン

２０１７年６月、全米メディアのトップニュースは《ノットペーチャ》ワームによる世界的規模のランサムウェア攻撃について大々的に報じた。ランサムウェアは典型的なマルウェアの一種で、身代金を支払わなければ、コンピュータへのアクセスやコンピュータ上の暗号化されたファイルの使用を永久に阻止すると脅迫される。支払いは多くの場合、ビットコインなどの仮想通貨が使われる。ワームはユーザーが何もしなくても自動的に遠隔地のマシンに作用し、自己増殖しながらホストからホストへと拡散する。《ノットペーチャ》に感染した大部分、おそらくその約4分の3はウクライナで起きている。シマンテック社の脅威インテリジェンスは、アメリカで感染した組織は50以下であったのに対し、ウクライナでは150の組織が感染したと報告している。[41] 残りはロシア、ドイツ、ポーランド、セルビアのほか、約60カ国であった。《ノットペーチャ》は同じツールと見せ掛けるため、《ペーチャ（Petya）》と呼ばれる有名なランサムウェア株からコードをとっていた。[42]《ノットペーチャ》は――例えば、EternalBlue エクスプロイトを使用するなど――《ワナクライ（WannaCry）》ランサムウェアと似た特徴を有していたが、ネットワークから別のネットワークへと飛び越える《ワナクライ》とは違い、インターネット全体をスキャンすることはなかった。その代わり、最初に感染した後、《ノットペーチャ》はローカル企業のネットワークに潜伏し、ワームがウクライナから遠く離れて泳ぎ回るのに十分な規模をもつ多国籍企業の内部ネットワークが感染するのをじっと待つのだった。[43]

ランサムウェアにおいてファイル暗号を解除するキーを与える交換条件として典型的に見られる金銭の要求は、《ノットペーチャ》では、実際には詐欺であることが判明した。セキュリティ・リサーチャーのThe Grugq 氏は「この綿密に設計された精巧なワームが金儲けのために作られたものだとすれば、支払い経路については最悪の選択だった」と述べている。攻撃者はうかつにも支払い証明書を送付するため、被害者たちにeメールアドレス（wowsmith123456@posteo.net）を提供してしまい、そのアドレスはただちにプロバイダーにあっけなく遮断された。結局、被害者たちは、ファイル復元のための暗号解読キーを手に入れることができなかった。攻撃者がハードディスクの暗号化に使用したキーを破棄してしまったからだ。このような軽率さは、真の狙いは経済的損失を与えることであり、混乱の種をまき、おそらく自らのサイバー能力を試すことだったという説を裏付けているともいえた。しかしながら、実行犯たちはマルウェアの中に簡単な強制停止スイッチを埋め込んでおり、このことから彼らは、マルウェアの拡散とそれが引き起こす被害規模を制御することを欲していたことも窺えた。[44]

リサーチャーたちは《ノットペーチャ》がマスター・ファイル・テーブル（ファイル修復のためOSが使用するデータベース）およびマスター・ブート・レコード（コンピュータを起動するためにOSが読み込む情報）に暗号をかけて、感染コンピュータのデータを消去するよう設計されていることを発見した。マイクロソフト社のマルウェア防護センターは、ウクライナで1万2500台のマシンが感染したと記録している。[45]《ノットペーチャ》はそこから衰えることなく欧州中に広がり、アメリカへと渡った。世界最大のコンテナ船海運会社であるマースク社〔デンマークの首都コペンハーゲンに本拠を置く海運コングロマリット〕は3億ドルの損失を出した。[46]船積み用のトラックが港湾地区に車列をなし、1週間以上にわたり待機していたが、〔積荷を降ろすことなく〕やがて引き返していった。[47]アメリカの大手製薬会社メルク社は8億7000万ドルという破格の損失を被ったが、さらに懸念されたのは、ヒト・パピローマウイルス（HPV）やB型肝炎といった人命に関わるワクチンの製造が中断されたことだった。[48]ロシア国営石油ガス会社のロスネフチ社は感染はしたものの、石油生産や精製プロセスとも中断することなく、事態は速やかに収拾された。[49]

コンピュータに《ノットペーチャ》マルウェアを植え付ける主要な方法は、ウクライナ企業リンコス・グループ製の税務会計ソフトM.E.Doc——類似品にTurbo TaxやQuickenがある——を顧客がアップデートする機会を利用したソフトウェアのサプライチェーン〔ある製品について原材料の調達から生産、物流、販売を経て、消費者の手元に届くまでのプロセス〕を狙った攻撃であった。[50]《ノットペーチャ》は自動ダウンロードのエクスプロイト・キット、悪質ファイルが添付されたeメール、URLリンクの埋め込みによって拡散した。感染の初期段階を終えると、《ノットペーチャ》は内部ネットワークを経由してさらに拡散するため、多様な伝播方法を活用した。第一に、言い逃れテクニックを使って横断的侵害《ラテラル・ムーブメント》を試みたようだ。《ノットペーチャ》はミミカツ（Mimikatz）のパスワード解読ツールの修正版を使ってユーザーのWindows認証情報を窃取し、他のローカル・システムにアクセスするため正規のWindows管理者ツールであるPsExecや正規のWindows Management Instrumentation Command-line（ＷＭＩ）ツールに窃取した認証情報を引き渡す。[51]アーバー・ネットワークス（Arbor Networks）社によると、多くの企業では、こうした遠隔操作によるシステム管理活動を阻止できないだろうと考えられていた。[52]第二の伝播方法については、《ノットペーチャ》はＮＳＡから盗用したEternalBlueやEternalRomanceのエクスプロイトを活用し、ファイル共有に使われるServer Message Block（ＳＭＢ）プロトコルの中で見つかったマイクロソフト社の脆弱性（共通脆弱性識別子CVE-2017-0144）のうち、パッチを施していないシステムを感染させた。[53]もともと《ノットペーチャ》はインターネットを経由して拡散する雪だるま効果《スノーボール・エフェクト》を回避するよう設計されていたため、特定の国に標的を絞って運用される可能性が高かった。その国とはウクライナである。サイバーセキュリティ専門家の中には、攻撃者たちがワームの伝染性を過小評価したのではないかと推測する者もいる。[54]

ウクライナはすぐさま《ノットペーチャ》をロシア政府の特務機関の仕業であると非難し、「ウイルスの主要目的は公共部門および民間部門の制度機能を混乱させ、重要データを破壊することであった」[55]と表明している。その6カ月後、中央情報局（ＣＩＡ）は《ノットペーチャ》によるサイバー攻撃の責任をＧＲＵに帰属し、なかでも特殊技術中央センター（Main Center for Special Technology）のハッカーたちの仕業であると特定した。サイバーセキュリティの専門家たちは、この攻撃元をＡＰＴ28（ＧＲＵ関連）のサブユニットといわれた〈Sandworm〉に帰属させたが、これらはすべて基本的に同じグループを指している。[56]ＣＩＡはランサムウェアによく似たマルウェアを使用していることから、「犯罪者のハッカーか、もしくは国民国家以外の集団の仕業のように見せ掛ける」[57]試みだったと述べた。実際のところ、《ノットペーチャ》

は敵対者が真の攻撃元を読み誤るよう仕組まれたソヴィエト流の欺騙戦術である「マスキロフカ（maskirovka）」のサイバー版だった。[58] いかなる欺騙の企ても取り払われ、2018年2月、ついにファイブ・アイズ諸国（アメリカ、イギリス、カナダ、オーストラリア、ニュージーランド）は、《ノットペーチャ》の実施主体がロシア軍であると非難する共同声明を発した。[59] 2020年の起訴状では、《ノットペーチャ》によるマルウェア攻撃の責任をGRUに特定したCIAのアトリビューションが確認され、〔GRUに属する〕特殊技術メインセンターは、サイバーセキュリティのリサーチャーたちが〈Sandworm〉と呼ぶ軍事ユニット74455であることが明らかにされた。[60]

イギリスの外務大臣は「その攻撃は、ウクライナの主権に対する（ロシア政府による）継続的な軽視の表れである」[61]と語った。NATOサイバー防衛協力センター（NATO Cooperative Cyber Defense Center of Excellence）法律部門の研究者トーマス・ミナリック（Tomas Minarik）は「キャンペーン中、いかなる政府の対応も強制的要素を欠いていた。だから本来禁じられている内政干渉は表面化しなかったのだ。政府の重要なシステムが標的とされ、その攻撃元が国家と認定されているケースでは、それは主権の侵害と見なすことができる」[62]と述べ、イギリス外相の見解に同意した。マイケル・シュミット教授とアメリカ海軍大学校ストックトン国際法研究センターのジェフリー・ビラー（Jeffrey Biller）教授も、国家主権を尊重する義務への侵害が生じる2つの形態――すなわち①領土保全の侵害および②政府固有の機能（inherently governmental functions）の妨害――を根拠に同意した〔丸数字は訳者〕。シュミットらは、①の観点から「ノットペーチャは、一時的なサービス拒否を上回る方法でサイバーインフラ能力を著しく低下させ、その能力を阻害した」[63]と主張した。②の観点からは「政府省庁に与える効果は、妨害を受けたサービスが国家の排他的権限の範囲内にあるかどうかで判断される」[64]と論じている。

『タリン・マニュアル2・0』のルール69には「人を殺害したり傷害を与える行為、あるいは物に物理的な損害を与えたり破壊したりする行為は、武力の行使に該当する」[65]と記載されている。『タリン・マニュアル2・0』を執筆した国際専門家グループの多数派は「〔国家〕機能への介入は損害に該当し……それは標的とされたサイバーインフラが本来設計された機能を取り戻すためにオペレーティング・システムや特定のデータの再インストールが必要となる状況にも及ぶ」[66]と見なしている。この法解釈では《ノットペーチャ》がマスター・ブート・レコードやマスター・ファイル・テーブルを暗号化したことによって、物理的損害を与えたものと判断されている。また、専門家たちは「規模と効果」が、武力の行使に該当するサイバー行動を区別するための有用な定性的・定量的アプローチであることを認めている。[67]ウクライナの約150の組織が所有する1万2500台を超えるコンピュータにもたらされた意図的かつ無差別な損害は、武力の行使を構成するに足る規模と効果であった。そして、政府と民間システムに及んだデータの損害と破壊の程度は、おそらく武力攻撃と見なされるほど重大かつ深刻であった。

主権の防衛

シュミット教授とビラー教授による議論、すなわち「領土保全の侵害および固有の政府機能に対する妨害を根拠として、ノットペーチャは主権侵害に該当する」という主張は、将来的に妥当性がなくなるかもしれない点に留意しておくことが重要である。主権は国連GGEにおける審議以外でも、法的な曖昧さが指摘されてきた分野である。『タリンマニュアル2・0』のルール4には「国家は、他国の主権を侵害するサイバー行動を行ってはならない」[68]と書かれている。『タリンマニュアル2・0』を著した国際専門家会合では、主権とは「他国の対外・国内事項への干渉の禁止など、特定の規則が由来する国際法の原則および侵害の対象となる国際法の最上位の規則」[69]であるという点で一致している。そのうえで専門家たちは、侵害のラインを越えるサイバー行動の類型を識別する作業に取り組んでいる。『タリンマニュアル2・0』が刊行された後、アメリカ軍法務総監に提出された内部メモでは、国際法の最上位規則としての主権の取り扱いをめぐって疑問が提起された。あるシンポジウムの論文で表明された代替アプローチでは、主権を次のように論じている。

〔主権は〕国家間の相互行為の指針となる国際法上の原則として位置づけられているが、それ自体は国際法上何らかの行動を指示する拘束力のある規則ではない。領土主権を含む主権の原則は、あらゆるサイバー行動に適用されるべきであるが、それはサイバー行動の効果が違法な武力行使や違法な干渉のレベルに至らない限り、他国内のサイバーインフラに影響を与える個別的あるいは集団的な国家行動を禁ずるような絶対的基準ではないのである。[70]

この代替アプローチの論拠として、領土主権の概念が国際連合憲章の第2条4項——この「領土保全または国境の侵害に関する規定」は、より高い危害の閾値を伴う——によって保護されている「領土保全のより正確な概念および国境の不可侵性」と混同されてきたとする考えがある。[71]かかる論法で「規則ではなく原則としての主権」というアプローチは、違法な武力行使にも非合法な干渉にも該当しないサイバー行動を許容することになる。さらに言えば、もしサイバー行動が違法と見なされない場合、被害国は対抗措置を講じる権限を有さないことになる。こうした狭いアプローチのもとでの現実的な問題は「国家を対象に行われる多数のサイバー行動は、国際法に違反しない」[72]ことになってしまうことである。《ノットペーチャ》のケースでは、サイバー行動は国家主権を尊重する義務に抵触している一方で、武力行使のレベルに至らず、代替アプローチのもとでは、対抗措置を発動する資格すら与えられないということになる。

したがって、《ノットペーチャ》のケースにおいて「規則ではなく原則としての主権」アプローチはロシアに有利となる。他国も「重要だと考える行動を実行するうえで、できるだけ〔違法性と〕判断されない余地」を確保したいと考え、代替アプローチに惹かれるだろう。[73] だが、代替アプローチは諸刃の剣でもある。というのも、他の国々がロシアに対して同じような行動をとることを許してしまうからである。突き詰めると、代替アプローチは、対抗措置によるコスト賦課の効果を阻害してしまう。今日までアメリカ政府は代替アプローチを正式に採用してこなかったが、国際規範に関する国連GGEでは議論が継続されるかもしれない。チャンスがあればロシアはきっと〔代替アプローチの〕採択を主張するはずだ。なぜなら、〔国際法違反の要件となる〕危害の閾値が高くなるほど、ロシアのサイバー行動に有利となるからである。

国益の追求

《ノットペーチャ》の場合のロシアに限らず、すべての国家は各々《おのおの》の国益にしたがって単一の合理的アクターとして行動している。各国は合理的に判断し、国際規範の解釈と適用を行っている。もし代替となる行動方針がより高い効用をもたらす場合、その選択肢は、たとえ共通の利益ではなく自己の利益のための選択であったとしても、合理的な選択となるであろう。例えば、アメリカは「脆弱性情報の開示に関わる政策とプロセス（Vulnerabilities Equities Policy and Process）」〔以下「脆弱性開示プロセス」と表記〕にしたがい、「情報システムおよび情報テクノロジーに関する脆弱性が新たに発見され、公には知られていない知識をアメリカ政府が入手したとき、その情報を開示するか、制限を設けるかについて」政府が判断している。[74]「脆弱性開示プロセス」の狙いは「国家はICTの脆弱性について責任をもって報告を行うよう奨励される」という2015年にGGEが提示した規範に沿ったものである。なぜなら、「合法的なインテリジェンス活動、法の執行、国家安全保障上の目的に照らして当該脆弱性を利用することに明白かつ最優先の利益が認められない限り」脆弱性を公表することに焦点が置かれているからだ。[75] ところが、アメリカ政府は《ノットペーチャ》攻撃で悪用されたマイクロソフト社の脆弱性をすぐには公表しないという決定を下した。「脅威アクターがこの脆弱性を悪用する公算はあるか?」、「この脆弱性を悪用するだけで危害を与えることが十分に可能か?[76]」という衡平法の考えからすると、この判断に問題がなかったとはいえない。《ノットペーチャ》攻撃の悪用によって引き起こされた危害の程度を考慮すれば、脆弱性の広範な経済的インパクトに関してアメリカ政府が行った見積りには疑問の余地が残る。[77]

のちに判明したことだが、NSAは「5年間にわたり（マイクロソフト社の）欠陥を利用[78]」していた。NSA内では「その欠陥があまりに危険であったため、マイクロソフト社に通知するかどうか[79]」が議論されたという。だが、彼らは使用を続けた。そのエクスプロイトが情報収集に凄まじい威力を発揮していたからである。ある元職員は「まるでダイナマイトで魚釣りをしているようだった[80]」と振り返っている。EternalBlueがほかのエクスプロイトやバックドアと一緒に窃取されたことに気づいたNSAは、2017年1月、マイクロソフト社に脆弱性について通知した。[81] この脆弱性の発覚により、2017年3月、ソフトウェアの欠陥を修復する重要なパッチ（MS17-010と認定）がマイクロソフト社からリリースされた。そのちょうど翌月の2017年4月、〈シャドー・ブローカーズ〉と名乗る謎の集団がEternalBlueエクスプロイトを漏出させた。2017年5月には、世界的規模で拡散した《ワナクライ》ランサムウェアによる攻撃が発生したが、それは《ノットペーチャ》のエクスプロイトがリパック（正式アプリを改造し、悪意のコードを含ませること。外見からは正式アプリと区別ができない）され、世界中に拡散されて感染の恐れが現実となる1カ月前のことだった。《ワナクライ》は150カ国以上の病院、銀行、産業、政府機関に感染し、機能を停止させた。ホワイトハウスのサイバー担当官を務めたサミール・ジャイン（Samir Jain）は「危害が広範囲に及ぶ可能性」という現実が「重大な考慮要因である」ことに間違いはないものの、「脆弱性を利用すれば、さらに多くのターゲットにアクセスできることも確かだった」と語り、広く利用されているソフトウェアの中から見つかった脆弱性をそのまま利用するか、開示情報として通知するかの間でバランスを取った行動が求められると述べている。[82]

マイクロソフト社は《ワナクライ》攻撃への対応に際し、「サイバーセキュリティの脆弱性に関する情報を『ため込んでいた』として政府を批判」[83]する強い調子のブログを掲載した。実際、政府は政治的効用のために脆弱性を利用していた。マイクロソフト社の社長兼最高法務責任者（CLO）のブラッド・スミス（Brad Smith）は「これらの脆弱性を滞留させておくことから生じる民間への被害と、これらのエクスプロイトの利用についての検討[84]」を政府に要請した。スミスは「政府は脆弱性情報を蓄え、それを売り付け、利用するのではなく、ベンダーに通知[85]」するというマイクロソフト社が提案する規範を共有する必要性について繰り返し訴えた。結局、被害の程度とは関係なしに、NSAはマイクロソフト社に脆弱性を通知するようになり、マイクロソフト社はハッキングのツールが公開される前にパッチを配信した。

これにより各企業や政府機関は《ワナクライ》キャンペーンに襲われる約2カ月前にパッチをインストールすることができた。したがって、国益――組織利益ともいえるが――からいったんは欠陥を利用した後ではあったものの、「政府は然るべき時期に脆弱性情報をソフトウェア製造元に通知した」という事実をもって、アメリカは国際規範あるいは商業規範に基づく義務を無視しなかったという議論も〔一応は〕成り立つ。[86]

規範遵守という選択肢

マイクロソフト本社副社長のスコット・チャーニー（Scott Charney）は「匿名性および追跡調査の可能性の欠如が原因でサイバー攻撃のアトリビューションがとりわけ困難になっており、これが攻撃アクターが全面的否認をし、証拠不十分を主張する有力な根拠となっている」[87]と述べている。この発言は規範遵守の検証に関わる重要課題を簡潔に要約している。アメリカはEternalBlueエクスプロイトの利用について追跡されることはなく、ロシアもウクライナを標的とした疑似ランサムウェア攻撃への関与を否定していた。両国とも政治目的を達成することを意図し、合理的決定を下したのであるが、ロシアの行動は、たとえ〔戦争ではなく国家間〕競争の一部として意図されたものであったにせよ、限りなく戦争行為に近いものだった。たしかに規範遵守を検証することは難しいことであり、規範を避けたり、その権威を失墜させようとする国家の思惑によって状況はさらに悪化する。そうした状況にもかかわらず、サイバースペースにおける国際法の妥当性について討議するため、国連政府専門家会合が２０１６年と２０１７年に招集されたのである。ＧＧＥにはロシア、中国、アメリカ、その他の国々から代表が集まった。

アメリカ代表のミシェル・マーコフ（Michele Markoff）によると、「国際的な法律問題に関する権限委任《マンデート》をめぐって一部の参加国（ロシアと中国）が真剣に議論しようとしなかった」ため、合意報告書《コンセンサス・レポート》の締結が阻害された。[88]アメリカおよびアメリカと同じ考えをもつ国々にとって、サイバースペースにおける責任ある国家行動として許容される永続的規範にロシア、さらに言えば中国を関与させるための選択肢はわずかしか残されていなかった。一つ目は、新たなＧＧＥ会合を開催し、「過去の議論を悩ましてきたのと同じ問題、すなわち国際法を適用するための最適な方法とは何かという問題を復活[89]」させること。もう一つは、２０

15年の「米中サイバー合意」の背後にある考え方にしたがい、「特定の分野に限定した取引の実施」[90]を通じてロシアと特定の国家間の約束を交わすというものである。しかし、ロシアはアメリカを出し抜き、米欧の利益を妨害しながら、自国の利益に資するような独自案を国連に提出している。

新たな交渉ラウンド

2016年から2017年にかけて行われたGGEでは、国家の責任ある行動をめぐる規範、規則、原則について研究が続けられた。[91]また会合では「国家の情報通信技術の利用問題に国際法はどのように適用されるべきか」[92]に関する研究に取り組むよう〔各国から〕依頼を受けた。アメリカはサイバー領域への国際法の適用、なかんずく「自衛に関する固有の権利および対抗措置を含む国家責任法」[93]に関して成文化するための明示的な文言を欲した。キューバ代表は「特定の国際法が国家によるICTの利用問題にどのように適用されるべきかに関する」規定を設けることに賛同し、それは「単独行動による懲罰的な武力行動……を合法化する」[94]だろうと指摘した。2015年、ロシアと中国はアメリカの提案を拒絶し、国際法のサイバースペースへの適用をめぐる考え方がどのような影響をもたらすのかを説明したうえで、「〔アメリカの〕動議はサイバースペースにおけるアメリカの覇権を制度化するものである」[95]と主張した。サイバー専門家のジェームズ・ルイスは議会証言の席で「中国はアメリカによる攻撃あるいは報復行動の正当化につながるものすべてに反対した」と語った。その中には〔アメリカによる〕対抗措置も含まれていた。[96]

中国とロシアは2015年、トルコのアンタルヤで開催された20カ国・地域首脳会議（G20）に参加した。同会議で「指導者たちは国際法がサイバースペースにおける国家行動に適用されることを確認した」[97]。

サイバーセキュリティ業界の専門家たちが集う2018年のRSAカンファレンス〔世界最大級のITセキュリティ業界のイベント〕において、2016－17年のGGEという限られた枠組みの中で、武力紛争法との関連を明確化しようとしてきたアメリカの試みにロシアが抵抗を見せたとルイスは語っている。[98] それはほぼ間違いなく、米欧の利益を妨害することを目的に、国際法規範の分野で〔中露が〕相互に協力することを交わした2015年5月の誓約にしたがった行動であった。[99] 2018年の伊勢志摩で開かれたG7のサイバーグループ会合では「一部の国の専門家は、サイバースペースにおける国家活動に国際法が適用可能であるとする過去の報告書の声明から立場を後退させた」[100] と述べられ、GGE会合の結果に対する懸念が表明された。そのうえで、GGE会合の結果にかかわらず、「2010年、2013年、2015年の国連GGE報告書に含まれた勧告は依然として有効である」[101] ことが強調された。

2016－17年のGGE会合の終了後、ミシェル・マーコフはロシアと中国との間で新たな協議ラウンドを行うことの難しさを痛感していた。具体的に言うと、彼女は「国際法の規則や原則の適用を認めようとしない国々は、自国の行動に制限や拘束を受けることなく、自由にサイバースペースを利用して政治目的を達成できると信じている」[102] という残念な結論に至ったのである。マーコフは、そうした「危険で支持できない見解」[103] をはっきりと拒絶した。最後のGGE会合で議長を務めたカルステン・ガイアー（Karsten Geier）でさえ、2017年11月にニューデリーで開催された「サイバースペースに関する世界会議」の講演で「その失敗を考えると、国連GGEプロセスの復活にはあまり気乗りしない」ようだった。[104] 結局のところ、制限や拘束を受けないサイバースペースを活用した行動の自由は、政治目的を達成するように仕組まれたロシアのサイバー行動を利することになる。では、ロシアが米欧案を受け入れることなど、あり得るだろうか？

特定分野に限定した取引

2015年、ロシアは中国とサイバー不可侵協定に署名した。その中に、両国は「相互にコンピュータ攻撃を慎むことを誓約する」[105]という条文がある。また、同協定は「各当事国は情報資源の不正利用やいわれのない介入に対し、自国の情報資源を保護するための対等な権利を有する」[106]と規定している。アメリカにとって、これと同じように特定分野に限定した取引をロシアとの間で取り交わすことは魅力的なはずである。2015年にアメリカは中国と歴史的取引を交わしている〔前出の米中サイバー合意〕。習近平国家主席がワシントンを公式訪問した際、バラク・オバマ大統領との間で「特定企業や商業部門における競争上の優位をもたらすことを目的として、サイバーによる企業秘密またはその他の機密のビジネス情報を含む知的財産を窃取せず、または故意に支援しない」[107]ことに合意した。この合意は大きな前進といえた。なぜなら、それまで中国はサイバーによる「商業上の利益のための知的財産の窃取は許されない」[108]ことを認めたことがなかったからだ。アメリカは中国が数十億ドル相当の知的財産をアメリカ企業から盗んできたと非難していた。このいわゆる「米中サイバー合意」は、コンピュータ窃取をめぐって〔アメリカが〕中国政府に対してより強硬な態度で臨むようになる最初のステップといえた。[109]

協定の合意は正しい方向へと向かう一つのステップであったが、セキュリティ企業幹部のジェイ・カプラン（Jay Kaplan）は「国家が支援するサイバー活動の攻撃元を特定することが困難であることを考慮すると、米中合意にはまったく強制力がない」[110]と指摘している。〔米中合意後の〕はじめのうちは、中国のサイバー窃取活動は減少したように見えた。セキュリティ企業のファイアーアイ（FireEye）社の報告書によると、同社が追跡した中国本土に拠点を置くハッキング集団のネットワーク侵害の件数は1カ月あたり60件から10件に減少した。[111] ところが、司法次官補のジョン・カーリン（John Carlin）は「攻撃は量的には少ないが、より重点が絞られ、計算高くなっていると評価するファイアーアイ社の調査結果を認めた」。[112] 中国からのサイバー攻撃は「経済発展と軍の近代化という国家目的にしたがって」[113] ターゲットが選定されるようになっているというのだ。かかる評価を裏付けるものとして、〔アメリカ司法省は〕２０１７年9月、中国のサイバーセキュリティ企業の御信息技術有限公司（Boyusec）社の社員を刑事告訴した。数百ギガバイトの機密データや企業秘密を盗み取るため、ムーディーズ・アナリティックス社〔アメリカの大手格付け会社「ムーディーズ」の子会社で経済情報を扱っている〕、シーメンスＡＧ社〔ドイツに本社のある大手電機・電信機器のグローバル企業〕、トリンブル社〔全地球測位システム機器を開発〕に不正侵入したかどで、3人の中国人が起訴された。[114] Boyusec社はＡＰＴ３として知られるハッカー集団とつながりをもつといわれ、このＡＴＰ３は中国の国家安全部であると特定されていた。[115] ２０１８年11月、ＮＳＡのロブ・ジョイス（Rob Joyce）は、北京の関与が減少していることを認めたうえで、「中国人たちは我々2国間で作り上げた今日の合意の限度をかなり逸脱してしまっていることは明らかだ」[116] と主張した。彼の主張の正当性は、２０１８年12月の新たな告訴で裏付けられた。中国国家安全部と関係をもつＡＰＴ10の2人のメンバーが、アメリカ国内の少なくとも十数の州で、45社以上のテクノロジー企業を標的としたのだ。[117] インテリジェンス機関の幹部や民間のセキュリティ・リサーチャーたちは「継続する米中間の貿易紛争の中で、２０１５年の合意は非公式にキャンセルされてしまったようだ」[118] と結論づけている。

中国の政府組織は「オバマ・習合意」の曖昧性につけ込んでいる。とりわけ「商業上の優位を得るためのサイバー窃取」と「国益増進のためのサイバー諜報」との区分が明確ではなく、これは将来の国家レベルの取引の見通しに疑念を抱かせることとなった。例えば、「不正な利用や介入からの国家情報資源の保護」に関する米露間の取り決めのように「サイバー不可侵協定」の土台が曖昧になる恐れがある。[119]「米中サイバー合意」では、オバマ政権は「知的財産の窃取は、NSAや他のアメリカのインテリジェンス機関の活動とは明確に異なる」[120]と主張した。アメリカは「隠密活動を実施し……国外の政治、経済、軍事の情勢に影響力を及ぼす」[121]ためのサイバー行動に従事しているため、ロシアの介入キャンペーンに異議を唱えようとしても〔他国を非難する〕確固たる根拠に乏しいと見なされてしまう。権威主義国家の政治情勢に影響力を及ぼそうとするアメリカと、安定した自由社会の民主主義プロセスを覆そうとするロシアとの間にさしたる違いはないのではないか、という主張もあり得るのだ。[122]したがって、個別の事情に合わせた取り決めをロシアと交わすことは中国の場合よりも難しく、取り決めの履行も困難であろう。

それでも、2018年8月のロシア日刊ビジネス紙『コメルサント』によると、「重要インフラへのサイバー攻撃」[123]を予防するため、モスクワはアメリカとの協力を申し出たという。さらに、クレムリンは2018年7月のヘルシンキでの米露首脳会談の最後に発表された共同コミュニケの中に、そのような趣旨の文言を入れることを望んだ。[124]実際のところ、ヘルシンキの首脳会談は行われたが、コミュニケは発表されなかった。その代わり、両首脳は軍備管理と地域問題に関して協議することを共同記者会見の場で約束した。[125]合意された公式声明が存在しないため、実務的な合意の位置づけや程度は伏せられたままであった。[126]ただし、共同記者会見の終わりがけにプーチン大統領から、大統領選挙中に民主党をハッキングしたとしてアメリカが告訴中のロシア人の尋問を観察するため、アメリカ人の捜査官をロシアに派遣してはどうかという提案があった。[127]トランプ大統領は「信じられないほど素晴らしい」取り決めだとしてその提案を褒め称えたのだが、あとになってからFBI長官に断わられている。[128]今後、ロシアは〔ロシアとの〕関係改善努力を妨害しがちなアメリカ国内の「頑なに考えを変えようとしない『深層国家《ディープ・ステート》』」をバイパスするため、指導者レベルでのサイバー合意を意図する公算が最も高いといえるかもしれない。[129]

その後の展開

２０１９年12月、国連総会はサイバースペースにおける「責任ある国家の行動」（responsible state behavior）に関する二つの決議を採択した。一つ目はアメリカから提案されたもので、国際法と国連憲章はサイバースペースに適用されるという過去2度のＧＧＥ報告書の結論を確認した内容となっている。[130] この決議に基づき「国際法がサイバースペースにおける国家行動にいかに適用されるか」について改めて検討するため、衡平な地理的配分を考慮したメンバーによる作業部会が新たに設置された。二つ目はロシアから提案されたもので、「責任ある国家の行動」に関する既存の規則、規範、原則をさらに発展させ、新たに追加すべき事項を明らかにするため、ロシアは参加に制限を設けないオープン形式の作業部会を招集した。[131] ロシア政府の代表は、最近のＧＧＥでコンセンサスが得られなかった状況は新たなモデルが必要とされていることの証しであると語ったが、それはロシアが報告書〔の合意〕を阻止したという事実を無視した発言であった。オープン形式を提唱することで、ロシアは包括性を擁護する立場を示し、限定メンバーによる部会での研究を推し進めようとするアメリカの排他性との違いを打ち出そうとした。つまり、ロシアは見事に自国を「ルールに基づく国際秩序の擁護者[132]」に仕立てることに成功したといえる。ところが、ロシア案前文の文言には、サイバー領域で観察されてきた慣行と正反対のことが書かれていた。ある節には「虚偽あるいは歪曲されたニュースの拡散、これは他国の内政への介入と解釈され得るが、これに立ち向かう国家の権利と義務[133]」を再確認しており、別の節では「ＩＣＴの中に有害で隠蔽された機能を埋め込むことは、安全で信頼あるＩＣＴの利用および製品とサービスを生み出すＩＣＴのサプライチェーンに影響を与え、商取引上の信用を失墜させ、国家安全保障を損なう[134]」との懸念が表明されている。

アメリカ代表は、ロシア案は「多数の国々が受け入れられない規範や文言を押し付けている」と主張したのに対し、ロシア代表は、アメリカ案は「国際コミュニティを後退させる」[135]ために作られたものだと応酬した。こうして国連は2つの対立する作業部会に分裂したが、[136]アメリカの決議案はイギリス、ドイツ、日本、イスラエルを含む36カ国の共同提案国《スポンサー》を得た。そして138カ国が採択に賛成票を投じ、12カ国が反対した。新しい作業部会は3年間かけてサイバースペースの脅威に対処する措置について研究を重ね、参加国すべてのコンセンサスとはいえないまでも、報告書を提出した。ロシア案は中国、イラン、北朝鮮、パキスタンを含む30カ国の支持を得た。119カ国が賛成し、46カ国が反対した。オープン形式の作業部会は関係するすべての国連加盟国が関与し、関係企業、非政府組織、学界との間で諮問会議を行った。作業部会は2年かけてコンセンサスに基づく報告書を作成した。[137]オーストラリアとカナダの代表は、ロシア案は規範に関する過去の見解を歪めていると主張した。広く受け入れられているサイバースペースの国際規範を恣意的に政治化しようとして、サイバー関連の法的原則や規範――具体的には、国際違法行為に（対抗措置で）対処する権利、自衛権、国際人道法――の適用を再び拒否するかどうかは、時間が経てばいずれ明らかになるだろう。[138]

結論

アメリカのジョン・マケイン上院議員は回顧録の中で、ウラジーミル・プーチンは「邪悪な行為を目論んでいる。その中には、アメリカがこれまで主導し、歴史上存在したどの時代よりも、人類に安定と繁栄そして自由をもたらしてきたリベラルな世界秩序の破壊が含まれている」[139]と語っている。プーチン大統領と側近たちは、ロシアが再び世界舞台で正当な地位に復帰しつつあるが、米欧は〔ロシアの〕大国の野心を挫こうと目論んでいると考えているにちがいない。ロシアはパワーバランスとそれに連動する米欧式の国際秩序を変更することを目的とし、政治、経済、軍事の各分野で競争している。このように現状変更国としてロシアは、同盟、制度、ルールを含む国際秩序の構成要素に挑戦している。権威と威信の階層構造を変えるため、ロシアは利用可能なあらゆる手段を用いるだろう。そうしたロシアにとって、サイバー行動は現状を自国に有利に改変するための強靭かつ隠密な手段となっている。

隠密行動は「合理的国家のツール」[140]と見なされている。国家指導者は単一のアクターとして、サイバー手段を含む隠密行動の政治的効用を判定している。隠密行動は「公の外交」と「公の戦争」との狭間でその役割を果たす。隠密行動の効用は「国際関係における国家間の政策的関係を変更する能力に由来する」[141]とされており、ロシアが国際規範を弱めたり、それを巧みに回避したサイバー行動を実行するという判断は、単一の国家アクターによる合理的な決定なのである。今後、ロシアがこの姿勢を改め、自らが確立したサイバースペースにおいて責任ある国家行動の規範を遵守するような兆候は見られない。結局のところ、「プーチンが隠密裏に実行することができ、ほとんど何の罰も受けずに済む規範（実際、それは軍備管理の「誓約」であって、今日では相互に実践されていないので規範とは言えない）に従うと、いったい誰が信じるだろうか」[142]という議論がなされるのだ。《ノットペーチャ》キャンペーンは「曖昧性に満ちたサイバーシナリオに国際法を適用することの複雑さを表している」[143]。結局、死傷者を出すことなく、タイムリーに攻撃元を特定できなければ、自衛権による武力行使は正当化されなかった。

《ノットペーチャ》キャンペーンという大胆不敵な行動は、学者たちの見解とは対照的に、米欧は「旧ソ連地域をめぐるロシアとの競争でたいした進展を見せて」[144]いないことを示唆している。ロシアは経済問題や人口問題を抱え、大国としてもはや衰退しているという議論があるにもかかわらず、国家指導者たるプーチン大統領は少ない投資で自国の能力をはるかに超えた競争相手とうまく渡り合っている」[145]。ロシアはサイバースペースの脆弱性につけ込み、国境を接する国々に不確実性の種をまき、「国際ルールや規範を自らの意思に沿うように歪めて[146]」現状変更を試みようとするだろう。ロシアは国際秩序の境界線で挑発を繰り返し、それを押し広げる意欲を見せている。もとより、大国というものは「国際システムを形成し、地域的安全保障の環境を整え、世界のあらゆる地域の国家の政治経済に対して影響力を発揮[147]」しようとする。とりわけ、ロシアは「特権的利益圏の一部と見なす国家（なかんずくウクライナ）の内部に、米欧クラブへの加盟を阻止するため、一定レベルの混沌を植え続けるだろう[148]」。ロシアは無秩序の種をまく際に、最も期待される効用としてサイバー行動を選択することは間違いない。国連事務総長が構想する「サイバー戦争を規制する国際的な法的枠組み」にロシアが応じるいかなる望みも合理的とはいえまい[149]。

第6章　納得のいかない対応

アメリカ合衆国サイバー軍司令官のポール・ナカソネ（Paul Nakasone）中将は、２０１８年3月の上院軍事委員会で、ロシアをはじめとする敵対者は「クレムリンが命じたとされる２０１６年のホワイトハウス・レース〔大統領選挙〕を標的としたハッキング・キャンペーンに対し、政権が控えめな対応に終始したため、アメリカに対するサイバー攻撃を躊躇することなく継続するだろう」[1]と語った。ナカソネは「今となっては、彼らは〔アメリカにサイバー攻撃を仕掛けても〕大変なことが起こるとは考えていない。彼らは我我を恐れていない」[2]とも語った。さらに、「ロシアはそれまでの行動をまったく変えていない」[3]ことから見ても、ロシアの介入に対するアメリカの対応に抑止効果はなかったといえた。抑止効果とは認知《パーセプション》の関数である。抑止は相手のマインドに作用し、それは意思決定の変化という形で表面化する。もし抑止が成功すれば、相手はいかなる攻撃も無駄に終わるか、耐え難いコストを強いられると認識するはずである。サイバー政策担当国防副次官補のアーロン・ヒューズ（Aaron Hughes）は、そうしたコストは「経済制裁、外交、法執行および軍事行動といった多様なメカニズムを通じて」[4]敵対者に課すことができると証言している。

『2018年アメリカ国家サイバー戦略』は「サイバースペースにおいて何が責任ある国家の行動と見なされるのかに関するコンセンサス作りを進め、アメリカと我々のパートナー国に危害を及ぼすような無責任な行動には重大な結果が伴うということを相手に認識させる作業を行わなければならない[5]」と明確に表明している。また、同戦略は「悪質なサイバー活動を予防し、それに対処し、抑止するため[6]」国力のあらゆる手段を行使することを強調している。さらに、アクターがサイバースペースを活用して危害をもたらした場合、アメリカは「迅速に、コストの高い、誰の目にも明らかな結果を強要する統合的な戦略[7]」を発動することを明らかにしている。この新しいサイバー戦略では悪質なサイバー活動の攻撃元を特定し、それを抑止する強靭なアプローチが提示されていたものの、相手側（特にロシア）の目には、それまでのアメリカの対応と同様に、現実味を欠いていたものと映った。本章では抑止理論を取りあげ、2016年のアメリカ大統領選挙へのロシアの介入に対し、アメリカが選択した抑制的な方法について論じる。これに続き、ロシアが2017年のフランス大統領選挙中に行ったサイバー行動について分析する。最後に、サイバースペースでの無責任な活動を続けるロシアにコストを賦課するには、実際に採用された抑止メカニズムでは効果が不十分であったことを論じる。

抑止理論

現代の優れた思想家は「国家安全保障戦略における抑止の目的と役割に関する[8]」理論を築き上げてきた。トーマス・シェリング（Thomas Schelling）は抑止の理論を「結果を恐れて行動を控えること[9]」であると定義した。抑止とは「相手の意思決定に決定的な影響を及ぼすことで、〔我の〕死活的利益[10]」を脅かす行動をとらないように説得する試みである。その決定的な影響は「相手の行動を抑制しながら、相手が利益を得ることを拒否し、コストを賦課するといった信憑性ある脅しを行う[11]」ことによって達成される。抑止により相手の行動を変えるため、抑止は「報復の脅威が現実に存在すること、意図する行動は決して成功しないということ、コストが行動によって得られる利益を上回るということを相手に信じ込ませ[12]」なければならない。それゆえ、効果的な抑止には、能力（相手の行動に影響を及ぼす手段）、信憑性（あらかじめ示された行動が実際に行使されると思い込ませること）、コミュニケーション（相手側にこちらの意図をメッセージとして伝達すること）が必要となる。[13]相手より優勢な能力も、それに見合った信憑性とコミュニケーションを伴わなければならない。[14]もし国家が対処に必要な能力をもっていても、それを行使する意思を有していないか、それを行使する評判が存在しなかった場合、抑止は失敗する。もし国家が行使する能力や信憑性（意思と評判）を有している場合でも、自らの立場を確実に相手に伝達しなければならない。というのも、相手国がメッセージを確実に受けとめなければ、起こり得る結果について十分に吟味することができないからである。[15]

ローレンス・フリードマン（Lawrence Freedman）は、抑止は「条件付きの脅しを通じて、他者の行動を操作しようとする意図的な試み[16]」であると述べている。また、パトリック・モーガン（Patrick Morgan）は、抑止の本質は「当事者Aが自分の欲しない行動を当事者Bに採用させないことであり、それは採用した場合に深刻な危害を被ると当事者Bを脅すことによって達せられる[17]」と述べている。言い換えれば、抑止とは、自分が望まない行動を相手が採用することを防ぐことである。[18]それゆえ、抑止の目的は「行動を起こ《インアク》させない《ション》」であり、それは主に報復の脅しによって達せられる。他方、ネッド・ルボウ（Ned Lebow）によれば、そうした脅威ベースの戦略に基づいた脅しは相応のリスクを伴う。そして、自己抑制は弱さの証しだと解釈される恐れがあるため、〔脅威ベースの戦略は〕相手の行動を「予防」するのではなく「挑発」する可能性があると述べている。そこで、ソフトパワーが抑止の一翼を担うケースが出てくる。グレン・スナイダー（Glenn Snyder）は、抑止の概念は「政治権力《ポリティカル・パワー》の概念と基本的に親和性」[19]がある点を考慮し、それは軍事的要素に限定されないと主張した。これを受け、ジョセフ・ナイ（Joseph Nye）は「責任ある国家行動」を律する規範が諫止（dissuation）の手段として機能する政治的メカニズムに注目し、スナイダーの見解を発展させた。一方、モーガンは「特定の規範に違反した場合の結果に対する恐れ」が内面化されたとき、抑止は機能すると指摘している。[20]

ロバート・ジャーヴィス（Robert Jervis）は「最も基本的な意味で、抑止は認知能力に依存している」と主張し、「相手国の政治指導者がどのように世界を見ているかを理解しないと抑止政策は不発に終わる可能性が高い」[21]と述べている。ジャーヴィスは、抑止が機能するのは「予測される懲罰が行動の期待値を上回る」[22]と判断されたときであると仮定した。そうした価値、リスク、計算というものは、結局「見る人《アイ・オブ・ザ・》の目《ビホルダー》」の中にしか存在しない。それは「抑止を受けている——はずだと期待される——相手側の目」である。[23]つまり、抑止が成功する鍵は、自分の目ではなく敵対者の目を通して見ることである。[24]そうした敵対者の意図というものは、実際には、信頼できるシグナルの伝達よりもむしろ、認知バイアスや組織的利益の影響を受けやすい立場にいる意思決定者によって判断されることが多い。[25]「合理的な価値最大化の行動様式」を理解するためには、「見る人の目」を通してリスクを認識することが必要となる。[26]したがって、フリードマンは、抑止とは「行動の境界線を設定し、その境界線を踏み越えた場合のリスクを明確に示すことである」と述べている。[27]

アーロン・ブラントリー（Aaron Brantly）など現代の学者たちは「抑止に関する従来の枠組みは、サイバースペースにおける国家アクターにも適用可能なのだろうか？」[28]という馴染みのある問題を提起し、検討している。この問題に対する一般的な見解は、抑止に関する伝統的アプローチを適用する際には、サイバースペースに固有の特徴が影響している点を考慮する必要があるというものである。例えば、カマル・ジャブール（Kamal Jabbour）とポール・ラタッツィ（Paul Ratazzi）は、①検知される可能性が低いこと、②攻撃元《アトリビューション》の特定が困難なこと、③攻撃コストが低いこと、④成功した場合に高い利得が得られること、⑤法律が未整備であること〔丸数字は訳者〕といった〔サイバースペースに〕固有の特徴が伝統的な抑止理論の適用を難しくしていると指摘している。[29] また、冷戦期に通用した「耐え難い反撃を加えるという脅し」は〔サイバースペースでは〕抑止の土台として成り立たないという議論も広く見られる。ドロシー・デニング（Dorothy Denning）は、核抑止の成功は、もともとその使用が抑制されている兵器自体の性質に大きく依存していると指摘している。[30] デニングによれば、核兵器の使用は滅多に起こらず、いかなる攻撃においてもほぼ確実に攻撃元を特定できる。リチャード・ハークネット（Richard Harknett）はこの見方に同意し、核抑止の枠組みは「特定の戦略環境に対する特定の戦略的対応を扱っており、あらゆる兵器に普遍的に適用できるわけではない」[31]と述べている。そのうえでハークネットは、抑止はサイバースペースに特有の「攻勢持続型の戦略環境」には馴染まないと述べている。しかし、マーティン・リビキ（Martin Libicki）は、仮に「アメリカが圧倒的なサイバースペース作戦を実施できると他国が理解するに至れば、アメリカが報復としてそれを使用するかもしれないという恐怖心は、アメリカの抑止パッケージの一部となり得る」[32]と主張している。

抑制的な反応

前述〔第4章〕したように、民主党全国委員会への不正アクセス以前の段階で、ロシアのハッカーたちは国務省、ホワイトハウス、統合参謀本部の機密指定のないネットワークへの侵入に成功していた。サイバーセキュリティ企業のクラウドストライク（CrowdStrike）社は、侵入したハッカーはロシア政府の代理グループである〈APT29〉（Cozy Bearとも呼ばれる）であると主張した。[33] 国務省では、ネットワークの中に不審な活動の痕跡が見つかった後の数日間にわたり、eメールシステム全体がシャットダウンした。[34] ハッカーを締め出す努力が国務省で続けられていたにもかかわらず、彼らは再び国務省のシステムに侵入し、不正取得したeメールアカウントを利用して今度はホワイトハウスにフィッシング攻撃を行った。[35] この攻撃はホワイトハウスで発見され、旧型のマルウェアが取り除かれたため、ハッカーたちは新しいマルウェアをインストールして再攻撃を加えた。[36] ２０１５年4月に公表された報告書の中で、ロシアはホワイトハウスの非機密指定ネットワークに侵入したとして公然と非難された。この報告書が「我々はお前たちが何をしようとしているか、いかなる方法で成し遂げようとしているかを知っている、というクレムリンへのメッセージ」[37] を伝えようとしたものであったことは明らかだった。このモスクワへの遠回しの脅しには、悪質なハッキングには重大な結果が伴うことを伝える意図が込められていたはずだった。しかし、その後、何の手も打たれなかった。それは大きな誤りであったし、誤った前例となってしまった。もしこのとき、ウラジーミル・プーチン大統領が「ホワイトハウスのシステムに不正アクセスをしても支払うべき代償はない」[38] と認識したとすれば、民主党全国委員会にハッカー行為を仕掛けないという選択肢が彼にあっただろうか？

２０１６年10月、アメリカはロシアがアメリカ大統領選挙に介入したことを正式に非難した。国土安全保障省と国家情報長官室は「ロシア政府は最近起きたアメリカの個人および政府組織を含む機関のeメールに対する不正侵入を指示した」[39] と確信をもって表明した。さらに「活動の範囲と性質を考えると、それらを承認できるのはロシアで最高位の人物しかあり得ない」[40] と考えられると語った。アメリカの議員たちはこの声明を歓迎し、バラク・オバマ政権がクレムリンに制裁を科することを期待した。国土安全保障委員会のメンバーであるベン・サス（Ben Sasse）上院議員は「ロシアは深刻な結果を招くことを真剣に受けとめるべきだ。アメリカは外交、政治、サイバー、経済の分野で断固とした対応を行い、プーチン大統領の判断を覆さなければならない」[41]と語った。オバマ大統領はそうした主張を肯定し、「我々は行動を起こす必要があり、それは我々が選んだ時期と場所で行われるだろう」[42]と語った。

アメリカのインテリジェンス機関や補佐官たちは、オバマ大統領が政策を検討するために必要となる選択肢を準備した。その選択肢は明確で革新的だった。その一つは、オリガルヒ〔ロシアの新興財閥〕とプーチン大統領との金融上のつながりを暴露するという案だった。しかしこの選択肢は、ロシア人たちに何ら衝撃を与えるものではないとの理由から却下された。[43] また、ロシアのハッキングに利用されたツールを公表するという案も出されたが、アメリカが〔検知のために〕使用したソフトウェア・インプラントを相手に知られてしまうという懸念が持ち上がり、これも見送られた。[44] その他、経済制裁の発動、攻撃の背後に潜むハッカーを訴追するという案もあった。政権内ではロシアに対する隠密なサイバー攻撃の可能性についても検討されたが、会合の場で、ロシアから反撃を受けた場合の見通しについて懸念が表明された。その懸念とは、サイバー戦のエスカレーションを引き起こすことに対する不安と、アメリカはロシアよりも失うものが大きいというものだった。討議に参加したある人物はのちに、「もし我々がロシアとの間でサイバーの報復合戦に突入した場合、我々に有利な状況とはならない」と語った。「サイバー戦では、彼らは我々に多くのダメージと重大なインパクトを与えることができる」[45]。さらに深刻なのは、ロシアはすでにアメリカ国内の重要インフラに対するサイバー攻撃によって反撃を加えることのできる――おそらく電力網を遮断できる――作戦マニュアルもっていることへの懸念であった。[46] このように、サイバースペースにおいてアメリカは「エスカレーション優位」を保持しておらず、潜在的な紛争を終結に導く手立てを持ち合わせていなかったのである。[47]

最終的に、アメリカは反応は見せたものの、それはサイバー領域においてではなかった。２０１６年12月後半、オバマ大統領は懲罰措置の一括案に署名した。その中身は、制裁、国外追放、施設の閉鎖から成り立っていた。大統領は「これらの措置は、これまでにもロシア政府に向けて公式・非公式に繰り返し発してきた警告に従ったものであり、確立された国際的行動規範に違反してアメリカの利益を侵害する活動への必要かつ適切な対応である」[48]と述べた。制裁措置は「２０１６年のアメリカ大統領選挙プロセスに介入することを目的とし、あるいは影響を及ぼすことを企図した情報の改ざん、変更、不正流用」[49]を行ったかどでＧＲＵを対象に発動された。また、制裁対象にはＧＲＵの活動を支援したＦＳＢ、ＧＲＵ所属の４人の幹部、ＧＲＵのサイバー工作に物的支援を提供した３つの団体が挙げられていた。制裁では渡航禁止や資産凍結が科せられたが、主要な制裁対象者の国外の所持品や資産凍結の対象となる資産のありかはほとんど知られていなかった。したがって、経済制裁は「対象が狭く限定され、計画を支援した者にとってさえも制裁のインパクトは概して象徴的なものだったと見なされている」[50]。

また国務省は、ワシントンのロシア大使館やサンフランシスコのロシア領事館において外交官特権のもとで活動していた35名のインテリジェンス工作員を国外追放とした。工作員とその家族は、出国まで72時間の猶予を与えられた。さらに国務省はモスクワに対し、ロシアの外交官たちの夏の避暑地と考えられていたメリーランド州東海岸とロングアイランド島にあったレクリエーション施設を使用してはならないと通知した[51]。しかし、そうした追放や差し押さえに対する報復として、ロシア駐在のアメリカ外交官たちは、ロシアの保安警備員や警察から嫌がらせを受けた。こうした制裁措置は当初、期待された効力を弱めながらも、選挙関連の一括的制裁案として採用されたものだった[52]。アメリカ政府は「防御担当者がロシアによる世界的規模の悪質なサイバー活動キャンペーンを識別し、検知し、阻止する」[53]ことに役立てるよう、機密指定が解除されたロシアのサイバー活動に関する技術情報を公開した。プーチン大統領は、ロシアはアメリカがとった措置に対抗措置を講じるつもりはないと語り、オバマ政権が困惑することを狙ったかのように、公の場で自制心があるところを見せつけた。プーチンは対抗措置の代わりに、アメリカの特命公使の子供たちをクレムリンで開催した新年の祝賀会に招待した。[54] プーチンは抑制されることなく、次のハッキングの目標をフランス大統領選挙に据えた。

2017年　フランス大統領選挙

プーチン大統領が〔アメリカによる〕包括的懲罰措置に報復しなかった理由をめぐっては、さまざまな議論がなされた。元国家安全保障担当補佐官のマイケル・フリン（Michael Flynn）がFBIに虚偽の証言を行ったとして告発された事件の起訴状には「アメリカがロシアに科した制裁に対抗して事態をエスカレートさせないよう……駐米ロシア大使に頼んだ覚えはない」と虚偽の証言をし、またロシア大使が彼に向かって「ロシアはフリンの要請に基づき、アメリカの制裁への対応を緩和することに決めた」と語ったことを記憶していないと偽証したことが明らかにされている。[55] ここで疑いのない事実は、アメリカの制裁が深刻な結果を招く恐れを引き起こしていないということだ。というのも、わずか4カ月後、NSAがフランスのインテリジェンス機関に対し、ロシアのサイバーアクターがフランス大統領選挙に介入していると警告していたからである。[56] 2017年5月6日、フランス大統領候補のエマニュエル・マクロン（Emmanuel Macron）の政党アン・マルシュは、党のコンピュータ・システムが何者かにハッキングされ、情報流出が生じていると発表した。文書やeメールなど9ギガバイトのデータが、共有サイト「ペーストビン」（Pastebin）〔テキストデータを保存・公開できるウェブサービス〕で公開されたのである。[57] このデータの大量投棄は、フランス大統領選挙2日前という政治的ダメージを最大限に発揮できるタイミングを見計らって行われた。

漏洩したファイルは、アン・マルシュ党職員の個人用と業務用双方のeメールアカウントから抜き出された。セキュリティ企業のトレンド・マイクロ（Trend Micro）社は、親クレムリン派のハッカー集団〈ポーン・ストーム（Pawn Storm）〉、別名APT28の存在を突き止め、同年3月に開始された多方面のフィッシング・キャンペーンが攻撃の起源らしいことが判明した。[58]〈ポーン・ストーム〉はアン・マルシュ党職員になりすましてドメインを立ち上げ、偽のリンク先とログイン・ページを添付したeメールを送りつけ、選挙運動スタッフたちが偽のリンクをクリックするか、彼らのユーザー名とパスワードを漏らすように仕組んだ。このフィッシング攻撃とタイミングを合わせ、ロシアのメディアがフェイクニュースを流してマクロンの選挙キャンペーンを妨害した。[59]ロシアが関与した影響力キャンペーンの一環として、ロシアのインテリジェンス機関の工作員はフェイスブック用に架空のペルソナとアカウントを作成し、偽情報を拡散した。さらにボットを使って、流出したマクロンの周辺情報に絡ませたメッセージとレトリックを誇大に膨らませ、それらをもとに立ち上げたツイッター・キャンペーン #MacronLeaks はわずか3時間あまりの間にツイート件数が4万7000件に達していた。[60]マクロンの主要対立候補だったマリース・ル・ペン（Marine Le Pen）を支持していたアメリカの極右の活動家たちもそのハッシュタグを拡散した。そして3時間半と経たないうちに、流出した文書は数百万の人々の目にさらされることとなった。

アメリカ大統領選挙の運動期間中に起きた出来事を十分に観察していたアン・マルシュ党の技術専門チームは、ロシア人の活動を妨害する決意を固め、「発見した攻撃者らを混乱させる型破りな方法」[61]を編み出した。その方法の一つは「本物も偽物も含めた多数のパスワードやログイン情報を偽のサイトに大量に送りつけること」であり、「攻撃の背後にいる者たちはその解読に多大な時間を浪費することになる」[62]。人を鈍らせる取り組みとして、偽のeメールアカウントを作成し、それに虚偽のドキュメントを貼り付けた。偽のeメールの一部は、本物のドキュメントとハッカーたちが捏造した虚偽のドキュメントと一緒にハッカー集団のファイルサーバに一括して投げ込まれた[63]。この欺瞞テクニックにより、一般の人々がデータの信憑性に自然と疑念を抱くような状況を意図的に作為したのである[64]。フランス当局は投票前日、ハッキングから生じた影響の封じ込めに取り掛かった。選挙委員会はメディアと大衆に向けて、一括投棄されたファイルには偽のドキュメントが添付されていると公表し、ファイルの中身の情報を共有したり出版したりすると、刑事罰を科せられることもあると注意を促した[65]。政府が24時間の報道規制を敷いたことも、情報流出の拡大を封じ込めるのに役立った。こうしてロシアの影響力キャンペーンがあったにもかかわらず、エマニュエル・マクロンは65パーセントの得票率を得てル・ペンに勝利した[66]。

フランスの国家サイバーセキュリティ庁は、マクロンの選挙運動に介入したハッカーたちと〈ポーン・ストーム〉との活動の類似性にもかかわらず、ロシアを名指しすることを控えた[67]。マクロン陣営は、システムへの「数千とはいかないまでも数百件に及ぶ攻撃」が「ロシア国内またはその近傍からもたらされた[68]」と主張した。公式な証拠からはロシアの関与を完全に証明することは難しかったものの、NSA長官のマイケル・ロジャースは議会に対し、少なくとも選挙介入の一部はロシアに責任があることを示唆した。マケイン上院議員がロジャースに「ロシアの行動の中で、以前よりも減少したところはありますか？」と質問すると、ロジャースは明白に「いいえ、ありません」と答えた[69]。このロジャースの発言は「2016年大統領選挙におけるハッキングと情報漏洩に対し、アメリカ政府からさまざまな対応があったにもかかわらず、ロシアのサイバー行動は民主主義国家の選挙プロセスへの介入を継続するだろうか」という疑問を一瞬にして払拭した。

名指しと恥さらし

アメリカは、ロシア政府とその代理グループにサイバー行動の責任を負わせようとする試みとして「名指しをして恥をさらす(name and shame)」戦略を採用している。[70] ロシアは注目されることを面白がっていたようだが、それで抑止されることはなかった。2016年10月、ロシアがアメリカ大統領選挙に介入したと〔アメリカ政府から〕公式声明があった後、クレムリンはそのような疑惑を簡単に「ナンセンスだ」[71]と一蹴した。セルゲイ・ラブロフ外相は、お褒めの言葉とも受け取れるが、いわれのない非難であり、「たったひとつの事実も、たった一つの証拠もない」と言い切った。[72] ロシアの行動を変えようとするアメリカ政府の試みをよそに、ロシアはアメリカ、欧州、とりわけウクライナに対して国内を不安定化するサイバー行動を繰り返していた。2018年2月、アメリカは再び「名指しと恥さらし」戦略を実施し、世界中に拡散した破壊的なワイパーワームの《ノットペーチャ》を解き放ったとしてロシア軍を公式に非難した。[73] ホワイトハウス報道官のサラ・ハッカビー・サンダース(Sarah Huckabee Sanders)は、《ノットペーチャ》が「国際的に重大な影響を招く無謀で無差別なサイバー攻撃」[74]であったと簡潔な声明を出した。その「国際的に重大な影響」とは何かを彼女は語らなかったのだが。このように、国力を構成する多様な手段を活用して「サイバー行動はコストに見合わない」ことをロシアの指導者たちに納得させるには限界があったのである。

経済制裁

2015年4月、オバマ大統領は「我々の国家安全保障、外交政策、経済にとって最も重大なサイバー脅威に対処するための新たなツール」[75]を承認し、「財務長官に対し、司法長官と国務長官と協議の末、サイバーを活用した悪意ある活動への責任を有するか、あるいは共謀したと判定された個人および主体に対し、制裁を科す権限を与える」[76]行政命令に署名した。この命令により、有責者が所有する財産とその利権を停止し、アメリカ合衆国への入国を禁止することとされた。[77]サイバーセキュリティ調整官のマイケル・ダニエル（Michael Daniel）は「この権限により、悪意あるサイバーアクターを抑止し、コストを賦課する新たな手段をもつことができる」[78]と語った。アメリカはこの行政命令により、相手国の政府や組織だけではなく、個人に対しても〔政府や組織と〕同じように制裁を加えることができるようになった。本来、この命令は「米中サイバー合意」〔2015年9月〕が成立する以前に、中国企業や個人に対する制裁の脅しとして最初に適用されるはずであった。[79]ところが実際には、選挙ハッキングを受けた後に、オバマ大統領が「我々は本気である」[80]とロシアに伝えるための制裁ツールとして利用されることとなった。2017年の夏、ドナルド・トランプ大統領はロシアに対して新たな制裁を科す権限を盛り込んだ法案に署名した。[81]

2018年3月、アメリカは《ノットペーチャ》および他の悪質なサイバー攻撃に関与したロシアの個人と組織に対し、金融制裁を発動した。[82]この制裁はロシア政府のために活動したGRUを含むサイバーアクターを対象とし、「2017年のノットペーチャによるサイバー攻撃の直接的な有責者」[83]としてGRUを名指しした。また、2016年のアメリカ選挙への介入に関与した3つの組織、具体的には「インターネット・リサーチ・エージェンシー」、「コンコード・マネージメント・アンド・コンサルティング」、「コンコード・ケータリング」および13名の個人が名指しされた。スティーブン・ムニューシン（Steven Mnuchin）財務長官は「政権はアメリカの選挙への介入、破壊的なサイバー攻撃、重要インフラを標的とした侵入などを行っている悪質なロシアのサイバー活動に立ち向かい、抵抗している」[84]と大々的に公表した。翌月、財務省の外国資産管理室は悪質なサイバー活動に部分的に関与したとして、ロシアのオリガルヒ7名と彼らが所有・管理する12の企業、ロシア政府高官17名を指定した。指定された個人と組織の資産のうち、アメリカの管轄権内にあるものは凍結され、アメリカ市民は彼らとの取引を禁止された[85]。

2018年8月、マーシャル・ビリングスリー（Marshall Billingslea）財務次官補は、オリガルヒを名指しした影響が「1日も経たないうちに実感された[86]」と議会で証言した。2018年4月9日、ロシアの富裕層上位27名の自己資産総額は推定160億ドル減少し、ロシアの株価指数は過去4年間で最安値を記録し、ルーブルも週末には3・2パーセント下落した[87]。だが、こうした制裁措置は2014年のクリミア併合後にアメリカと欧州連合がロシアに科した制裁とほとんど変わらないように見えた。ただし今回は、ロシアの銀行や法人向けの市場が反発する姿勢を見せた。というのも、「アメリカの制裁対象者のために、あるいはその代理として、不正取引や仕組み取引を含む実質的取引を故意に進める[88]」場合、当該外国人も制裁指定の対象に含まれると明言されていたからだった。それにもかかわらず、ビリングスリー財務次官補は「ロシア経済の規模、そしてロシア経済がグローバル経済と金融システムに深く組み込まれている状態は、ユニークな問題を提起している[89]」と議会証言で指摘した。そうしたシステムとの一体性の根深さは、2018年12月にトランプ政権が議会に通知した文書からも窺い知ることができる。その通知書の狙いは、世界第2位のアルミニウムの生産・供給業者であるルサール社を含んだロシア企業2社に対する制裁を解除することだった[90]。

議会への通知書の中で、外国資産管理局長のアンドレア・M・ガッキ（Andrea Gacki）は、ルサール社を制裁対象に指定した途端、「世界的なアルミニウム市場はすぐさま反応した。アルミニウム価格は急騰し……アメリカ、アイルランド、スウェーデン、ジャマイカ、ギニアなどにある子会社はたちまち閉鎖された[91]」と述べている。ガッキ室長によると、ルサール社は「大々的なリストラと企業統治《コーポレート・ガバナンス》による変革」に取り組み、有力なオリガルヒであるオレグ・V・デリパスカ（Oleg V. Deripaska）――現在はルサール社の経営権を手放している――は今も制裁リストに載せられ、彼の資産は法の規定にしたがって凍結されたままである。これはモスクワに科した中で最もインパクトのある標的を定めた制裁《ターゲティド・サンクション》であったが、今回の措置はその効果を骨抜きにするものだった。[92] 財務省の決定は、トランプ政権が「ロシアの近隣諸国とアメリカに対する行動について、モスクワに誤った信号」[93]を送ったとの批判を民主党議員から招いた。民主党が優勢な下院では、トランプ政権の緩和措置に反対する議決がなされた一方、共和党優位の上院は政権案に賛成した。[94] こうしてトランプ政権の送ったシグナルは、プーチン大統領の信念を強める結果を招いた。その信念とは、他国がロシアを脅威と見なすのは誤りであること、米欧がロシアに実施してきた経済制裁は自分たちの利益にはならないことを米欧が理解できれば、その誤った考えはおのずと消え去るということ、であった。[95] プーチン大統領は、他国が圧力を加える方法は「効果がなく、反生産的であり、すべてに対して有害である」[96]と強調した。財務省による制裁の指定は直接的な金融上のインパクトをもたらしはしたが、米欧の制裁は、プーチンにとって勝ち目のある数年にも及ぶ消耗戦へと姿を変えることとなった。

　ウクライナ情勢をめぐる欧州連合、アメリカ、カナダ、オーストラリア、その他の国々による一連の制裁およびマレーシア航空MH-17A便の墜落事件が重なり、ロシア通貨は下落し、資本の流れは停滞した。

　２０１４年から２０１６年にかけて、ルーブルの為替相場は対米ドル比で50パーセント下落し、商品の輸入量は減少した。[97] 同様に、国外からの直接投資の減少に伴い、２０１３年から２０１７年にかけて外国銀行からの融資や負債総額は２１００億ドル減少した。[98] ロシアのＧＤＰは２０１４年から２０１６年に収縮したが、２０１７年には石油価格の上昇に支えられて成長へと転じ、２０１８年には１・８パーセントの穏やかな伸びを見せた。[99] プーチン大統領は成長よりも安定を優先し、数十億ドル規模の予算剰余金を国民福祉基金や中央銀行につぎ込むなどして〔米欧からの〕経済的圧力に対応してきた。失業率は低く、インフレも抑制されており、厳しい経済措置が「ロシアの政治に深刻な影響を与えるほどの危機を引き起こす」[100]とはとても言えない状況であった。

いずれにせよ、制裁がロシアの攻勢を止められない理由は、その政治システムにあった。プーチン大統領は自らの高い支持率から得られる恩恵をエリートたちに分け与えることで、政治体制のトップの地位を維持していた[101]。エリートたちは〔米欧からの〕制裁措置に不満を抱いていたかもしれないが、プーチンの対外政策に正面から異議を唱えることはしなかった。プーチンに歯向かった場合、自社への国家支援の打ち切りや汚職捜査の槍玉に挙げられる。制裁の中にはクレムリンとエリートの関係を引き裂くものもあるが、むしろロシア政府からの融資を受け、米欧の債権者への支払いに充てるといった行動を選択する者もいた[102]。モスクワを拠点とする戦略技術分析センターのリュスラン・プーホフ（Ruslan Pukhov）が指摘しているように「たとえロシアが対外政策のあらゆる重要正面で譲歩しても、アメリカの制裁が目に見えて緩和されることはない、というのがロシアでは一般的な見方[103]」であった。したがって、ロシア国民は米欧が疲弊し、〔米欧との〕関係が正常化するまで、クリミアなど重要な占領地を手放すことはなく、〔欧州との〕長い対決に耐え抜く決意をしているように思われる。

法的訴追

司法省は国家関与の有無にかかわらず、刑法に違反した個人を訴追するため起訴状を発出した。起訴というものは望ましくない行為を働いた者に対し、受刑というコストを賦課することである。２０１８年７月、コロンビア自治区大陪審は、アメリカでの違法行為を共謀した容疑でＧＲＵを起訴した。具体的には、ＧＲＵは大規模なサイバー工作に関与した複数の実行部隊を傘下に置き、２０１６年のアメリカ大統領選挙に介入した。全部で11名のＧＲＵ幹部が「認識しつつ故意に」共謀し、選挙に関わりのあるアメリカ市民のコンピュータに不正アクセス《ハッキング》し、文書を窃取し、それらを公開した[104]。大陪審は２０１８年2月、アメリカを詐取した容疑でＩＲＡを起訴した。ＩＲＡは多彩な能力を有する多くの人材を抱え、アメリカを標的とした介入工作を実行した。13名の被告が「認識しつつ故意に」共謀し、２０１６年のアメリカ大統領選挙への介入を目的に、虚偽のアメリカ市民を装い、実在する人物のＩＤを盗用し、対立する双方〔民主党陣営と共和党陣営〕のソーシャルメディアのページとグループを運営した。[105] いずれ〔ＧＲＵとＩＲＡ〕の起訴事案も、２０１６年大統領選挙へのロシアの介入に関するロバート・モラー特別検察官の調査結果に基づいていた。

２０１６年のアメリカ選挙介入の容疑でロシア人が訴追されたことに対し、世界の両側〔アメリカとロシア〕では素早い反応が見られた。アメリカでは下院議長のポール・ライアン（Paul Ryan）が「これらのロシア人たちは、我々の政治システムに対する悪質で組織的な攻撃に携わった」[106]と語った。一方、共和党上院のベン・サス議員は「モラーはモスクワに警告を発しただけである」[107]と述べた。ロシアの実業家エフゲニー・プリゴジン（Yevgeny Prigozhin）は最初の起訴リストについて「アメリカ人は非常に感情的な人たちだ。自分たちが見たいと欲するものだけを見ている」[108]と語った。フォックス・ニュースチャンネルの司会者クリス・ウォレス（Chris Wallace）とのインタビューで、プーチン大統領は薄ら笑いを浮かべ、7月に発出された起訴状のコピーを手で払いのけた。ウォレスが起訴内容を説明しようとすると、プーチンはついに笑った。ロシアの大統領はあらゆる申し立てを否定し、「ロシアは国家として、選挙は言うに及ばず、アメリカ合衆国のいかなる内政にも介入したことはない」[109]と述べた。ロシアがアメリカと協力して、ＧＲＵやＩＲＡの容疑者を裁判にかけることなど決してしないことは明らかだ。ＦＢＩの最重要指名手配者の一人アレクセイ・ベラン（Alexsey Belan）がヤフーに対する破壊的なサイバーハッキングを首謀した容疑で起訴されたとき、ロシアは〔アメリカからの〕法執行への協力要請に応じる代わりに、〔ロシア国家の〕インテリジェンス資産となる契約をベランと交わした。[110] ロシアはアメリカ検察当局の活動も妨害している。近年、モスクワはアメリカの『フォーチュン』誌トップ１００に名を連ねる企業をハッキングした容疑でアメリカから指名手配されているハッカーのロシアへの送還に応じるよう、キプロス司法当局を説得した。またギリシアでは、40億ドル相当のビットコイン換金の容疑でアメリカから訴追されているハッカーのロシアへの送還を求めている。[111]

ロシア人たちがサイバー犯罪のかどで起訴され、アメリカに引き渡されてきたのは事実である。ロマン・セレズニョフ（Roman Seleznev）――ロシア議会議員の息子――は2014年にモルディブで休暇中のところを逮捕された。[112] 彼は2017年にシアトルの陪審において、38件の訴因により懲役27年の有罪判決を受けた。[113] GRUやIRAの容疑者たちがロシア国外、とりわけアメリカと刑事共助条約を結んでいる国々を放浪する機会など、ほとんどないだろう。それでもアメリカは、国家がスポンサーとなっているハッカー集団、特に重要インフラに侵入してくる者たちの訴追に精力的に取り組む意向を明らかにしている。[114] だが、そこには相手から同種の報復を受けるリスクもある。NSAのエリート・ハッキング部隊である「テイラード・アクセス・オペレーションズ」に所属していたジェイク・ウィリアムズ（Jake Williams）は「外国ハッカーを起訴した場合、自分たちが国外で逮捕される危険にさらされる懸念を表明した[115]」。〈シャドー・ブローカーズ〉が元NSA職員のハッカーたちを誹謗し、ドキシング（彼らの個人情報をインターネット上にさらした）して以来、ウィリアムズは国外で仕事を請け負うことを拒んでいる。サイバー軍での勤務経験をもつロバート・リー（Robert Lee）は、アメリカ政府が他国政府のハッカーを起訴することは「恐ろしく危険な前例となる」と語った。[116] 元NSA職員のデイブ・アイテル（Dave Aitel）は、ロシアが「やられた仕返しに誰かを告訴する」可能性は大いにあり得ると述べ、「彼らがそのような行為に及んだとき、何が起きるのか、我々は答えを持ち合わせていない」と説明している。[117]

パトリック・モーガンは、抑止とは「ある政府が欲するものを手に入れるため、武力の行使や威嚇を用いる強制外交と呼ばれるものの一つの局面」[118]であると述べている。経済制裁や法的訴追というメカニズムは、強制外交のツールキットとして有用である。例えば、「米中サイバー合意」は北京とワシントンで数週間にわたる中国政府高官との集中的な交渉と駆け引きを経て実現した。アメリカは前年〔２０１４年〕に、ＵＳスティール社とウェスティングハウス・エレクトリック社など、アメリカ経済界を対象としたサイバーキャンペーンを実行した容疑で、軍事部隊の傘下にいた５人の中国人ハッカーを訴追すると発表した[119]。習主席がワシントンを訪問する数週間前、オバマ政権はサイバー空間を通じて窃取したアメリカの企業秘密から利益を得ている中国の企業や個人を対象とした一括制裁案を作成した[120]。アメリカ政府当局はさらなる行動に踏み切る前に、予定されていた〔習主席の〕公式訪問の機会を利用して中国と一戦を交えようと決めていた。両国は多くの分野で協力関係が強化されていることを認めながらも、オバマ大統領は「中国は特に国家が後押しするサイバー空間を通じた経済諜報活動など、機微な分野における従来の慣行を変えなければならないことを〔中国側に〕わからせるつもりだった[121]」。

　オバマ大統領とは対照的に、トランプ大統領は閣議で「私ほどロシアに対し、厳しい態度で臨んでいる大統領はこれまでいなかった[122]」と主張した。トランプ大統領はさらに踏み込んで、制裁や外交施設の閉鎖を含む他の方法を列挙し、ロシアへの懲罰手段として利用した[123]。そしてロシアの侵略に対抗するため、ウクライナにオバマ大統領が許可しなかったジャベリン対戦車ミサイルの供与を承認した[124]。だが、そうした強硬姿勢にもかかわらず、２０１８年７月に行われたヘルシンキでの首脳会談の後の合同記者会見では、公式の場でロシアのプーチン大統領との対決姿勢を打ち出せなかったとの批判を浴びた。ロシアがアメリカ大統領選挙に介入したと考えているかと記者から問われ、トランプ大統領は「私の部下やダン・コーツ、それと何人かが私のところにやって来て、ロシアがやったと思うと私に言うんだ。私はプーチン大統領と会った。彼はただロシアはやっていないと言った。私はこう言いたい。ロシアがそんなことをする理由が私にはわからない[125]」と語った。この注目すべき発言は2時間に及んだプーチン大統領との一対一の会談の後になされ、それは前述した民主党選挙キャンペーン中にコンピュータをハッキングしたロシア人をアメリカが起訴したほんの数日後のことだった。上院外交委員会議長のボブ・コーカー（Bob Corker）は「大統領のコメントを聞いていると、何でも言いなりになる国家という印象を受ける[126]」と語った。

　強制外交で大事なことは、相手への圧力を持続することである。ローレンス・フリードマンはかつて、抑止とは「強制力に関する研究では下位概念《サブセット》に位置づけられ、強制には他者にある行動をとらせることを意図した威嚇が含まれる[127]」と述べた。トランプ大統領はヘルシンキでの驚くべき発言の中で、〔プーチン大統領に〕行動の変更を強制しなかった。下院議長のポール・ライアンはすぐさま「大統領はロシアが我々の同盟国ではないことを正しく評価しなければならない[128]」と語った。その翌日、トランプ大統領は「二重否定となる『そんなことをしない理由』と言うべきところを『そんなことをする理由[129]』と言い違えたと述べ、自らの発言を撤回した。だが、そんなことが重要なのではなかった。トランプ大統領は「プーチンは今日、きわめて力強く頑なに（選挙への介入を）否定した[130]」と表明したことで、ロシアの大統領を勇気づけてしまった。ロシアの政界やメディアは、首脳会談をプーチンの勝利と謳《うた》いあげた。有名なコラムニストのトーマス・フリードマン（Thomas Friedman）は、会談の要点は特別な関係を発展させることではなく、「ますます無謀となり、安定を乱しているロシア[131]」を抑止することであったが、トランプはそのチャンスを逃してしまったと批判した。それとは反対に、トランプはプーチンとの関係が重要だと信じているように見え、それは「大統領、ロシアはいまだにアメリカを標的としていますか？[132]」という記者からの単刀直入な質問に対し、「ノー」と答えたことからもわかる。

　それから1年と経たないうちに、ヘルシンキでの出来事が再現された。２０１９年5月、トランプ大統領はモラー特別検察官による調査の終了について、プーチン大統領と電話で会談した。ちょうど2週間前、モラー特別検察官は報告書の最初のページで「ロシア政府は2016年のアメリカ大統領選挙に広範かつ組織的なやり方で介入した」[133]と主張していた。しかし、トランプ大統領は敢えてプーチン大統領を非難したり、選挙介入に苦言を呈したりはしなかった。記者への説明は「我々はそれについて議論した。彼は、はじめは山のように大々的に始められたが、結局、ネズミのようにちっぽけな終わり方をしたという趣旨の話をし、笑みを浮かべた」という内容だったが、トランプによると「彼はそうなることを知っていた。陰謀など一切なかったと最初から知っていた」[134]。「次の選挙では介入しないよう、彼に伝えましたか？」と記者から問われ、トランプは「そのことは議論しなかった」と答えた。[135]下院情報委員会議長のアダム・シフ（Adam Schiff）は間髪入れずに「またしても、彼は我々の国家安全保障に背いた。一体、何のために？単なる自分の虚栄心と妄想のために」[136]とトランプを批判した。いずれにせよ、この電話会談でアメリカはまたしても強制外交のチャンスを失ったのである。

軍事行動

国防省が受けもつサイバー関連の3つの任務のうちの一つは「重大な結果を招くサイバー攻撃から国家を防衛する」[137]ことである。2018年の初め、さほど注目はされなかったが、ペンタゴンはアメリカ合衆国サイバー軍に「サイバー攻撃から国家を防衛するため、より攻勢的なアプローチを採用する」[138]権限を与えた。軍とインテリジェンス部門の関係者によると、ペンタゴンがサイバー軍を統合軍（unified combatant command）に格上げしたとき、外国のネットワークに対する攻撃への門戸を開いたのである。[139]この新たな権限により、サイバー軍の最新のコマンド・ヴィジョンには「ネットワークやシステムの向こう側で攻撃者を探し出し」、「危険な敵対者の活動が我々の国力を低下させる以前に、それに対抗する」との文言が盛り込まれた。[140] こうした「前方防御」（defend forward）を前面に打ち出すことで、サイバー軍の責任範囲は「敵対者の弱点を暴き出し、その意図と能力を把握し、攻撃源の近傍で攻撃に対処する」[141] ところまで拡大する。だが、敵対者のネットワークのある前方まで作戦範囲を拡大すれば、仮にそれが発覚した場合、国家間紛争へと至るリスクを抱え込むことになる。さらに、敵対者への対抗措置は「ドイツのような同盟国のネットワーク内で隠密に作戦行動をする必要が生じ、それはオバマ政権がたびたび躊躇した問題」[142] であった。〔サイバーの〕攻勢作戦にはそうした複雑な要因が関わるため、オバマ政権は慎重に時間をかけて、広範な省庁間プロセスを踏まえた大統領の承認による決定を重んじていた。

トランプ政権はこの省庁間プロセスを廃止した。その手始めに、「ディジタル抑止」などサイバー問題に関する統合戦略を作成するため各省庁の高官チームを率いてきたホワイトハウスのサイバー調整官ポストを廃止した。[143] 代わりに、サイバー関連の任務は国家安全保障会議の2名のシニア・ディレクターに割り振られた。オバマ大統領のもとでサイバー調整官を務めたマイケル・ダニエルは「いずれにせよ、我々の敵の活動量は増すだろう。減ることはない」[144] と語り、〔政権内の態勢の〕変更は相手に誤ったシグナルを送ってしまうと感じた。次に、ホワイトハウスは「大統領政策指令（PPD）第20号」として知られるオバマ時代の極秘覚書を無効にした。この文書には、政府が敵に対してサイバー兵器を発動できる時期が規定されていた。[145] この古いルールは「国家安全保障大統領覚書第13号」という極秘の指針に取って代わられた。この指針により、入念な省庁間プロセスによる審議決定の手続きを踏むことなく、国防省はより柔軟に攻勢的サイバー作戦を実行できるようになった。当時トランプの国家安全保障担当補佐官だったジョン・ボルトン（John Bolton）は「我々の手は、オバマ政権が陥ったように何かに縛られてはいない」[146] と公言した。過去のルールのもとでは、「重大な結果」を招くサイバー作戦は大統領の承認を必要としていた。[147]

また、国防権限法の新しい規定により、「伝統的な軍事活動」[148] に分類されている戦争行為には至らない範囲でのサイバースペースにおける軍事行動への道が開かれた。ただちにアメリカ・サイバー軍は新たな権限に基づく運用を開始した。2018年の中間選挙の開始前、サイバー軍はロシアによる偽情報の拡散を阻止するため、同国のトロールに狙いを定めた。eメール、ポップアップ、テキスト、ダイレクト・メッセージを利用して、サイバー軍は「アメリカ軍の隊員たちは君たちを特定し、活動を追跡している」[149]と〔ロシアのトロールに〕伝えた。ある政府関係筋は「ロシア人は直接脅かされていないが、刑事訴追または制裁の対象となり得ることを自覚すべきだ」と語っている。こうした警告はロシアの情報戦を予防するには限界があるかもしれないが、クレムリンによるサイバー行動のエスカレートを防止する効果を期待することができた。攻勢オプションの範囲には「標的とするコンピュータ、情報システム、ネットワークを操作、利用拒否、妨害、機能低下、破壊する」[150]サイバー行動のすべてが含まれた。それゆえ、外国ネットワークでアメリカのサイバー行動が活発化すれば、〔相手国による〕アメリカ国内のエネルギー、銀行、ダムを標的とした報復的攻撃が予想され、事態がエスカレートするリスクは相当に高まった。前方防御《フォワード・ディフェンス》アプローチに関しては、コロンビア大学のジェイソン・ヒーリィ（Jason Healy）が「明らかに、私たちがこれまで取り組んできたことはうまく機能していません。しかし、それがもたらす影響を慎重に考えておくことが大事です」[151]と語っている。例えば、「ニューアメリカ」〔アメリカのシンクタンク〕のサイバーセキュリティ政策フェローのデイブ・ワインスタイン（Dave Weinstein）は、もしアメリカ・サイバー軍がマルウェアを放出すれば「クレムリンはアメリカの政治家へのハッキングを中止し、アメリカ国内の重要インフラに潜伏させたウイルスを取り除くとでもいうのだろうか？　それとも〔サイバー軍が放った〕コードが解析により《リヴァースエン》模倣《ジニア》され、それがアメリカに向けて使われることになるのだろうか？[152]」と問いかけている。サイバースペースでロシアとの全面的な戦いを回避する慎重なアプローチの一つは、後者〔の問いかけ〕が現実化することを恐れることである。

結論

アメリカ・サイバー軍副司令官ヴィンセント・スチュワート（Vincent Stewart）中将は、2018年11月に行われた会議の基調講演で、「敵対者たちは、キネティック分野ではアメリカに太刀打ちできないことを承知している。彼らはミサイルや戦車との戦いには負けるだろう。しかし、紛争のレベルを下げ、サイバーで戦うことはできる[153]」と語った。同様に、元サイバー軍司令官のマイケル・ロジャース海軍大将は、2018年2月の上院公聴会において、多くのサイバー攻撃が「武力紛争の枠外で」発生し、「累積的に相手側に有利な戦略的利益をもたらしている」ことを認めている。[154]ロジャース大将は、アメリカは「我々の行動とコミットメントに対する敵の期待をリセットするため、サイバー攻撃に対して持続的に関与と抵抗を続け[155]」なければならないと主張した。このようなアプローチをスチュワート将軍は「持続的関与《パーシステント・エンゲージメント》」と呼び、サイバースペースでアメリカに逆らえば、必ず深刻な結果を招くことを敵対者に理解させることが大事だと説いた。スチュワートは「彼らの挙動にコストを賦課し、サイバースペースにおける規範と行動を形成するのは我々であるということを理解させなければならない[156]」と繰り返し述べた。

『2018年国防省サイバー戦略』は、国防省の「焦点は、アメリカの繁栄と安全に対して戦略的脅威をもたらし得る国家、とりわけ中国とロシアに置かれる[157]」と述べている。国防省はサイバースペースにおける競争と抑止の主要な方法として、「悪質なサイバー活動――武力紛争のレベルに至らない活動を含む――をその攻撃源において妨害・阻止するために前方で防御する[158]」。さらに、サイバースペースにおける戦略的競争の一環として、国防省は「重大なサイバー・インシデントを引き起こすアメリカの重要インフラを標的とした悪質なサイバー活動を先制し、撃破し、あるいは抑止することを追求する」[159]。ブランドン・ヴァレリアーノ（Brandon Valeriano）教授とベンジャミン・ジェンセン（Benjamin Jensen）教授によると、アメリカ・サイバー軍のアプローチは「先制がセキュリティの唯一可能な方法だと見なす傾向を強めている」[160]。サイバー軍のヴィジョンからは「サイバースペースの安全と安定を改善するため」[161]、アメリカのサイバー作戦は武力紛争の閾値に至らないところで、より効果的に競争を進めようとしていることが窺える。だが、ヴァレリアーノとジェンセンは「攻勢的態勢のサイバー政策は危険で非生産的であり、サイバースペースの規範を台無しにしてしまう」と論じ、アメリカは「ライバル国の拘束とエスカレーションの回避を目的とした限定的なサイバー作戦から成る防勢的態勢」を採用すべきだと主張している。この態勢は、マクロン陣営のネットワーク内部でロシアのハッカーたちを翻弄したときにフランス人が採用したような防御的な堅牢化と欺騙のテクニックを駆使して、「アメリカのシステムの脆弱性を改善する防護的な措置に重点を置いたもの」である。[162]

さらに、アトランティック・カウンシル〔アメリカのシンクタンク〕で上席研究員《シニア・フェロー》のピーター・クーパー（Peter Cooper）は、サイバー領域では自らの能力を相手に伝達することが難しいため、「〔サイバースペースのみの〕単一ドメインによる抑止は、ほとんど効果がない」と指摘している。[163] それに代わり、クーパーは「有効な抑止には全政府的アプローチが求められ、これに他国からの協力が加われば理想的である」[164]と述べている。アメリカはロシアのサイバー行動を抑止するため、全政府的アプローチにより「名指しと恥さらし」政策を展開するとともに、ロシアに対し、国力のあらゆる手段（経済制裁、強制外交、法の執行、軍事行動）を駆使してきた。しかし、２０１６年の大統領選挙への介入に対するアメリカの最初の反応を見たあと、ロシアは一連のサイバー行動を実施し、重要インフラへの侵入と損壊、民主主義社会に動揺と混乱をもたらしてきた。つまり、近年のサイバー軍によるロシア工作員に対する警告だけでは、２０１８年のアメリカ中間選挙期に見られたソーシャルメディア上での偽情報の拡散を防ぐことはできなかったのである。[165] 明らかに、ロシアの工作員たちは制裁や訴追を恐れていなかった。アメリカはサイバー攻撃源を特定する能力を着実に高める一方で、対応については後れを取ってきたといえる。[166] 国防省の最新のサイバー戦略では、前方防御《フォワード・ディフェンス》能力を利用する意思がはっきりと示されている。アメリカはこれまで「悪質なサイバー行動は許されない」という信念をロシア人に抱かせることに失敗してきた。それどころか、ロシア人たちは報復を恐れることなく、サイバー行動を実行し続けている。[167]

第3部
サイバー防衛のソリューション

第7章 現在のセキュリティ戦略

『2018年アメリカ国家サイバー戦略』に記載された抑止戦略の目的は「アメリカと我々のパートナー国に危害を与える無責任な行動に対し、賦課される結果[1]」を明らかにすることであったように思われる。これにより理論上、敵対者は報復を恐れて抑止されるはずである。だが、問題は「悪意ある目的のためにサイバーツールを利用する者を罰する」ことを意図した新しいアメリカの戦略は、敵対者たちの「意思決定の計算」を変える最適な方法といえるかどうか、という点にある。サイバー手段と非サイバー手段を用いて「迅速に、コストの高い、誰の目にも明らかな結果を強要する」という攻勢的戦略に依存すれば、紛争のエスカレーションや報復を招いてしまうという懸念も高まる。その代替となるアプローチは、敵対者の心の中に「行動は意図した通りには成功しない」という信念を植え付けることである。理論上、これにより敵対者は利益の獲得を拒否されることで抑止されるはずである。このようなサイバーセキュリティ戦略を用いた「コスト賦課」(cost Imposition)という防御方式の採用は「いかなる攻撃も無益である」という信念を敵対者に抱かせる潜在的可能性をもつ。そして、侵入を防止するとともに、(たとえ侵入を許した場合でも)情報が抜き取られ他に被害が生じる前に、相手の回避行動を検知する多層防御で対処するのである。

しかし、現在のセキュリティ戦略は「サイバー作戦は成功しない」という方向へとロシアのアクターたちの認識を変えることができるだろうか。これまでのロシア人たちの技術面での成功を考えれば、そうなる可能性は疑わしい。

拒否的抑止（deterrence by denial）による戦略は「攻撃は失敗するというシグナルを送る、またはそれを証明する」[2]ことにより、敵対者の「意思決定の計算」を変える代替的方法である。サイバーセキュリティ戦略はシステムと運営に関わるリスクを管理するところから始まり、多様なリスク・フレームワークの中で適切なセキュリティ管理対策（security controls）が選択され実装化される。多層防御戦略（defense-in-depth strategy）では、セキュリティ管理対策と関連するソリューションが〔システム内に〕周到に配置され、サイバーキルチェーン――サイバー行動の目的を達成するための一連の手順――の各段階において、敵対者の侵入を阻止・発見し、活動を妨害する。そして理想的には、セキュリティ管理対策は、サイバー脅威インテリジェンスの共有により補強されることが望ましい。

本章では、ネットワークとシステム・セキュリティの向上につながる「サイバーセキュリティ・リスク管理フレームワーク」の構造と多層防御戦略の利点について検討する。そして、遅くとも２０１６年３月以降に開始されたロシアのサイバー工作――アメリカのエネルギー部門の重要インフラに対する諜報活動――について分析する。最後に、サイバースペースにおける攻撃を防止し、相手が無責任な行動を通じて利益を得ることができないようにするセキュリティ対策について提案する。

まずリスクから定義すると、「ある主体が潜在的に起こり得る状況やイベントによって脅かされる度合いを指し、一般的に①状況やイベントが起きた場合に生じる危害の影響や規模、②発生する可能性、という2つの要素の関数として表すことができる」[3]。世界経済フォーラムは２０１９年の年次レポートの中で、発生する可能性の高いグローバル・リスクの第4位に「データの改ざんや窃取」、第5位に「サイバー攻撃」を挙げ、〔この2つが〕異常気象、気候変動、自然災害に次ぐ順位を占めた。この調査への回答者の大多数が「２０１９年はサイバー攻撃のリスクが高まり、マネーやデータの窃盗（82パーセント）およびシステム運営の途絶（80パーセント）が生じると予測していた」[4]。サイバー攻撃が重要インフラにリスクを及ぼす証拠として、同レポートは、ハッカーがアメリカ公益事業会社の制御室にアクセスしたとのアメリカ政府の声明を引き合いに出した（本章において事例研究として取りあげる）。同様に、ポネモン研究所〔データ保護や情報技術に関するアメリカの独立系調査会社〕による２０１８年の研究では「この24カ月以内で、組織の60パーセントが2回またはそれ以上の『業務を妨害するサイバーイベント』――重大な業務妨害、システム機器やサービスの中断によりデータ漏洩を引き起こしたサイバー攻撃と定義される――から被害を受けていたことが明らかになった」[5]。この期間中、先述したように、ロシアが攻撃元といわれるウクライナへの《ノットペーチャ》ランサムウェア攻撃が生じている。本件は世界経済フォーラムによる２０１８年のレポートでも、サイバーセキュリティの欠陥による財政的影響の高まりを示す顕著な例として取りあげられている。ポネモン研究所のデータポイントが明らかにしているのは、組織が利用したアプローチとツールでは、サイバーリスクを管理・計測・軽減するのに必要な業務をうまく焦点化することができず、リスクの可視化にも失敗したことである。これは「情報システム関連のセキュリティ・リスク」と呼ばれるが、それは「情報や情報システムの機密性（confidentiality）、完全性（integrity）、可用性（availability）の喪失に起因し、組織活動、資産、個人、その他の組織や国家に対して潜在的に不利な影響を及ぼしている」[6]。

「情報システム関連のセキュリティ・リスク」を緩和するため、国防省が採用するアプローチは「多層式のサイバーセキュリティ・リスク管理プロセスを実装し、アメリカの国益、国防省の運用能力、国防省の個人・組織・アセットを防護する」ことであり、これは「National institute of Standards and Technology (NIST) Special Publication (SP) 800-39」および「Committee on National Systems (CNSS) policy (CNSSP) 22」に記載されている。▼7 この2つ目の文書には、リスク管理のための包括的プロセスは「リスクのフレームワークを設定し、リスクを評価・対処し、継続的にリスクを監視することを組織に求める」と記載されている。▼8 CNSSP22はリスク管理の政策をこれまでの個人・組織・アセットを超えて、組織活動（任務、機能、評価）にまで拡大している。また、NIST SP800-39は、リスク管理プロセスの4つの構成要素を取りあげている。第一の「フレーム・リスク」では、「リスク重視の判断」を行う場合のパラメータを記述し、リスクが発生しやすいコンテキストを定める。現実的で信頼の高いリスク・フレームを設定するため、組織は「リスクの想定」（脅威、脆弱性、結果あるいは影響度、発生する確率）、「リスクの制約」（代替案）、「リスクの許容度」（リスクの受容可能なレベル、リスクの種類、リスクの不確実性の度合い）、「優先順位とトレードオフ評価」（任務あるいはビジネス機能、時間枠、その他の要因）を識別する必要がある。▼9

リスク評価の第2の要素は、「想定」の段階から「組織にとっての脅威の識別」の段階への移行である。「組織にとっての脅威の識別」とは、①組織内外の脆弱性、②脅威源が脆弱性を悪用した場合に組織が受ける危害、③この危害が起こる蓋然性（丸数字は訳者）である。第3の要素は「リスクへの対応」である。そこでは組織全体での一貫した対応が求められ、代替となる行動方針の案出と評価、採用案の決定と実行により達成される。リスク対応のタイプには、リスクの受容、回避、緩和、分担、転換がある。最後に第4の要素である「リスク監視」は、対応措置《レスポンス・メジャー》の実施状況を検証するとともに、その効果を判定し、情報システムの変化の影響を見極めるのに有用である。▼10

リスク管理プロセスは、複数の層の各レベルで実施される。第1層は組織レベル、第2層は任務／業務手続きレベル、第3層は情報システムのレベルである。この第3層レベル「リスク・フレーム」に対処する主要な手段が「リスク管理フレームワーク」(Risk Management Framework: RMF)であり、これはNIST SP 800-37に記載されている。[11]

リスク管理フレームワーク

RMFは「セキュリティやプライバシー関連のリスクを管理するための厳格で構造的なプロセス」[12]を提供する。RMFは国防省を含む連邦政府において導入が義務づけられているが、ビジネス、産業、学界など他の分野にも応用できる。RMFでは情報システムと共通の管理対策《コモン・コントロール》という2つの視点からリスクに対処する。情報システムについては、システムの「運用または利用」に必要な権限が付与され、それぞれセキュリティ・リスクとプライバシー・リスクに対応する。共通の管理対策については、指定された組織のシステムの運用に必要な特定の管理対策《コントロール》を行う権限が付与される。それゆえ、管理対策という用語にはプライバシーとセキュリティの管理対策の意味が含まれる。プライバシー管理対策は「組織内で運用される業務・技術・物理的な保護対策《セーフガード》から成り、プライバシーの確保に必要な要求を遵守し、プライバシー・リスクを管理するためのものである」[13]。保護対策には「セキュリティ機能、管理の規制、職員の保全、物理的な施設・地域・機器の保全」[14]が含まれる。他方、セキュリティ管理対策とは「システムとシステムが扱う情報の機密性、完全性、可用性を保護するため、情報システムと組織の規則として定められた保護対策もしくは対抗措置《カウンターメジャー》」[15]のことである。セキュリティ管理対策は、運用環境、関係主体、任務またはビジネス機能とは関係なく、〔組織の〕方針や技術から中立的であるように扱われる。これを用いることで、組織はシステムや情報保護のためのセキュリティ能力の開発や政策に専念できるようになる。

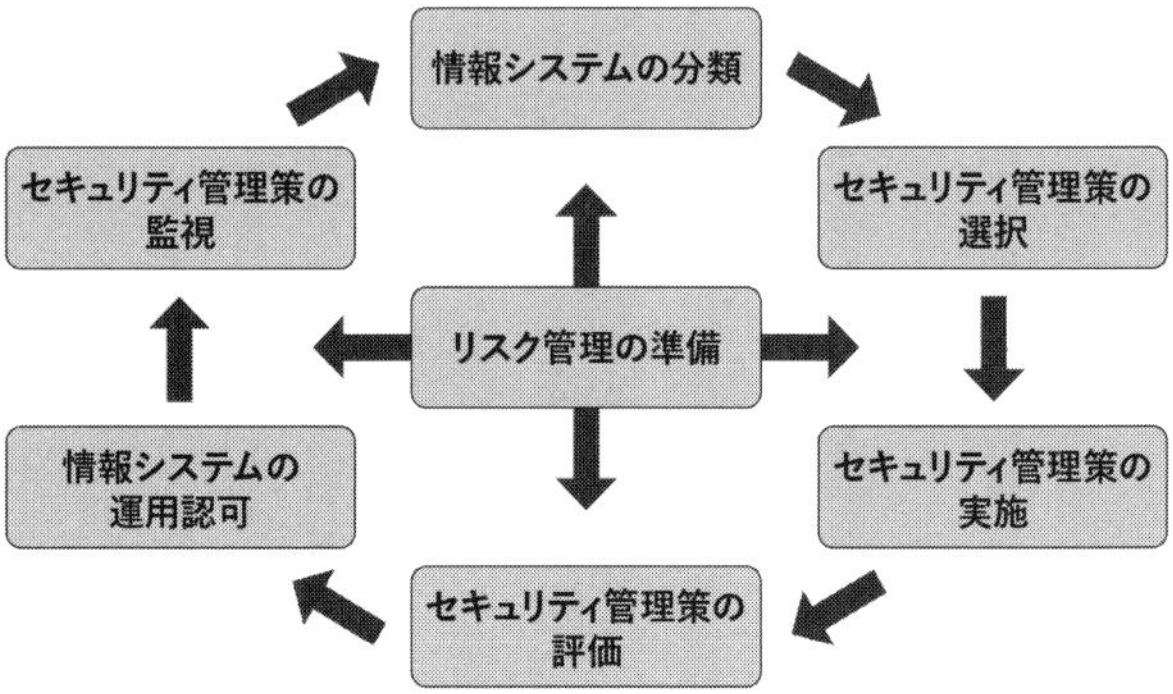

図 7-1　リスク管理フレームワークの手順
出典：NIST, " Risk Management Framework for Information Systems and Organizations," NIST Special Publication 800-37, Revision 2, December 2018, p. 9.

RMFは7つの基本的なステップから構成されている（図7-1参照）。第1ステップは「準備（prepare）」であり、リスク管理のコンテキストと優先順位を設定する。[16] 第2のステップ「分類（categorize）」では、仮にセキュリティ侵害が生じた場合、システムや関連情報の機密性、完全性、可用性の喪失が原因となって生じる潜在的影響度（低、中、高）を明らかにする。第3の「選定（select）」では、リスク評価から割り出した〔リスク〕許容レベルから、さらなるリスクが生じないよう最初の管理対策の方法を選定する。第4のステップ「実装（implement）」では、システム・エンジニアリングおよびソフトウェア・エンジニアリングの方法論、セキュリティ・エンジニアリングの原則、セキュリティ・コーディングのテクニックに対応した管理対策ソフトウェアをインストールする。[17] 第5の「評価（assess）」では、管理対策が適切に実行され、予測どおりに運用されているかどうかを診断する。第6の「認可（authorize）」では、〔第5の〕「評価」で見つかった脆弱性を再調査し、リスクが認められる場合にはそれが許容レベルであるか否かを判定する。最後の第7ステップは「監視（monitor）」であり、システム設定の変化がもたらす影響度および運用環境を診断する。このような一連のステップの順序は重要であるが、正規の手順からの逸脱は常に生じる。例えば、「評価」ステップの段階で改善が必要な事項を明らかにし、新たな管理対策を導入するなどの是正を図ることができる。また、何らかの変化がリスクを生み出すと認められた場合、ステップそのものが見直されることもあるだろう。[18]

ＲＭＦの各ステップには、明確な目的説明、明確な成果、成果を達成するための一連の業務がある。セキュリティ管理対策と同様、ＲＭＦは技術中立的であるよう設計されている。すべての「システムが情報を処理し、記憶し、送信する」ものであるため、その方法論は「いかなるタイプの情報システムにも改修することなく適用できる」[19]。これが意味しているのは、さまざまなタイプのシステム——クラウドベース、産業制御、兵器、サイバー診断、モノのインターネット（IoT）、携帯電話など——によって別のリスク管理プロセスをかならずしも必要としない——管理対策の選定や実装の要領に違いがあるだけ——ということである。

サイバーセキュリティ・フレームワーク

「重要インフラを対象としたサイバーセキュリティを改善するためのＮＩＳＴ枠組み」（以下「サイバーセキュリティ・フレームワーク」と表記）は、選択する管理対策を識別・調節し、システムとの整合を図るとともに、ＲＭＦ関連業務の実効性を向上させるために活用される。「サイバーセキュリティ・フレームワーク」の狙いは「優先順位を設け、柔軟性と再現性を有したパフォーマンス重視の費用効率の優れたアプローチ」を提供することである。このアプローチには「サイバーリスクの識別・評価・管理を容易にする情報セキュリティ対策と管理対策などが含まれ、重要インフラの所有者やオペレータに積極的に採用されるかもしれない」[20]。重要インフラとは２００１年の「アメリカ愛国者法」の中で「物理空間あるいは仮想空間を問わず、アメリカにとってきわめて死活的なシステムおよびアセットのことであり、かかるシステムおよびアセットの無力化または破壊が国家の安全保障、経済安全保障、公衆衛生や公安あるいは上記問題を組み合わせたものに有害な影響をもたらすもの」[21]と定義されている。

「サイバーセキュリティ・フレームワーク」は、サイバーセキュリティ活動、望ましい結果、重要インフラ部門に共通する有益な参照基準に関するコアセットから構成されている。その中核には、識別、保護、検知、対応、復元という5つの同時並行的な機能がある。[22]「サイバーセキュリティ・フレームワーク」を採用することにより、〔ユーザーの間で〕自発的に合意が得られた基準や、上記の中核機能に基づき実行された「最良の実践方法《ベスト・プラクティス》」が業界内で蓄積される。

また、「サイバーセキュリティ・フレームワーク」は結果を表示するプロファイル〔統計データや分析結果〕を利用し、「現状の」プロファイル〔「ありのまま」の状態〕と「目標とする」プロファイル〔「あるべき状態〕を比較することにより、サイバーセキュリティ態勢の改善方法を見つけ出すことに役立っている。[23]つまり、比較することで管理対策の欠陥を特定できるのである。利用可能な資源の費用・便益分析を行ったうえで、組織はその欠陥に対処するために新しい管理対策を実装できる。もともと「サイバーセキュリティ・フレームワーク」は重要インフラ対策として開発されたものであったが、本来の焦点や規模に関係なく、他の経済部門や社会部門のいかなる組織でも活用することができる。さらには、サイバーセキュリティ分野で世界的に承認された標準規格を採用しているため、アメリカ以外の国の組織も利用することができる。

早くも2015年には、インテル社などの一流企業は「サイバーセキュリティ・フレームワーク」が「セキュリティの優先順位を定め、適正な予算を組み、セキュリティ・ソリューションを実装する」[24]自社の能力向上につながったとし、その有効性を認めている。国土安全保障省で副長官を務めたアレハンドロ・マヨルカス（Alejandro Mayorkas）は、２０１６年に開催されたバーリントン国際サイバーセキュリティ・サミットにおいて、世界中から集まった専門家たちに対し、それぞれの母国において「サイバーセキュリティ・フレームワーク」を活用するよう推奨した。[25] ２０１７年5月、トランプ大統領は連邦政府各機関の長に対し、「サイバーセキュリティ・フレームワーク」の使用を義務づける行政命令に署名した。[26] ２０１８年4月には、ＮＩＳＴが「サイバーセキュリティ・フレームワーク」のバージョン１・１を公表した。このバージョンは「サイバー・サプライチェーン・リスク管理」に関する用語の意義を拡大し、サイバーセキュリティ・リスクの自己評価と購買決定に関する新たな機能を追加している。「サイバーセキュリティ・フレームワーク」を導入した連邦政府機関、民間企業、その他の組織はシステムを承認し、コントロールの実装・評価・監視にＲＭＦ業務を利用することができる。例えば、組織ごとにカスタマイズされたコントロールのベースラインと「サイバーセキュリティ枠組み」のプロファイル機能に基づき作成されたRMF TASK P-4は、「サイバーセキュリティ・フレームワーク」のプロファイルの構成と密接に連携しているのである。

多層防御戦略

リスク管理のための「サイバーセキュリティ・フレームワーク」は、優先順位に基づくセキュリティ管理対策とプライバシー管理対策の選定・実装・評価を可能にするのに対し、多層防御戦略はさまざまなリスク対策をどのように配分し、配列するかに関する指針として有効である。「多層防御」という用語は「人、テクノロジー、運営能力を融合し、複数の層にさまざまな障害を設置するとともに、組織の任務を確立するための情報セキュリティ戦略[27]」を意味する。このように、組織は「セキュリティ・アーキテクチャの中にセキュリティ保護対策（法令に基づく手続き、技術あるいはその両方）を戦略的に配置し、敵対者は自らの目的を達成するため、複数の保護対策を克服しなければならないため、当然ながら敵対者の仕事量は増大する。ポネモン研究所の調査によると、「強固な防御力を備えた組織は、攻撃の計画と実行に2倍以上の時間を相手に強要できる[29]」ことを明らかにしている。こうした階層的アプローチは、サイバー攻撃がもたらす負の影響度を緩和する。つまり、多層防御ソリューションを適切に運用すれば、もはやネットワークやシステムは魅力的な攻撃対象ではなくなる。多層防御戦略はハッカーを悩ませ、彼らの費用・便益計算を吊り上げ、サイバー攻撃は割に合わないとの認識を生み出すことができるかもしれない。

セキュリティ企業のシマンテック（Symantec）社は、ビジネス企業も多層防御戦略を採用するべきであると提唱している。同社の年次レポートでは「どんな技術や予防法にも潜んでいる単一障害点［この1カ所で障害が生じると、システム全体が機能停止してしまう致命的な部分］を防護するための、複合的に重なり合い、相互に補完し合える防御システム[30]」の活用が強調されている。また、多層防御戦略は軍事組織にも応用できる。アメリカ海軍は複数のセキュリティ対策を張り巡らせた多層防御戦略の運用が「アメリカ海軍のプラットフォームと企業のITアセットとの一体性を確保するのに役立つ[31]」ことを実証した。さらに、海軍の通達には、海軍のITはすべて多層防御戦略で常時防護されなければならないことが規定されている。いまや民間・公共部門の組織の多くはITインフラに多層防御の対策を講じているが、以前には、重要インフラのオーナーやオペレータの間では産業制御システム（ICS）を保護するために、そこまでする必要性は認識されていなかった[32]。ところが主要なサイバーインシデントの事例を見ると、ITとICSアーキテクチャが収斂するにしたがい、ICSが抱える潜在的リスクは増大している。それゆえ、DHSは

「多層防御戦略に基づく産業制御システム用サイバーセキュリティの改善」という文書の中で、「リスク・ベースのセキュリティ態勢を構築するため、複数の階層内に実装されたセキュリティ対策を利用する[33]」アプローチを奨励している。NISTはセキュリティ管理対策の配置が「綿密な分析を必要とする重要な活動である[34]」と表明している。セキュリティの配置に関する戦略的な多層防御アプローチには、サイバーキルチェーンに見られるセキュリティ問題に対する理解と、インターネット・セキュリティ・センター（CIS）が定める管理対策など、状況に適合した対策が必要とされている。

サイバーキルチェーン

２０１１年、ロッキード・マーティン（Lockheed Martin）社の研究員たちは、キルチェーン（kill chain）という軍事用語を用いて、サイバー侵入の諸段階を定義した。キルチェーンとは、キネティック攻撃を実施する際の目標の選定《ターゲティング》から交戦までの一連の手順を指す。このモデルは、侵入者は「順次的、漸進的、累積的な方法[35]」でネットワークやシステムへの浸透を試み、弱点を巧みに利用するという前提に基づいている。ロッキード・マーティン社が作成した「侵入のキルチェーン・モデル」には、「偵察」、「兵器化」、「搬送」、「エクスプロイテーション」、「インストール」、「遠隔操作」、「目標達成のための実行」という7段階がある。エンド・ツー・エンドのプロセスの各段階には、攻撃者が次の段階に進むために使用するツールやテクニックが記述されている[36]。一般向けに簡略化されたモデルは、チェーンのどのリンクが途切れてもプロセス全体が中断される仕組みになっている。ロッキード・マーティン社による各段階の説明を要約すると、次のとおりになる。

侵入キルチェーン

①偵察（Reconnaissance）　ターゲットを調査、識別、選定するため、eメールアドレス、社会的関係、特定技術（システム、アプリケーション、サービスなど）に関する有益な情報を収集

②兵器化（Weaponization）　攻撃ベクターの識別――例えば、遠隔アクセス型のトロイの木馬とエクスプロイトを結合し、運搬可能なペイロード（兵器化されたドキュメントなど）またはカスタマイズ化したツールを作成

③搬送（Delivery）　ターゲット環境への兵器の送信――例えば、eメールやUSBスティック、モバイル機器を経由

④エクスプロイテーション（Exploitation）　アプリケーションやオペレーティング・システムの脆弱性あるいはオペレーティング・システム機能を利用し、侵入コードを起動・実行

⑤インストール（Installation）　持続性を維持するため、アセットにバックドアとして機能するマルウェアを設置

⑥遠隔操作（Command and Control）　攻撃者がターゲット・システムを遠隔操作するため、遠隔操作サーバにビーコン信号を発信

⑦目標達成のための実行（Action on Objectives）　侵入者は、ターゲット環境の中で目標を達成――例えば、破壊、操作、情報窃取▼37

このモデルが公表されて以降、高度なサイバー脅威アクターの戦術やテクニックを理解するため、他のセキュリティ企業によってキルチェーン概念に修正が加えられた。例えば、ウェブセンス（Websense）社のサイバー攻撃キルチェーン・モデル（7段階）は、①偵察、②擬似餌《ルアー》、③出力先の変更《リダイレクト》、④エクスプロイ

ト・キット、⑤ドロッパー・ファイル、⑥呼び出し電話、⑦データ窃取〔丸数字は訳者〕である。[38] このバージョンの最大の特徴は、ユーザーを騙してエクスプロイト・キットを含む侵害されたウェブサイトへのリンクをクリックさせる、表向きは無害に見える「擬似餌《ルアー》」段階を強調している点にある。

デル（Dell）社はサイバー攻撃をわずか4つの基本的な段階「①偵察〔脆弱性の発見〕、②侵入〔ネットワークへの浸透〕、③マルウェアの注入〔密かにコードを残置する〕、④痕跡除去〔足跡の隠蔽〕」[39]〔丸数字は訳者〕に分類している。このデル社の概念は、サービス拒否攻撃を包含するためにあえて侵入段階に絞ったロッキード・マーティン社版の対象範囲を超えている点が注目される。セキュリティ企業のサイバーリーズン（Cybereason）社は、攻撃のライフサイクルには①外部偵察、②突破、③遠隔操作、④拡散、⑤横断的侵害《ラテラル・ムーブメント》、⑥ダメージの付与〔丸数字は訳者〕といった6段階を提示している。[40] これらのモデルを見ると、ハッキングには多様な方法があるという事実に改めて気づかされる。また、サイバー攻撃の各段階にさほど変化が見られない場合でも、各段階には多くのオプションが含まれている。例えば、搬送《デリバリー》の段階は「フィッシング・メールの送信」から「ユーザーを虚偽のウェブページに誘い込む」〔紛れもなく本物そっくりに見え、そこでログイン用の認証情報を窃取する〕ところまで進化している。[41] とはいえ、いずれの企業のバージョンやオプションも、敵を防ぐ前に敵を知る必要があるという、防御側の考え方は変わらない。

CIS管理対策

サイバーキルチェーンの概念は、各段階においてどのような「攻撃のダメージを局限する機会」があるかを浮き彫りにする。防御側は各段階の機会を利用し、セキュリティ管理対策により攻撃プロセスを遮断することができる。攻撃者の身になって考えるためには、防御側は実際の攻撃知識に基づいたセキュリティ管理対策にアクセスしておく必要がある。『ＣＩＳ管理対策（CIS Controls）』は、サイバー攻撃に対してどのような保護対策が有効であるかを実体験を通じて判断しているセキュリティ専門家のコミュニティによって作成された。そのセキュリティ分野の専門家たちは、小売業、製造、医療、教育、政府、国防といった幅広い分野を代表している。『ＣＩＳ管理対策　第７版』は「システムやネットワークに対して最も共通して見られる攻撃を局限し、多層防御方式による最良の実践方法《ベスト・プラクティス》を集約して作り上げた優先度の高い対処法[42]」であり、高い評価を受けている。今では『ＣＩＳ管理対策』は「早急に対処すべき最も重要な分野とは何か？」、「リスク管理プログラムを充実させるため、企業はどのような処置を講ずるべきか？」という問題に取り組んでいる[43]。

『ＣＩＳ管理対策』は最も一般的な攻撃から最も高度な攻撃に至るまで、さまざまな攻撃の予防、検知、対応、被害の局限のために設計された20項目の技術的対策を提示している。もともと『ＣＩＳ管理対策』ではＳＡＮＳ研究所〔アメリカのセキュリティ教育・研究機関〕が開発した「重要セキュリティ管理対策（critical security control）」へのシステム侵害を阻止することに重点が置かれていたが、今では不正アクセスを受けたコンピュータの検知や攻撃者による持続的攻撃の防止に至るまで対象範囲を拡大している。『ＣＩＳ管理対策』の中で提示されている効果的なサイバー防御態勢の５つの重要理念は、次のとおりである。

①攻撃から防御法を学ぶ　現実世界に生起した攻撃を阻止した実績をもつ実践的防御法を活用
②優先順位の設定　最も危険なサイバー脅威アクターに対し、最もリスクを軽減できる管理対策に優先的に資源を投入
③効果の測定と基準の設定　セキュリティ対策の有効性を測定する共通基準を設定
④継続的な診断と対策　現行のセキュリティ対策の有効性を検証し、次なる対策の優先順位を設定
⑤自動化　防御を自動化し、信頼性の高い継続的なアドヒアランスとメトリクスの測定を実現[44]

20項目の管理対策は、原則（basic）、基盤（foundation）、組織（organizational）の3つのカテゴリに分類されている。これらは55頁という比較的少ない分量で整理されているが、十分に吟味された内容であるため、『NIST特別刊行物800-53』の500頁にも及ぶ膨大な量の中から防御担当者が最適のセキュリティ対策を選び出すのと比べ、より簡略化されたアプローチとして有益である。

このように『CIS管理対策』は「NISTサイバーセキュリティ・フレームワーク」の中で参照すべき手引書《レファレンス》として役立っており、その内容は上述した5つの重要理念に集約されている。それはサイバーキルチェーンにも反映され、攻撃の影響度を最小限に抑えるために各段階でセキュリティ対策が層状に配置されている。例えば、キルチェーンの「偵察」段階において「CIS管理対策6――セキュリティ監査ログの維持・監視・解析」に収められたセキュリティ事例の集合解析・相関解析・リアルタイム解析を行うためのログ解析ツールを活用すれば、〔相手の〕偵察活動を探知することができる。[45]「エクスプロイテーション」段階では「CIS管理対策20――侵入試験およびレッドチーム演習」に記載された定期的な内外ネットワークへの侵入試験を実施することで、改修を要する脆弱性の存在を見極めることができる。[46]さらに「目標達成のための実行」段階では「CIS管理対策13――データ保護」に記載された不正なネットワーク・トラフィックを監視・阻止することにより、機密情報の不正流出を防ぐことができる。[47]ここでは攻撃ベクターを網羅したサイバー脅威インテリジェンスを共有することが盛り込まれており、それによってサイバー攻撃を予防・検知するセキュリティ対策の能力を向上させることができる。

サイバー脅威インテリジェンスの共有

ポネモン研究所によると、サイバー攻撃の39パーセントがサイバー脅威インテリジェンスを共有することで阻止されているという。[48] 脅威インテリジェンス（threat intelligence）とは「意思決定プロセスに必要なコンテキストとなる脅威情報であり、蓄積・変化・解析・解釈・補強されるもの」[49]と定義されている。脅威情報（threat information）とは「組織が自らを脅威から防護し、脅威アクターの活動を探知することを容易にする脅威に関連するあらゆる情報」[50]を指す。脅威情報を大きく区分すると、①指標《インディケーター》、②戦術・テクニック・手順（TTPs）、③セキュリティ警報《アラート》、④脅威インテリジェンス報告、⑤セキュリティ・ツールの設定〔丸数字は訳者〕の5つのタイプがある。指標とは、システム・アーティファクト〔ソースコードをコンピュータで実行できる形式に変換したバイナリ・ファイル〕または観察可能なものである。攻撃の指標は、持続性や横断的侵害などサイバーキルチェーンの実施に必要な一連の行動を表す。他方、不正アクセスの指標は、MD5のハッシュ値（文字や数字を符号化した文字列）など電子的証拠、C2ドメイン、ハードコード化されたIPアドレスである。[51] TTPsは戦術を表す最高レベルから、戦術の枠組みの中でテクニックを表す詳細なレベル、そしてテクニックの枠組みの中で使用される手順《プロシージャ》を表す詳細レベルに至るまで、階層的に記述されたアクターの挙動《ビヘイビア》である。セキュリティ警報は、脅威、脆弱性、インシデントの詳細を明らかにするものであり、商業分野の脅威インテリジェンス報告では、アクターの戦略と動機、戦術と方法、キャンペーンなどが明らかにされる。

　サイバー脅威インテリジェンスは、ある組織がサイバー脅威を識別・評価・監視・対処するのに役立つ。脅威インテリジェンスを活用することによって、組織のとりうる選択肢は、①脅威データ・フィード（知能マシンが判読できる指標。ボットネット・サーバやURLをホスティングしたり、マルウェアをまき散らす悪意あるC2

ドメインなど）、②脅威軽減ソリューション（自動セキュリティ・アーキテクチャ・インテグレーション）、③脅威インテリジェンス・サービス（外部から脅威を監視し、業界専門レポートを定期購読する部外のアナリストと連携したセキュリティ運用の強化）、④脅威インテリジェンス・プラットフォーム〔丸数字は訳者〕のように広がる。[52] 商業分野での脅威管理プラットフォームは、配置したセンサーを使ってアーティファクトや観測可能な指標を探し出すとともに、データの集積・標準化・追加・解析・優先順位づけを行い、企業にとって重要かつアクショナブルな脅威インテリジェンスを作成する。[53] 北米地域とイギリスのITセキュリティ企業関係者を対象としたポネモン研究所の調査によると、回答者の84パーセントが脅威インテリジェンスを堅固なセキュリティの構築に欠かせないものであると評価している。[54] また、脅威インテリジェンスの重要性を裏づける証拠として、回答者の63パーセントが「脅威インテリジェンスは、組織のセキュリティ運用センターで行われる意思決定を支えている」と語っている。さらに、回答者の62パーセントが組織間で脅威インテリジェンスを共有していると答えている。つまり、脅威インテリジェンスは、信頼できるセキュリティ・ベンダー、信頼できる同業者グループ（プラットフォームやeメールリストを通じて）、産業界（情報共有分析センター（ISACs）などのプログラムや情報共有分析機関（ISAOs）など、業界別の共有グループを通じて）、政府（自動指標共有（AIS）やサイバー情報共有協調プログラム（CISCP）を通じて）、あるいは会社報、フィード〔ウェブサイトの見出し。ニュースや商品の一覧〕、その他のメカニズムを通じて共有されている。[55] 外部との共有に伴う利点のほか、慣例化した共有関係は重大な脅威インテリジェンスの組織内への取り込みを加速する。

攻撃者は同じ業界の組織や同じタイプの重要インフラを標的とする場合、〔過去に使用したことのある〕戦術やツールを再利用することが多い。したがって、同じタイプのシステムや情報をもつ組織どうしの協力関係は、リスクを緩和するのに役立つ。最近広まりつつあるパラダイムは、ある組織によってサイバー攻撃が検知されると別の組織の予防につながるという考え方である。サイバー脅威インテリジェンスの共有によって、組織は同業者との集団的な知識、経験、能力から利益を享受することができる。つまり、組織は情報という共有資産を活用して「防御能力、脅威検知のテクニック、リスク緩和戦略に関して、十分な脅威情報に基づく意思決定」[56]を行うことができるようになる。さらに言えば、組織は共有したサイバー脅威インテリジェンスを利用して「最新の攻撃や不正アクセスを検知できる新たな指標や機器の配置に基づいた継続的監視のためのセキュリティ対策」[57]をアップデートすることができる。例えば、サイバーキルチェーンのエクスプロイト段階において、現行のセキュリティ技術――セキュリティ情報およびイベント管理（SIEM）、ファイアウォール、侵入防止システムなど――の中に脅威インテリジェンスを取り入れることで、予防と検知の機会を増やすことができる。[58]こうして脅威インテリジェンスはサイバーキルチェーンの各段階でセキュリティの欠陥を発見し、妨害行動の識別を容易にするのである。[59]組織は指標をキルチェーンの然るべき段階に設置し――いずれ、より一層ダメージの大きいイベントに対応しなければならなくなるため――キルチェーン全体の中で優先的に対処すべき行動を定めることが望ましい。[60]

キルチェーン分析

アメリカ合衆国コンピュータ緊急事態対応チーム（US-CERT）〔国土安全保障省の情報セキュリティ対策チーム〕はサイバーキルチェーン・モデルを活用して、悪意あるサイバー活動の解析および議論と詳細な診断を行っている。「エネルギーおよびその他の重要インフラ部門を標的としたロシア政府のサイバー活動」（TA18-074A）というタイトルのテクニカル・アラートは、キルチェーン・モデルに基づく高い水準の報告書である。財務省は遅くとも2016年3月以来、ロシア政府のサイバーアクターが「アメリカ政府機関およびエネルギー・原子力・商業施設・水道・航空・重要製造部門といった複数の重要インフラ部門を標的としてきた」[61]と公表した。このテクニカル・アラートは、不正アクセスの指標や戦術・テクニック・手順を詳細に解説し、ロシアの活動の特徴を「多段階侵入キャンペーン」（multi-stage intrusion campaign）と呼んだ。そこでロシアのアクターたちは「マルウェアをまき散らし、スピアフィッシングを仕掛け、エネルギー部門のネットワークに対するリモート・アクセスの足掛かりを得た。アクセスを得た後、（アクターは）ネットワーク偵察および横断的侵害を行い、産業制御システム（ＩＣＳ）に関する情報を収集した」[62]。こうしてロシアによる諜報キャンペーンは、武力紛争のレベルに至らない状態を維持しながら、正規の機能、バッチ・スクリプト、管理ツール（ウィンドウズ全体の管理や設定を行うソフトウェアのセット）や公開ツールを活用し、公益事業者の運用システムへのアクセスを確保するとともに、それらを遠隔制御する熟練した技能を見せつけたのである。

アメリカのエネルギー部門に対する攻撃

『テクニカル・アラート TA18-074A』は、セキュリティ・ベンダーであるシマンテック社の報告書『ドラゴンフライ（Dragonfly）——洗練された攻撃グループに狙われた米欧諸国のエネルギー部門』が現在進行中のキャンペーンに関する追加情報を提供していると指摘している。[63]このシマンテック社の報告書は、〈Energetic Bear〉としても知られる〈ドラゴンフライ〉グループによる欧州と北米のエネルギー部門へのサイバー攻撃の新たな潮流を予告していた。[64]〈ドラゴンフライ〉グループは遅くとも２０１１年頃から活動を開始していたと見られるが、２０１４年にシマンテック社や他のセキュリティ調査機関に暴露されて以降、約2年間にわたり活動を体止していた。このグループの初期のターゲットは、エネルギー供給網のオペレータ、発電会社、石油パイプラインのオペレータ、エネルギー産業機器の製造会社であり、[65]今回の新潮流においてもエネルギー関連施設が標的とされた。第1期目のキャンペーンでは偵察段階に重きが置かれていたようだったが、《ドラゴンフライ2・0》と名づけられた第2期目のキャンペーンでは破壊的な目的をもっていたようだった。[66] いずれのキャンペーンとも同じ攻撃ベクター――悪意のあるメール、水飲み場攻撃、サプライチェーンへの不正侵入――を使用していた。第1期目のキャンペーンではＩＣＳ機器のサプライヤーを侵害し、第2期目のキャンペーンではソフトウェアの更新、機器の診断、その他のサービスを実行するための特別なアクセス権を有するサプライヤーの企業ネットワークに侵入した。[67] いちどベンダー企業のネットワーク内部に入り込むと、それを軸に公益事業部門へのアクセスを確保することができた。[68]『TA18-074A』には、サイバーキルチェーンに沿って《ドラゴンフライ2・0》が辿った具体的な足取りがまとめられている。それを要約した内容は、以下のとおりである。

①偵察　脅威アクターは、最終ターゲットへの踏み台として活用するため、そのターゲットと普段から関係を有する別のターゲットを慎重に選定した。ネットワークや組織の設計、制御システムの能力に関する情報を一般公開されているサイトから発見した。

②兵器化　脅威アクターは、正規のマイクロソフト社のOffice機能を利用し、ＳＭＢプロトコルによりリモート・サーバから文書を取得するためｅメールの添付ファイルを使用し、解読すべきユーザーの認証情報のハッシュを入手した。また、プロセス制御、ＩＣＳ、重要インフラに関連する業界紙（誌）やウェブサイトなど、最終目標とするターゲットに到達するために水飲み場《ウォーターリング・ホール》を作った。さらに、同様のテクニックを使って認証情報を入手するため、ウェブサイトのコンテンツを修正した。

③搬送　脅威アクターは、アクティブコードをもたない一般的なＰＤＦ（Portable Document Format）ド

キュメントを含んだ2つ目のスピアフィッシング技術を活用した。このドキュメントには短縮されたURLが記載されており、これをクリックすると、ユーザーは偽のウェブサイトに移動し、そこでeメールアドレスとパスワードを入力するように誘導される。

④エクスプロイト　脅威アクターは、踏み台にするターゲットに対し、異常な回数でダイレクト先の変更を繰り返すリンクを使用し、eメールアドレスとパスワードを入力させるため、偽の入力フィールドを含むログインページを模倣したウェブサイトに到達するよう仕組んでいだ。最終目標のターゲットに対しては、脅威アクターは悪意のある.docxファイルをeメールで送信し、パスワードのハッシュを提供するC2サーバを介してファイルの取得を試み、ユーザーの認証情報を取得した。

⑤インストール　脅威アクターは、不正に入手した認証情報を使用して、多要素認証が不要なネットワークに侵入した。そして、スクリプトを使用して、ローカル管理者アカウントを作成してホストベースのファイアウォールを無効にし、リモート・アクセス用のポートを開設した。こうして管理者グループ内における特権昇格に成功した。

⑥遠隔操作　脅威アクターは、Web shellを使用して、ターゲットのメール・サーバとウェブ・サーバにデータ伝送路を確立した。

⑦目標達成のための実行　脅威アクターは、目標とするターゲットに到達すると、特権的な認証情報、バッチ・スクリプト、Windowsツールを活用し、〔ターゲットが使用している〕ワークステーションにアクセスした。[69]

《ドラゴンフライ2・0》キャンペーンでは、管理ツールであるPowershell、PsExec、Bitsadminなど、一般的に「自給自足型」(living off the land: LOTL)と呼ばれるツールが使用された。[70] また、Githubウェブサイトから入手可能なMimikatz、CrackMapExec、Angry IP、SecretsDump、Hydraなど一般公開されているツールも利用された。[71]〈Energetic Bear〉はロシア語に加え、フランス語で書かれたコード列をマルウェアに挿入するなど、サイバー詐欺戦術を駆使した。[72] この意図的な誤誘導の試みは、責任転嫁のために代理グループ名を使用し、攻撃元の特定を誤認《ミス・アトリビューション》させる試みにより増幅された。

《ドラゴンフライ2・0》に関与したロシアのサイバーアクターは、エネルギー生成施設の運用システムに対する継続的なアクセスを求め、それを将来の妨害目的に利用しようとしていた。このため、ICSやSCADAシステムに関連するファイルを取得し、プロファイルや設定情報をコピーして、ICSやSCADAシステムへのアクセスを維持しようとした。[73] その侵入は劇的にエスカレートした。シマンテック社の技術ディレクターであるエリック・チェン（Eric Chien）は「この前までは、私たちは彼らがあと一歩手《ワンステップ・アウ》前《エイ》まで来ていると話していたのですが、いま私たちが目にしているのは、彼らは潜在的にネットワークの内部に入り込み、地歩《ゼロステップ・アウェイ》をすでに確立している状況です」[74]と述べ、懸念を端的に言い表した。アメリカの連邦政府当局は2018年7月、《ドラゴンフライ2・0》に関与するロシアのハッカーたちは、アメリカの電力事業設備の「スイッチを切って、電流を遮断できるところまで来ている」との確信をもつまでに至っている。[75] 法的な観点からは、大規模停電という不穏なシナリオは武力行使に相当する可能性があるが、停電が深刻な影響をもたらした事実が立証されるまでは、国際法上、武力攻撃が存在したとはおそらく認められないだろう。結局、ロシアのハッカーたちは制御システムへのアクセスを確保した後になっても、何らシステムを操作していない。[76] このようなマルウェアを埋め込んだだけのケースでは、せいぜい主権尊重の観点から問題とされるにすぎないだろう。[77] しかし、ロシア政府に属するサイバーアクターが攻撃元であると証明されれば、「国際違法行為」であるという判断につながり、対抗措置が正当化される可能性がある。

提案された戦略の弱点

多層防御戦略では、リスク管理（RMFおよびサイバーセキュリティ・フレームワーク）とシステムの安全確保（NIST SP800-53およびCIS管理ガイドライン）を相互に組み合わせて運用するさまざまな方法が存在する。2019年2月、NISTはサイバーセキュリティ・フレームワークを開始して以来、5年間の影響と成果に関する情報グラフィックをウェブサイトに掲載した。サイバーセキュリティ・フレームワークは50万回以上ダウンロードされ、それを推奨するウェブキャスト〔インターネット配信イベント〕には1万人以上が参加していた。さらに、その価値を証明する多くの成功事例《サクセス・ストーリー》が掲載された。例えば、シカゴ大学生物学部の情報セキュリティ主任（CISO）は「サイバーセキュリティ・フレームワークは、学部全体にサイバーセキュリティ・リスクを伝えるための共通言語を確立するという私たちの主要目的に合致していることがわかりました」と述べている。▼[78] サイバーセキュリティ・フレームワークには、セキュリティ対策と連携した組織の方針作りや、サブカテゴリと連携した技術能力をマッピングする利用法に加え、上述したように、コミュニケーションを促進する組織作りに利用するのも確かに一つの利点ではある。とはいえ、サイバーセキュリティ・フレームワークをはじめ、リスク管理の有効性を評価する際の課題は、自主的に実装する場合の程度や範囲が不透明な点にある。理論的には、組織は目標とすべき状態と現状とを比較し、リスク評価に基づいて、セキュリティのギャップを埋めるために最適な管理対策を実施するものだ。そこで問題となるのは、組織のリスク許容度の判定であり、〔判定いかんによっては〕108個のサブカテゴリに関連している管理対策の実施を妨げる可能性がある。

そこで組織はリスク管理のために形式的な方法のみを用いるのではなく、シマンテック社が提供しているような最良の実践方法を実装することを選択できる。同社の2017年版年次報告書では、①標的型攻撃、メール攻撃、ウェブ攻撃、ランサムウェア攻撃などの脅威のカテゴリ別、②IOT、モバイル、クラウドなどのデバイスの種類別に〔丸数字は訳者〕最良の実践方法が解説されている。[79] また別の選択肢として、最良の実践事例や脅威インテリジェンスを紹介しているインシデント・レポートやテクニカル・アラートを閲覧し、それに備えるという方法もある。例えば、「エネルギーおよびその他の重要インフラ部門を標的としたロシア政府のサイバー活動（TA18-074A）」という表題のテクニカル・アラートには、類似の活動から保護するための28件の一般的な最良の実践方法のリストが掲載されている。それは部門別の組織に「最小限の権限を使ってセキュリティ対策を確立すること」、「異常な挙動（例えば、時間外ログイン、不正なIPアドレスによるログイン、複数の同時ログインなど）を検知するため、VPN〔仮想プライベート・ネットワーク〕上のログを監視すること」、「既知の悪意あるドメイン名、ソース、アドレスをスキャンし、メッセージを受信したりダウンロードする前にこれらをブロックするため、ネットワークにウェブとeメールのフィルターを設置すること」などをアドバイスしたものである。[80]

こうした具体的な提案は、一般的なセキュリティ管理対策（「CIS管理対策4——特権の使用制限」、「CIS管理対策6——ログの監視」、「CIS管理対策7——eメールとウェブ・ブラウザの保護」）で扱われている。[81] また、『TA18-074』は管理者が脅威アクターのTTPに関連する悪意ある活動を検出するために使用する、侵害の指標（IOC）、ネットワークのシグネチャ、ホストベースのルールも提供している。さらに、『TA18-074』では、同じ部門の組織が情報共有プログラムを作成し、それに参加することが推奨されている。レキシントン研究所（Lexington Institute）による最近の報告書には、脅威データの情報が共有されなければ「システム攻撃を早期に検知し、それを封じ込めることはほとんど不可能[82]」といわれるほど、脅威データの共有はサイバーリスクを低減させることが示されている。しかし、組織を保護するための法律があるにもかかわらず、プライバシーや法的責任への懸念から情報共有をためらう組織もある。[83]

アメリカの産業制御システム・サイバー緊急対応チーム（ICS-CERT）は、２０１５年にウクライナで起きた重要インフラに対するサイバー攻撃を受け、IR-ALERT-H-16-056-01で同様の最良の実践方法《ベスト・プラクティス》に関する提案を行い、「多層防御戦略を用いた産業制御システムに関するサイバーセキュリティの改善策」という文書の中で実践事例の活用を推奨した。インシデント・レポートには「資産所有者は同様の悪質なサイバー活動から受けるリスクを緩和するため、最良の実践方法を活用して防御策を講じる」というリスク緩和策が提言されているが、《ドラゴンフライ２・０》キャンペーンによる被害を受けた公益事業体が「ドラゴンフライ2・0が」侵入に成功する少なくとも2年前に与えられたこの提言を受け入れていたかどうかは定かではない。[84] リスク・フレームワーク、最良の実践方法、脅威共有メカニズムがいかなるものであったにせよ、ロシアではサイバー攻撃の利益が否定されることはない。さらに厄介なことは、ロシアのような高度なサイバー能力を有する敵対者は、攻撃ベクターを進化させ、防御側が対抗できない巧妙なテクニックを駆使しながら、多角的な攻撃を仕掛けてくる場合が多い。例えば、ロシアのアクターは「ドライブバイ・エクスプロイト・キット、悪意のある添付ファイルを含んだｅメール、ＵＲＩリンクの埋め込み、ホストへの最初のアクセスを得るための侵害されたソフトウェアへのアップデートサービス（MeDoc 会計ソフトウェアへのアップデート）[85]」を介し、《ノットペーチャ》マルウェアを拡散させている。

ロシアは《ドラゴンフライ》キャンペーンにおいて、上述した偽のソフトウェアのアップデート版を使用して感染させる戦術を用いた。そこではＩＣＳ設備を製造する業者3社のネットワークにアクセスし、各社のウェブサイトからダウンロードできるソフトウェアにマルウェアを挿入した。[86] これらの侵入戦術を用いて、ロシア人はサイバーキルチェーン・モデルの第5段階にあたる標的ネットワーク内部への侵入を果たしたのである。《ノットペーチャ》のケースでは、発生する4カ月前の２０１７年3月にパッチが発行されていたにもかかわらず、ロシア人はEternalBlueとEternalRomance（ＮＳＡから漏洩したツール）でWindows SMBの脆弱性を悪用し、横断的侵害を行うことができた。こうしたネットワーク内部のテクニックは、被害を受けた組織におけるセキュリティ管理の基礎的欠陥を浮き彫りにした（「ＣＩＳ管理対策3――継続的な脆弱性管理」参照）。[87] さらに、被害者システムに実装されていた、いかなるセキュリティ対策も、正規のWindows管理ツールを使用した他の伝播方法を検出することはできなかった。この失敗により、組織に甚大な被害がもたらされた。アメリカのＣＥＲＴは《ノットペーチャ》に関するテクニカル・アラート（TA17-181A）を発表し、マルウェア解析、ネットワーク・シグネチャ、予防のための推奨手順を示したが、マースク社やメルク社など最初に感染した企業の場合、それが届いたのは4日ほど遅かった。[88] リスクを緩和することが困難な場合、組織はリスク対応として、通常はサイバー保険を通じ、リスク責任や賠償義務を別の組織に移すという代替策を選択することができる。

全米に50ある州の38パーセントをはじめ、多くの公共・民間部門の組織が情報の流出に備えたコスト管理のためにサイバー保険に加入している。[89] また、２０１８年にアトランタがランサムウェア攻撃を受け、２０００万ドル以上の支払いを余儀なくされたことが警鐘となり、アメリカで最も人口の多い25都市の大多数がサイバー保険に加入した。[90]

一般的に、サイバー保険商品は①データ、ソフトウェア、ハードウェアの回収または修理の費用、②データ・プライバシー損失に対する補償、③フォレンジック調査の実施、④法的助言、⑤イメージ悪化からの回復〔丸数字は訳者〕を契約者に補償する。[91] 他方、リスク移転の概念は、民間部門とは異なる責任制限のもとで運営されている連邦政府機関（国防省を含む）には適用されない。[92] こうした制限区分があるにもかかわらず、サイバー保険からの補償金支払いは確実とはいえない。チューリッヒ・アメリカン保険（Zurich

American Insurance）は、《ノットペーチャ》ランサムウェア攻撃に関連するスナック食品メーカーのモンデリーズ（Mondelez）社からの1億ドルの請求を拒否している。《ノットペーチャ》ウイルスにより、同社では1７００台のサーバと2万4０００台のノートパソコンが被害を受け、工場の生産が停止した。チューリッヒ社は支払い拒否の根拠として「政府または主権国家による平時または戦時の敵対的または戦争による行動」[93]が引き起こした損害に対する保険契約の免責条項を持ち出した。他の保険会社も、《ノットペーチャ》がメルク社の医薬品の研究、販売、製造業務を妨げた後、同社による請求を拒絶する際に同じように戦争条項を根拠にしている。[94]

結論

組織は今日のサイバー脅威の複雑さに圧倒される恐れがある。[95] セキュリティ企業のトレンドマイクロ社は２０１７年下半期から２０１８年上半期にかけて、アメリカで報告された侵害件数が16パーセント増加したことを明らかにした。無防備なコンピュータでの暗号通貨マイニングの検出は１４１パーセント増加し、ランサムウェアの量的な増加率は3パーセントに鈍化したものの、２０１８年上半期にトレンドマイクロ社のツールでは38万回検出されている。[96] サイバーインシデントの発生確率が高まるにつれて、情報システム関連のセキュリティ・リスクも高まっている。このリスクは、リスク・フレームワークや何重ものセキュリティ管理対策を導入する資金的余裕のない中小企業に最も多く存在している。《ドラゴンフライ2・0》キャンペーンにおける最初の被害者は信頼度の高いサードパーティ業者で、その多くは巨額のサイバーセキュリティ関連の予算をもてない小規模企業であった。ハッカーたちはオレゴン州で電力事業者と取引のある15名の従業員で構成されるAll-Ways Excavating USA社など、数百の請負業者や下請け業者を狙ってくる。[97] ロシアのハッカーはそうした業者の認証情報を使って、「本来は安全で、エアギャップがあり、隔離されている」電力事業者のネットワークに直接アクセスした。[98]

ＤＨＳは電力事業者に対し、階層化された多層的な戦略によってＩＣＳサイバーセキュリティを改善するよう勧告していたが、〈Energetic Bear〉は巨大で長期にわたるキャンペーンで二十数社の電力会社に侵入した。勧告を受けた多層防御のセキュリティ・アーキテクチャにインストールされたセキュリティ管理対策と検知のための関連ツールは、脅威アクターが被害を与え得る地点に到達する前に、電力事業者のネットワークの内部でロシアの高度な活動を検知することができなかった。[99] 包括的なデータ保護戦略について業界内で普及している見解は、一般的に脅威を撃退するには「セキュリティ対策と多層化技術」を実装することが必要だというものである。[100]『ＣＩＳ管理対策』の最初の6項目の基本的な管理対策を実践すれば、サイバー攻撃の85パーセントを阻止できると宣伝されている。また、特に《ドラゴンフライ２・０》が暴露した後のＩＣＳの保護については、脅威や脆弱性の共有が必要であると認識されている。[101] ファイアウォールやメール・ゲートウェイ、侵入検知および侵入防止ソフトウェア、データ損失防止などの多層防御ツールは強力ではあるが、高度な脅威グループを阻止しようとする組織にとって、それらは不十分であることが証明されている。[102]

ロシアのハッカー集団は、侵入方法と回避能力の技術的な複雑性をますます増大させている。ロシア政府のために活動を続けるハッカーたちは、オフィスのプリンターやデフォルト・パスワードが設定されたボイス・オーバーＩＰ電話を使って、標的とするコンピュータ・ネットワークに侵入している。[103] また、OpenSSL（ネットワーク上の通信を保護するアプリケーションのための暗号ライブラリ）など、よく知られたライブラリを使って、誰でも見える環境の中にコードを隠そうとする。[104]『テクニカル・アラート TA18-074A』では、〈Energetic Bear〉が革新的な戦術（Microsoft Office 機能のエクスプロイテーションなど）やテクニック（バッチ・スクリプトなど）を使用していることを明らかにしている。ロシア人ハッカーは豊富な技術を有する熟練したアクターであり、国家が支援するアクターの中では最も行動がすばやい。セキュリティ企業のクラウドストライク社が3万件以上のハッキング・インシデントに関するデータを分析したところ、ロシアのハッカーは「最初の侵入から、侵入したネットワークに接続している他のコンピュータやデバイスの探索（ブレイクアウトと呼ばれる）までの時間がわずか18分」であることが明らかとなった。[105] ネットワークへの侵入から横断的侵害まで数分単位どころか数時間単位ではるかに後れをとっている国は、早い順に並べると北朝鮮、中国、イランである。つまり、スピードが重要なのだ。というのも、攻撃者の動きが速ければ速いほど、防御側の対応が困難になるからだ。残念ながら、豊富な人材をもつ機敏な国家的敵対者――自分たちの攻撃が失敗するとは考えていない――に対して、現在のセキュリティ戦略は有効であるとはいえない。ロシアの脅威アクターの行動、作戦、ツールを総合的に考慮すると、積極的で適応力があり、最も重要なことは復元力《レジリエント》を備えた、まったく異なるアプローチが求められている。

第8章　サイバー防衛の自動化

『2018年アメリカ国家サイバー戦略』に掲げられた情報ネットワーク保護の目的は「サイバーセキュリティに関わるリスクを管理し、国家の情報および情報システムの安全性と復元力を向上させる」[1]ことである。この『国家サイバー戦略』には「敵対者が悪質なサイバー活動の頻度と質を高める中、公共部門・民間部門のアクターはシステムの安全を確保するために必死に取り組んできた」[2]との認識が示されている。「安全性《セキュリティ》」という用語は「攻撃を予防する能力」を表し、「復元力《レジリエンス》」という用語は、相手が防御網を突破し、攻撃を続けた場合にはその「攻撃に耐える能力」を指している。国土安全保障長官を務めたキルステン・ニールセン（Kirstjen Nielsen）は2018年にアメリカ商工会議所で行ったスピーチにおいて、「組織が意思決定を行う際に指針とすべきは、攻撃や突破の予防ではなく、復元力である」との認識を示した[3]。彼女の発言の背景として、今日の政府や民間アクターは、サイバー領域で非対称的優位をもつ高度な脅威アクターからシステムを防護するという困難な課題に直面しているという事情があった。特にロシアは革新的なテクニックとツール——剽窃、市販または一般公開されているもの——を駆使し、サイバー行動のスピード、規模、洗練性を向上させている。

攻撃者は各種ツールを活用し、サイバーキルチェーンのプロセスを自動化している。具体的には、最新のポリモーフィック型マルウェアを活用してミッションを遂行する「迅速性」や、攻撃の初期段階を短縮してシステムに難なく浸透し、速やかに脆弱性を悪用《エクスプロイト》できる「スピード」の面で、人間中心のサイバー防衛を圧倒している。例えば、ランサム・アプリケーションの多くは1分以内に暗号化プロセスを終えるため、そのあまりの速さに人間の力だけでは太刀打ちできない。実際に《ノットペーチャ》を使ったランサム攻撃では、ウクライナ銀行のネットワーク全体を感染させるのに、わずか45秒しか要しなかった。[4] 攻撃者たちはいちどインフラ内部に足場を築くと、目的を達成するまでネットワーク内部の防壁を巧みに潜り抜ける。その間、相互に関連付けのない、優先順位も定められていない夥《おびただ》しい数のアラートが各階層の独立したコンポーネントから一斉に発せられ、ネットワーク・セキュリティの運営は一気に飽和状態に陥ってしまう。担当職員たちはリアルタイムに近い速さで、いたる所で発生するシステムの突破とシステム内部の動きに対応できない。そこで別のアプローチが必要とされるのだが、それは洗練された高度なテクニックに対抗できるネットワーク規模と攻撃テンポの条件を満たし、効果的に運用できるものでなければならない。このアプローチが求めているのは、エンドポイント・ソリューションをネットワークおよびクラウド・ベースの能力——脅威インテリジェンスを一元的に収集・配布する能力——と結合した新しいアーキテクチャである。そこでは相互の関連付けと優先順位設定プロセスの自動化により、アラートのボリューム、脅威の速度と複雑性の問題が解消される。このため、本章ではまずレジリエンスについて理論的にレビューし、複雑な戦術とテクニックがレジリエンスをめぐる闘いにどのような問題を突き付けているかについて具体的に取りあげる。次に、ネットワーク内部でシームレスに活動する「高度で持続的な脅威（ATP）」に対し、その検知と対処の時間を短縮することができる「自動化」と「エンドポイント・セキュリティ」への投資について述べる。最後に、2017年の《バッド・ラビット（Bad Rabbit）》と名づけられたランサムウェア攻撃について分析し、この新たに出現した攻撃のスピード、規模、洗練性に対抗する自動サイバー防衛の有効性について論じる。

レジリエンスの理論

セキュリティ企業のAttivo Networks社が実施した2018年の調査から「サイバーハッカーたちを不正なネットワーク侵入から締め出す戦いは、うまくいっていない」[5]ことが浮き彫りになった。この調査への回答者は、予防ソリューションは効果がないと語り、主に標的型攻撃と認証情報の窃取では予防的管理対策をすり抜けてしまうケースが顕著であった。これを反映してか、回答者の4分の1は「自社は予防的管理対策よりも、検知のほうに多くの資金を投じている」[6]と報告している。セキュリティ企業のファイアーアイ社は、平均的な滞在期間（最初に侵入の兆候が見つかってから検知されるまでの間に攻撃者が標的ネットワークの中に滞在していた日数）が2018年では78日間であったと報告している。[7]同社は突破口を発見する能力に力を入れているが、上の2つの調査結果から「勝負はネットワーク内部である」という考えが日増しに強まっている。こうした知見からレジリエンスの必要性が主張され、重要インフラに関して言えば、レジリエンスとは「状況の変化に備えてそれに適応し、相手の攻撃に耐え、混乱から速やかに回復する能力」を意味する。また「レジリエンスには、用意周到な攻撃、アクシデント、自然発生的な脅威やインシデントに耐え、そこから回復する能力が含まれる」[8]。情報システムのレジリエンスについては、NISTが次のように具体的に定義している。それは「攻撃を受け、（防御力が）低下または弱体化した状態に陥っても運用を継続し、相手の攻撃が成功した後でも、基本的機能を発揮する運用を速やかに回復することができる情報システムの能力」[9]というものである。

一般的にレジリエンスという概念は、自然災害、テロ攻撃、パンデミック〔感染症や伝染病の世界的な大流行〕、重要インフラの途絶など「蓋然性は低く《ロー・チャンス》、影響は甚大《ハイ・インパクト》」な事象が発生したときに語られることが多い。例えば、学者のルイス・コンフォート（Louise Comfort）、アリエン・ボワン（Arjen Boin）、クリス・デムチャック（Chris Demchak）らは突発的な緊急事態に対処する社会の能力について研究し[10]、ディジタル事象については、ブルッキングス研究所（Brookings Institution）のＰ・Ｗ・シンガー（P. W. Singer）とアラン・フリードマン（Allan Friedman）が政治や経済にインパクトを及ぼす衝撃的事象（インターネット・アクセスの途絶など）に対してレジリエンスを構築する必要性を説いている。彼らは、攻撃に備え、そして攻撃を受けている間でも一部の機能を維持できるシステムと組織という観点から、レジリエンスを考察しているのである[11]。研究者のアレクサンダー・コット（Alexander Kott）とイゴール・リンコフ（Igor Linkov）は「サイバー・レジリエンス」を「負の影響、特にサイバー攻撃がもたらす影響に備え、〔衝撃を〕吸収し、回復し、適応するためのシステムの能力」[12]と定義している。そして、この用語を「システムの持続的運用に寄与するシステムの特徴やコンポーネント（センサー、ハードウェア、ソフトウェア）の説明に用いている。この視点は「ＩＴ部門レジリエンス作業部会（IT Sector Resiliency Working Group）」の見方と一致している。両者に共通する「サイバー・レジリエンス」の定義は「サイバー攻撃に際して、中核的目的と完全性《インテグリティ》を維持する企業の能力である。サイバー・レジリエンスを備えた企業とは、データ、アプリケーション、ＩＴインフラを脅かす重大な脅威を予防し、それを検知し、封じ込め、脅威から回復できる企業」[13]である。産業界と政府のＩＴ部門のセキュリティ専門家たちは、サイバー・レジリエンスの目標が「サイバー攻撃に耐える能力、および任務またはビジネス効率の低下を防ぐ能力」[14]を身につけることであるという点で一致している。このためには、システムが冗長性と防護性の面で強靭さを兼ね備え、どんな事象が起ころうとも稼働を続けなければならない。サイバー・レジリエンスの重要な役目のひとつは事態の発生と回復するまでの時間を短縮することであり、これは攻撃による影響を緩和することにつながる。実際、サイバー攻撃を撃退する特定のテクニカル・ソリューションを使えば、対応の時間《レスポンス・タイム》を減らすことができる。このようなテクニカル・ソリューションは、攻撃者がキルチェーンの最後の段階「目標達成のための実行」に至る前のいずれかの段階で、脅威アクターを捕捉することができる知能とリアルタイム性を備えたものとなるだろう。このように、サイバー・レジリエンスに対するセキュリティ業界の視点は、境界防御ラインからの浸透にいかに対処するかという点にある。連邦政府も認めているように、複合的な攻撃や事前に知られていない「ゼロデイ」攻撃は、常にサイバーセキュリティ・ソリューションの先を行っている。したがって、国家戦略の中でレジリエンスの重要性を認めていることは、全体的なサイバー・レジリエンスの向上に連邦政府がコミットしている証しであるともいえる。

国土安全保障省による『2018年サイバーセキュリティ戦略』は政府のコミットメントを反映し、次のような戦略ヴィジョンを表明している。すなわち「国土安全保障省は、政府ネットワークと重要インフラのセキュリティおよびレジリエンスを強化することにより、2023年までに国家のサイバーセキュリティのリスク管理を改善する[15]」。国土安全保障省が主催した2018年の公共・民間合同報告書では「サイバー・レジリエンスを一般的なサイバーセキュリティから見分ける重要なポイントは、サイバー・レジリエンスは敵対者がネットワークのセキュリティ境界を突破し、サイバーアセットを侵害した後においても機能し続けるという点にある。サイバーキルチェーンの後段でも、サイバー・レジリエンスは敵対者による継続的な情報収集、データの窃取を阻止するとともに、我々の任務に不可欠なシステムを敵対者が制御することを防止することができる[16]」。『NIST特別刊行物（SID）800‐160　第2巻（草案）』は「システム内や運用環境、サプライチェーンには弱点や欠陥[17]」が常に存在するため、高度な能力を有する敵対者がシステムや組織の中に侵入することは防ぎようがないとの前提に立っている。そのうえで、〔敵対者の〕不正侵入を受けた後でも、サイバー・レジリエンスにより持続可能な数多くの機能を取りあげている。また同刊行物では、敵対者はシステムや組織の内部にプレゼンスを維持していることを前提に、「サイバー・レジリエンスは敵対者の能力への対応と、サイバー資源が内蔵されているシステムの危害への対応を対象にしている」[18]と語られている。DHSの『サイバーセキュリティ戦略』の目的は「新たな能力、ツール、実践方法を開発し、進化する脅威と脆弱性をタイムリーに検知・低減するとともに、我々のサイバーセキュリティ・アプローチが、断固とした意志をもつ創造的な敵対者に対抗し得る柔軟性と弾力性を保持する」[19]ことである。このようなサイバー・レジリエンスのための新たな能力、ツール、実践方法は『2017年アメリカ国家安全保障戦略』で述べられた「高いレジリエンス能力のある重要インフラは、敵対者に目的達成について疑問を抱かせることによって、抑止力を強めるだろう」[20]との主張を理想に近い形で支えている。別の言い方をすれば、効果的抑止の一つの要因として、サイバー・レジリエンスは攻撃側の利点を奪うことで、敵対者の認識を変えることができる。[21]『NIST特別刊行物（SID）800－160　第2巻（草案）』は、サイバー・レジリエンスに必要な4つの能力を認めている。それは、システムに対する悪条件、ストレス、攻撃または侵入を「予測（anticipate）」し、攻撃に「耐え（withstand）」、被害から「回復（recover）」し、状況に「適応（adapt）」することである。「予測」とは、困難な状況に備え、十分な情報に基づく準備ができている状態を維持することである。「耐える」とは、攻撃が行われている間、パフォーマンスの低下に陥ることなく活動を持続することである。「回復」とは、不利な状況からすべての機能を復旧させ、立ち直ることである。「適応」とは、技術環境・運用環境・脅威環境の変化に対応できるように機能や能力を修正することである。本章では、「回復」能力を発揮するまでに至らない「耐える」ために必要な能力、ツール、実践方法に焦点をあてる。[22]

戦術とテクニック

レジリエンスをめぐる戦いに勝利するため、まずは敵対者がネットワーク内部でどのような活動を行うかについて詳しく理解する必要がある。ロッキード・マーティン社が考案したサイバーキルチェーンは一般的なモデルである。２０１６年にラスベガスで開催されたブラック・ハット会議（Black Hat convention）に集まったセキュリティ分野の専門家たちは「このモデルは敵対者がネットワークへの侵入に成功した後、何が起こるかを十分に表現していない」と鋭い指摘をした。[23] 当然、ネットワークへの侵入後のことは考えておかねばならない。たしかに、ほとんどのステップはネットワーク侵入に焦点が当てられているが、このモデルが作られたときはネットワーク侵入がサイバーセキュリティの焦点であった。[24] したがって、〔ロッキード・マーティン社のキルチェーン・モデルの〕代替案は、侵入が成功した後、相手はどのような戦術とテクニックを採用する可能性が高いのか、という問題に焦点をあてたものでなければならない。

例えば、ネットワーク偵察が行われている間、権限の昇格《プレビレッジ・エスカレーション》や横断的侵害などのステップが講じられている場合である。攻撃者はシステム内に足場を確保した後、さらなる地歩の拡大に向けて追加の認証情報を入手したり、ワークステーションへの不正アクセスを繰り返したりして、アクセスできそうなサーバ、サービス、脆弱性を探索する。[25] 従来、防御側は一握りの攻撃コンポーネントだけに焦点をあててきたのに対し、今日の脅威アクターが用いる戦略は、攻撃チェーン全体のあらゆるリンクを標的にしている。[26] ２０１８年、サイバーセキュリティ業界は、マイター・コーポレーション（Mitre Corporation）社〔アメリカ政府が資金を提供する非営利組織〕のＡＴＴ＆ＣＫフレームワークの採用を開始した。これは初期アクセスから情報窃取までの間に、攻撃者が利用した戦術とテクニックを分類している。この「マイターATT&CKフレームワーク」に記載された11個の戦術とは、次のとおりである。

①初期アクセス（Initial Access）　敵対者がネットワーク内部に最初の足場を築くために利用するベクターを表示
②実行（Execution）　敵対者が制御するコードをローカルまたはリモートのシステムで実行
③持続性確保（Persistence）　敵対者がシステム内において継続的なプレゼンスを維持するためのシステムへのアクセス、アクション、設定の変更
④権限昇格（Privilege Escalation）　システムやネットワーク上で、攻撃者がより高いレベルのアクセス権限を取得
⑤防御回避（Defense Evasion）　検知やその他の防御策を回避
⑥認証情報アクセス（Credential Access）　システム、ドメイン、各種サービスの認証情報へのアクセスまたは制御
⑦発見（Discovery）　敵対者がシステムや内部ネットワークに関する知識を取得
⑧横断的侵害（Lateral Movement）　敵対者が標的ネットワークの遠隔システムにアクセスし、それを制御
⑨収集（Collection）　標的ネットワークから機密ファイルなどの情報を選別・収集
⑩持ち出し（Exfiltration）　敵対者が標的ネットワークからファイルや情報を持ち出し、その活用を支援
⑪遠隔操作（Command and Control）　敵対者がその制御下にあるシステムとどのように通信しているか

を表示[27]

各戦術には個別のテクニックが含まれている。例えば、ＡＴＴ＆ＣＫフレームワークの「横断的侵害《ラテラル・ムーブメント》」という戦術項目欄には、Pass the Hash 攻撃（標準的な認証手続きのバイパス）、リモート・デスクトップ・プロトコル（グラフィック・ユーザ・インターフェース経由でデスクトップ型パソコンに遠隔地からログインすること）、Windowsなど17種類のテクニックが記載されている。

従来のロッキード・マーティン社のキルチェーンには、ターゲットの選定、情報の収集、弱点の特定、能力の開発、ペイロードの搬送、エクスプロイテーション、インストールといった最初の侵入に至るまでのステップが詳細に記述されている。これに対し、マイター社のＡＴＴ＆ＣＫフレームワークは、いったん侵入を果たした後のアクターが目的を達成するまでに必要な残りのステップにまで記述範囲を拡大している。そして、ネットワーク内部で使用される戦術やテクニックを記述するための共通の分類法を提供し、その内容はマイター社のウェブサイトで継続的に更新されている。その分類法はベンダーに依存していないが、多くのベンダーが「高度で持続的な脅威（ＡＰＴ）」グループに関する報告書の中でこの分類法を活用している。例えば、ベンダーは色分け図《ヒート・マップ》を使用して、ＡＰＴグループが最も共通的に使用するテクニックを表示している。[28] 防御側は、攻撃のプロセスで確認できたテクニックをつなぎ合わせることで、敵対者の行動を模倣することができる。その後、特定のテクニックをブロックするためのセキュリティ管理対策を設定すれば、理論上は敵対者に新たなテクニックへの変更を強要し、コスト負担を強いることができる。だが、執拗な攻撃者なら最初からやり直して、サイバー兵器庫に新しい革新的な兵器を追加し、防御の手薄な侵入口を探ることだろう。

ＡＴＴ＆ＣＫフレームワークでは、攻撃者が侵入するスピードが重要である。というのも、このスピードは、ネットワーク全体に侵入が拡散してしまう前に防御側が侵入に対応し、それを封じ込め、被害を修復するタイムリミットを表しているからである。突発時間《ブレイクアウト・タイム》という概念は「敵対者がエンドポイントのマシンに最初に不正アクセスした時点から、ネットワークの横断的侵害を開始するまでの時間」[29]と定義できる。20分でブレイクアウトするロシア政府傘下のアクターたちを相手に、防御側は一刻の猶予も許されない。このスピードはロシアと同様、国家が密接に支援する北朝鮮のアクターと比べても、ほぼ8倍の速さである。[30]ロシアには発見され阻止される前に、できるだけ迅速に任務を果たそうとする強い決意が窺える。とはいえ、スピードは主要な脅威アクターの作戦遂行能力を評価する一つの指標にすぎず、ロシアにとっては洗練《ソフィスティケーション》された技術と規模《スケール》も同様に重要なのである。

防御側にとって深刻な課題の一つは、最初の侵入を許した後、ロシア人や他の高度な能力をもつ脅威アクターたちが標的システム内のアプリケーションを悪用する「自給自足型《リビング・オフ・ザ・ランド》」などの洗練されたテクニックを駆使していることだった。このテクニックはマイクロソフト社のPowerShellのような正規のツールを用いて、ユーザーのシステムそのものを悪用する。PowerShellはコマンド機能のためのスクリプトを実行したり、システムのメモリにマルウェアを埋め込むために使用することもできる。２０１８年のシマンテック社の報告によると、毎月11万５０００件の不正なPowerShellスクリプトをブロックしており、この数字は前年と比べ１０００パーセントの増加率であったという。[31]また同年、クラウドストライク社は、攻撃者の挙動を隠蔽または目立たなくするために、相当な規模でスクリプト技術が利用されていることを観察した。[32]スクリプト技術については「マイターＡＴＴ＆ＣＫフレームワーク」の「発見」、「持続性確保」、「横断的侵害」の戦術項目の中で頻繁に言及されており、ロシアのサイバー行動でも多用されている。《ドラゴンフライ２・０》キャンペーンでは、ロシア政府系のサイバーアクターが不正取得した認証情報を使ってネットワークにアクセスした後、スクリプトを利用しながら、正規のバックアップ用アカウントになりすましてローカル管理者アカウントを作成した。スクリプト「enu.cmd」により管理者アカウントが作成され、ホストベースのファイアウォールを無効にするとともに、リモート・デスクトップ・プロトコル（RDP）アクセス用のポートを開設した。こうしてスクリプトによって新たに作成したアカウントを管理者グループに追加し、上位の権限の取得を試みたのである。次に、脅威アクターはネットワーク偵察の実施、標的に対する遠隔地からのアクセス、ログの削除や痕跡の隠蔽など、具体的な目的を達成するために複数のアカウントを作成した。あるケースでは、なりすましのメール管理アカウントで認証されRDPセッション中に、PowerShellスクリプトを使って標的ネットワーク内に別のアカウントを作成した。また、正規のPsExecツールを使ってネットワークのいたる所からシステムのスクリーン・ショットをかき集めるために、ロシア人たちはバッチ・スクリプトを利用している。[33] 戦術の規模に注目すると、ロシア人たちは複数のテクニックを選択し、それらを同時に使用するケースが多い。例えば「発見」の戦術項目では、ほぼすべてのテクニック（20件のうち18件）がクラウドストライク社のOverWatch ATT&CK色分け図《ヒート・マップ》の中で「ほぼ、または、ほとんど普及」（nearly or mostly prevalent）を示すカラー表示となっている。[34]

新たな投資

２０１６年、アメリカ国防科学委員会は国防省に対し、新興技術を活用してレジリエンスを向上させるよう勧告した。この勧告の中で新しい分野の投資先として際立っていたのは「サイバー防衛の自動化の推進」および「エンドポイント・セキュリティの強化」であった。『２０１８年国防省サイバー戦略』においても、サイバー防衛能力の実効性を向上させるため、自動化とデータ解析を活用する必要性について表明されていた。[35] 2019年1月には、国防省の最高情報責任者であるダナ・ディジー（Dana Deasy）が、現在のセキュリティ運用は「大部分が手作業で、非常に労働集約的なプロセス」[36]であると証言した。ディジーは下院委員会の証言で、データ保護への投資を増やす必要性を認めていた。彼は、国防省が「任務に不可欠なシステムを防護するため、ITSECOPS（security operations）を自動化しなければならない」[37]との結論を述べた。この目標を達成するには、ネットワーク・インフラとエンドポイント・セキュリティ技術の両方から得られるきわめて特殊なイベント・ロギング〔特にWindows環境において、コンピュータシステムに起こった出来事や実行された操作を時系列に記録したもの〕を活用し、自動化されたサイバー環境を構築するための計画とアーキテクチャが必要とされる。

セキュリティ運用の自動化

セキュリティ運用担当者はイベントデータ、とりわけSIEM（Security Information and Event Management）システムからの誤検知アラート（評価誤り）への対応に追われている。アナリストは1日に50件から100件のアラートを処理しなければならず、「アラート疲労」を引き起こしている。クラウド・セキュリティ・アライアンス〔クラウド・コンピューティングのセキュリティ実現に必要なクラウド利用に関しての啓発教育を行っている国際的な非営利組織〕の調査によれば、誤検知回数のあまりの多さにアナリストの3分の1以上が日頃からアラートを無視していることが明らかになった。[38] これはアナリストがアラートの真偽を手作業で確認し、悪性か良性か、イベントが（国家などの）熟達した脅威アクターによるものか、それとも標的を定めない洗練さを欠いた攻撃者によるものなのかを判定し、適切に優先順位をつけるといった作業が退屈であることも理由の一つである。[39]「マイターATT&CKフレームワーク」に収められている戦術やテクニックの欺騙効果や回避性は、人間の認知能力をはるかに超え、脅威に手動で対処する能力を上回っている。

ソーラーウィンズ社の最高情報責任者であるジョエル・ドリシー（Joel Dolisy）は「セキュリティ侵害がますます高度化し、被害が拡大している世界において、ネットワーク・セキュリティを自動化することは、侵入を素早く特定し、根本原因を見極め、手動ですべてのエンドポイントと接続部を確認するよりも、迅速に問題を解決するのに役立つ」と語っている。[40]

セキュリティ対応の自動化は「明確に定義されたパターンにあてはまり、容易に識別できる多くの脅威に対応する能力[41]」を向上させる。影響が大きく信頼性が高いパターンにあてはまる場合、セキュリティ・ポリシーに基づき、制御装置が疑わしいトラフィックを自動的にブロックする。[42] ルッキンググラス（LookingGlass）社の最高技術責任者（CTO）であるアラン・トムソン（Allan Thomson）によると「自動化によって、専門家たちは必要とされる業務に集中することができる。そして、より高度な脅威に関する理解を深め、脅威インテリジェンスを活用し、より有意義な方法で高度な脅威に対応することができる」。[43] さらに、相関関係と優先順位づけのプロセスを自動化することで、急速に変化する高度な脅威のプロファイルについての認識と可視性を向上させることができる。その結果、より適切な対応と被害の修復に関する決定が可能になる。また、ユーザーの認証権限を変更したり、システムを保護ゾーンに配置したり、ネットワークの流れをリダイレクトしたりするなど、各種アクションを自動化することも可能となる。オペレータのタスクが自動化プロセスに置き換えられることで、ネットワークはサイバー攻撃に対し、より機敏に反応できるようになる。

セキュリティ・オペレーションの自動化が一般化した背景には、いくつかの理由がある。第一に、今日のサイバー攻撃の複雑さは、人間のセキュリティ・チームでは到底かなわないということである。自動化プラットフォームは「高度で持続的な脅威」（APT）に対する合理的で効果的な防御を促進し、潜在的な侵害の検出と対処のため24時間体制で待機する常設監視部隊としての役割を果たす。アラートが発生すると、自動的に解析と電子的な修復がなされるか、人間に通知される。[44]第二に、攻撃の発生速度が自動化の必要性を高めている。マイクロソフト社の Global Incident Response and Recovery チームは「攻撃者はフィッシングｅメールによる最初のエンドポイント感染から24時間以内にドメイン全体をコントロールする」[45]と報告している。自動化はセキュリティ・チームがいったんは侵入を許した攻撃に対処し、それを解決するまでの時間を短縮する。被害の抑制は、攻撃者をいかに素早く特定し、阻止するかにかかっている。第三に、日々トリアージする攻撃やアラート件数が増加の一途を辿り、セキュリティ運用チームを圧倒し続けていることである。理想的には、自動化により手動での補間《マニュアル・インターポレーション》が必要なアラートの件数を管理可能なレベルまで減らすことである。最後〔第四〕に、セキュリティ・タスクの自動化により、稀少な人的資源が解放される。高いスキルをもつセキュリティ専門家の数が足りないため、現状ではセキュリティ需要を満たすことができないでいる。Herjavec Group がまとめた２０１７年の報告書では、２０２１年までに全世界で３５０万人のサイバーセキュリティの雇用が発生すると予測している。[46]

エンドポイントにおける検知と対応

２０１３年、「攻撃を１００パーセント防ぐことは不可能である」という現実認識から、「エンドポイントの検知と対応」（ＥＤＲ）市場が誕生した。[47]このため、エンドポイントで発生する技術的動作の多種多様な様相を探知する能力が開発されるようになった。エンドポイントで発生する情報は、不審な挙動や悪意ある行動の分析に有用である。セキュリティ運用センターは、境界防御で防げなかった活動を調査する方法としてＥＤＲソリューションを導入している。ＥＤＲはエンドポイントで何が起きているのかを可視化することができる。リスクが高いエンドポイントは、高い順にラップトップ型、サーバ、デスクトップ型、クラウドベース・サーバ、モバイル機器（タブレット、ノートブック／iPad、スマートフォン）である。[48]理論上、

EDRの保護対象はマルウェア、ファイルレス攻撃、正規アプリケーションの悪用、盗まれたユーザ認証情報の不正利用である。

EDRは攻撃者が使用する手口やテクニックだけでなく、その活動経路も追跡できるように設計されている。EDRエージェント〔日常的なタスクを自動的に行うプログラム〕をインストールすると、高度なアルゴリズムを利用してユーザーの行動をリアルタイムに解析することができる。センサー類はプロセス、接続、ファイル、ドライバ、自動実行、システム、マシン、ユーザー情報を収集する。EDRは集めた情報を過去または通常のデータセットのパターンと照らし合わせ、通常とは異なる動作の兆候を検出したときにアラートを発する。▼49

典型的なエンドポイント対応のシナリオでは、検知ソースから異常な動作に関するアラートがセキュリティ運用センターに送信される。その後、アナリストがエンドポイントをスキャンし、異常なプロセス、接続、その他のアーティファクトを検索する。もしそのアラートが誤検知でなければ、アナリストは攻撃の拡大を防ぐため、エンドポイントを隔離する。サンズ研究所（SANS Institute）が実施した2018年の調査では、回答者の61パーセントが24時間以内に脅威を検知できたのに対し、対応時間は同じ24時間以内かそれ以上かかったと回答しており、回答者の62パーセントが対応時間は24時間までかかり、さらに19パーセントが1つのエンドポイントの修復に2日から7日を要したと報告している。そこで検知・対応システムに自動化された脅威インテリジェンスを直接取り込むことにより、この時間間隔を短縮することができる。ネットワーク上での脅威者の侵入は数分から長くても数時間単位で行われ、こうした時間間隔は攻撃者に有利に働く。次世代ツールには、正常な動作のモデル化と予期せぬ動作の文書化に必要とされる自動化を実現することが期待されているのである。前出のサンズの調査では「組織はシステムをより積極的に防御し、サイバーキルチェーンの早い段階で脅威を検出する能力を強化する必要がある」と結論で述べている。[50] 企業はこれに注目し、追加予算をエンドポイント・セキュリティに割り当てている。フォレスター（Forrester）〔ビジネスや技術分野の調査・分析サービスを提供するアメリカの独立系調査会社〕が実施した最近の調査では、あらゆる業界のセキュリティ技術に関わる意思決定者の41パーセントが、2019年にエンドポイント・セキュリティに対する支出を5パーセント以上増加させると回答している。[51] さらにこの調査では、意思決定者が効果のないウイルス対策の技術から離れ、自動化された脅威の予防、検知および対応能力を備えた統合スイートを検討するようになっていることが明らかになった。

セキュリティ企業バークリー（Barkly）社が実施した2018年の調査では、回答者の64パーセントが自社のエンドポイントに対する攻撃を少なくとも1回は経験していることが明らかになった。各社がエンドポイント・セキュリティ・プラットフォームを調達している背景にはこのような事実があった。企業の成長段階に見合った次世代セキュリティ・ソリューションに求められる重要機能をまとめたチェックリストがあれば、それは購入の意思決定に役立つはずである。[52] エンドポイント・セキュリティの導入を開始したばかりの企業では、挙動パターンに基づくファイルレス攻撃や新しいタイプの攻撃を防止する機能が最低限必要とされる。また、文書化されたプロセスと訓練されたセキュリティ・チームというリソースを取り揃えたならば、統合された脅威インテリジェンスとマイター社ATT&CKエンリッチメントについて検討するのがよいだろう。次に、組織が〔セキュリティ分野で〕成熟度を増すと、カスタマイズされた防御ポリシーを作成し、それを意思決定の自動化に反映することができるようになる。最終的な目標は、セキュリティ・スタックとの統合を強化したうえでプロセスを自動化することである。サンズ社は、製品がどの程度最新の攻撃に対する防護力と検知力を備えているかを判断する評価基準を作成した。例えば、悪意のあるプロセスの検知・予防能力を評価する際、誤検知率を使えば、製品のパターン認識能力を判断したり、バイナリやスクリプトなどの悪意のある挙動を実行しているプロセスを停止させる能力を判断することも

できる。▼53

攻撃の戦術とテクニックの進歩により、商業分野のエンドポイント・セキュリティ市場は成長している。2018年、マイター・コーポレーションはいくつかのベンダー製品を選定し、ATT&CKフレームワークに沿った敵対的な行動を検出する技術能力を評価した。最初の評価ではAPT3をエミュレートすることが選択された。その理由は同グループが「認証情報の窃取、キーボードからのコマンドの発信、普段からOSのもとで操作されている正規プログラムの悪用（自給自足型攻撃）に依存している」ため、エクスプロイト後の挙動に関する実質的な解析を行うことが可能になったためである。▼54 マイター・コーポレーションの評価結果では、製品のユーザーが特定のATT&CKテクニックをどのように検出できるかについて説明されている。この評価では、ベンダー相互の直接的な比較は行われていないが、どのベンダー製品が自社のニーズに合致しているかを判断するのに役立っている。

カーボン・ブラック（Carbon Black）社、クラウドストライク社、サイバーリーズン社は、マイター・コーポレーションのATT&CKフレームワークの評価にボランティアとして参加したベンダー企業である。カーボン・ブラック社のCBディフェンス（CB Defense）は、マルウェア、ファイルレス攻撃、ランサムウェアなど、既知および未知の脅威を最小限の誤検知で識別する予測モデルを使用し、▼55 脅威の活動をリアルタイムで明らかにすると宣伝されている。攻撃のあらゆる段階を可視化し、根本的な原因を数分で明らかにすることで、管理者はエンドポイントの隔離、アプリケーションのブラックリスト化、プロセスの停止など、アラートのトリアージを即座に実行することができる。クラウドストライク社のファルコン・インサイト（Falcon Insight）は、組織全体のエンドポイントの完全な可視化を提供することを目的として販売されている。それは「マイターATT&CKフレームワーク」にアラートをマッピングし、複雑な検出を一目で理解することができる。また、アラートのトリアージにかかる時間を短縮し、修復を加速化する。さらに、攻撃の複雑なコンテキストは、統合された脅威インテリジェンスによって提供される。このようにファルコン・インサイトを活用すれば、敵対者にリアルタイムで対応し、封じ込めと調査を可能にする対応行動《レスポンス・アクション》をとることができる。[56]

サイバーリーズン社の検知・対応プラットフォーム（Detection and Response Platform）は、悪意ある活動を自動的に撃退し、攻撃キャンペーンに関する全プロセス《エンド・ツー・エンド》のコンテキストを提供すると宣伝されている。また、既知および未知の攻撃要素や技術を特定するために、さまざまな検出モデルをもつハンティング・エンジンを使用している。インターフェースは、攻撃のストーリーを視覚的に伝え、プロセスを停止してファイルを隔離するリメディエーターと、プロセスの実行とネットワーク通信を停止するブロッカーを内蔵している。[57]

以上のようなEDR製品の進化は時宜にかなっているといえる。ロシアは《ノットペーチャ》が猛威を振るってからわずか4カ月後にウクライナに対して《バッド・ラビット》攻撃を行ったことが示すように、境界防御を突破し、ネットワーク上を素早く動き回る方法を次々と発見している。ロシアは侵入のために巧妙な水飲み場型攻撃を活用し、世界的に伝播するためにNSAの修正ツールを活用したのである。

疑似ランサムウェア

2017年10月、《バッド・ラビット》と呼ばれる疑似ランサムウェア・キャンペーンは、キーウの地下鉄にある電子決済システムの利用を妨害し、オデッサ空港でフライトの遅延を引き起こすなど、その影響はウクライナ国内全域に及んだ。《バッド・ラビット》は同じく自己増殖性の《ノットペーチャ》の亜種と見られ、主に企業ネットワークをターゲットに拡散した。《バッド・ラビット》の目標は《ノットペーチャ》と同様、ウクライナとその関係者にできるだけ多くの混乱を引き起こすことであったと思われる。シンガポールに拠点を置くサイバーセキュリティ企業「グループＩＢ（Group-IB）」社はブログ記事の中で「一見すると、その攻撃は金銭目当てのようだ[58]」と述べているが、《バッド・ラビット》の動機が「混乱と恐喝という真の狙いを隠蔽する煙幕のようなもの」と語ったリサーチャーもいる。ウクライナ国家警察長官であるセルヒ・デメデュク（Serhiy Demedyuk）は「攻撃を受けている間、我々は金融情報や機密情報の取得を目的とした強力で静かな攻撃を繰り返し検知した[59]」と述べており、これなどは煙幕説に近い見方である。

バッド・ラビット・キャンペーン

２０１７年10月、欧州の複数の国、特にウクライナ、ブルガリア、トルコ、ドイツに加え、ロシア、日本、アメリカで新たなランサムウェアが発生した。このランサムウェアは被害者に対し、０・05ビットコイン（当時の約２７５ドル相当）の支払いを要求した[60]。この流行は、感染したロシア語メディア・ウェブサイトを訪問したユーザーが、Adobe Systems Flash マルチメディア製品の偽装アップデートに騙されたことから広まった。偽の Flash インストーラーがダウンロードされると、ランサムウェアは被害者のネットワーク内で拡散していった[61]。「グループＩＢ」のマルウェア研究者は「バッド・ラビットによるランサムウェア攻撃と……ノットペーチャ・ウイルスの流行の背後には同じハッカー集団がいる可能性が高い」と主張した[62]。そのうえで、《バッド・ラビット》は「ノットペーチャのソースコードを別のプロジェクト用としてコンパイルし、若干の追加を施したもの」であったと結論で述べている[63]。ほかにも、この２つのウイルスには同じハッシュ・アルゴリズムや同じドメインなどの類似性が見つかっている。《バッド・ラビット》に追加された要素は、支払いを行った人に鍵を渡す仕組みで現金を集めることができることだった。[64] ほとんどの被害者は身代金を払わなかったが、セキュリティ企業のRapid7社によると、金銭を支払った人がキーを受け取った事例がいくつかあった。ウクライナ治安局（ＳＢＵ）は、ウクライナとロシアに所在する数百の組織の業務を混乱に陥れた大規模な組織的攻撃を行ったのは、ＧＲＵとつながりをもつＡＰＴ28（Fancy Bearとも呼ばれる）であると非難した。[65] ＳＢＵはその根拠として、インフラの規模（50件を超える侵害ウェブサイト）、ソフトウェア開発者の技能、攻撃に対する金銭目当ての動機の欠如を挙げた。

ロシアのハッカーは《ドラゴンフライ２・０》キャンペーンで見られた自動ダウンロードを用いて、前回と同様の水飲み場型戦術を使った。具体的には、被害者が特定のＵＲＬにアクセスした後、「install_flash_player.exe」という名前のファイルが被害者のコンピュータ上で確認され、その直後にバックドア「Trojan.Karagany.B」が確認された。[66]《バッド・ラビット》キャンペーンでは、侵害されたウェブサイト上で偽のAdobe Systems Flashアップデート版のポップアップが表示された。「Flash_install.php」または「index.php」というパスに沿って偽のFlashドロッパーのダウンロードを開始するために、ユーザーは「install」をクリックしなければならなかったため、感染はユーザーの操作に依存していた。[67]

ランサムウェアはいったんマシンに感染すると、ネットワークをスキャンし、隣接するＩＰアドレスを探索する。そして、《ノットペーチャ》のときのように、正規のオープンソースのパスワード・クラッキング・ツール「ミミカツ」（Mimikatz）を使用してログイン情報を抽出した。[68] 次に、《バッド・ラビット》は侵害されたネットワークに自身のコピーをドロップし、正規のＷＭＩＣツールを用いてそのコピーを実行する。《バッド・ラビット》はEternalBlueは使用しないが、《ノットペーチャ》キャンペーンで使われたEternalRomanceと呼ばれる他のエクスプロイトの修正版を使用していた。このEternalRomanceという特殊なツールもＳＭＢプロトコルの脆弱性を利用してマルウェアを配布していたが、修正版であったことから、セキュリティ専門家たちはすぐにそれを特定することができなかった。[69]《ノットペーチャ》でも使用された正規プログラムDiskCryptorで被害者のハード・ドライブのデータを暗号化した後、マルウェアはマスター・ブート・レコードを変更し、コンピュータを再起動させ、赤と黒の画面に身代金の要求額を表示した。[70]

《バッド・ラビット》キャンペーンは、1週間ほどで徐々に沈静化した。攻撃者のサーバはオフラインとなり、不正なFlashダウンロードのスクリプトをホストしていた感染したウェブサイトの多くが修復された。[71]このランサムウェアに関しては国民の間で理解が浸透していたこと、そして研究者が撃退法を発見したことにより、感染は当初のターゲット地域内に限定され、アメリカでの広範な拡散を防ぐことができた。[72]サイバーリーズン社のリサーチャーたちは、このランサムウェア向けのいわゆるワクチンを開発した。その手順はかなり単純で、基本的にコンピュータの「継承可能な権限」を削除または無効にするというものだった。[73]さらに、カスペルスキー（Kaspersky）社のリサーチャーたちは《バッド・ラビット》がシャドーコピーを削除しないこと、仮に感染前にシャドーコピーが有効になっていれば、標準的なWindowsの仕組みでファイルを復元できることを知り、身代金を支払うことなくファイルを復元する方法を発見した。[74]こうして一連のキャンペーンが終息すると、被害や実行犯のことなど国際コミュニティから忘れ去られたかのようだった。

イギリスの外相が「2017年6月の破壊的なノットペーチャによるサイバー攻撃は、ロシア政府、特にロシア軍に責任があるとイギリス政府は判断している」と宣言した前回の疑似ランサムウェア・キャンペーンの後とは異なり、《バッド・ラビット》について公式にロシアの責任を追及する米欧政府は存在しなかった。とはいえ、技術的観点から「攻撃元の特定」が《ノットペーチャ》と同じ主体になされたことで、外相による次の声明は妥当であるように思われる。「我々はロシアに対し、隠密裏に国際コミュニティを弱体化させようとするのではなく、自らが所属する国際コミュニティの責任ある一員となることを求める」[75]。

セキュリティ運用プラットフォーム

アクセンチュア連邦サービス（Accenture Federal Services）の業務執行取締役兼サイバー戦略責任者のガス・ハント（Gus Hunt）は、サイバー・レジリエンスを達成するには、組織がいかにシステムを構築し、実装するかについて、従来とは異なる考え方をしなければならないと述べている。彼は「セキュリティ主導の取り組みは有益な効果をもたらしてきたが、サイバー脅威を取り巻く状況は格段に速いテンポで変化しており、連邦政府機関――あるいは、他のどの組織――も追いつけないほど複雑化している」ことを認めている。[76] ハントはセキュリティ専門家の格言として、問題は「防御が破られるかどうかではなく、いつ破られるかだ」[77] と改めて述べている。つまり、組織は受動的《リアクティブ》な姿勢から積極的《プロアクティブ》な姿勢へと転換する必要があるということだ。そこで必要になるのは、「多くのセンサーからの侵害の指標を関連付け、インフラごとに自律的に攻撃を処理し、既知の敵が引き起こすイベントに優先順位をつけ、キルチェーンに沿って悪意あるアクターの進行状況を判断できるプラットフォーム」である。これにより理論上は、手作業による補間《マニュアル・インターポレーション》を必要とするアラートの発生件数を管理可能なレベルまで減らし、複数の攻撃ベクター情報を関連付けることで、オペレータがネットワークの規模や攻撃テンポに応じて敵の洗練された技術に対応できるようになる。こうしたアプローチへの転換には、脅威の予防、検知、対応を自動化した「統合されたセキュリティ運用プラットフォーム」が必要となる。

パロアルト・ネットワークス（Palo Alto Networks）社が提供するセキュリティ運用プラットフォームは、本書の著者が教鞭をとり研究を行っているアメリカ海軍大学院に導入され、そこで詳細な検証が行われている。このプラットフォームにはエンドポイント保護デバイスのトラップス（Traps）が含まれており、これにより攻撃者が侵入時にエンドポイントの脆弱性を悪用する方法など、さまざまな挙動を（ヒューリスティックにより）認識することができる。このエンドポイント・ソリューションは、新しいユニークなプロセスや通常とは異なるネットワーク・フローなど、マルウェアの特徴を表す指標《マーカー》を監視している。例えば、チャイルド・プロセス保護モジュールは、プロセスの実行をブロックまたは許可する基準として、子プロセスまたは親プロセス（後者はある操作を実行するためにサブプロセスを作成するメインのプロセス）のコマンドラインの実行を評価している。つまり、PowerShellがデフォルトのルール設定にしたがわず、特定のパスからスクリプトを実行しようとすると、モジュールがPowerShellをブロックするのである。《バッド・ラビット》攻撃では、トラップス装置が複数の実行プロセスをブロックしていたはずだ。マルウェアのインストール段階では、DLLファイル保護モジュールにより、注入されたダイナミック・リンク・ライブラリ（DLL）ペイロード（ランサムウェアが組み込まれている）が暗号化プロセスや横断的侵害を開始しないようにブロックされる。DLLモジュールは、DLLファイルのセキュリティ・ポリシーにより設定されたプロセス（《バッド・ラビット》が利用したWindowsシステムのロード〔データを外部記憶装置から主記憶装置に読み込むこと〕プロセスのrund1132.exeなど）によってロードされている場合はDLLファイルを検査し、DLLホワイト・リストにない場合はDLLファイルそのものを検査する。トラップスはファイルの実行動作を解析し、悪質と判断された場合はファイルをブロックするため、エンドポイントをオフラインにした後でファイルを修復する通常の方法をとらずに済む。さらに、疑わしいソフトウェアのサンプルを同社のクラウドベースのサンドボックスおよび脅威分析サービス「ワイルド・ファイア（Wildfire）」に送信し、詳細な分析を行う。サンプルがマルウェアであることが確認されると、マルウェアのペイロードを認識する新しいシグネチャが作成され、セキュリティ・プラットフォームのネットワーク・コンポーネントである世界中に設置されたすべての企業の次世代ファイアウォールに数分以内に配信される。これにより、《バッド・ラビット》が偽の Flash ドロッパーをエンドポイントにインストールする機能を無効にすることができたのである。

セキュリティ運用プラットフォームはエンドポイントを保護し、未知のファイルをクラウドに送信して起爆させ、そこで新たに生成したシグネチャでネットワーク・ファイアウォールを強化する。こうして、それまで知られていなかった脅威を既知の脅威に変え、数分のうちにゼロデイ脆弱性を遮断する。このような自動化機能の安全性については、システムを実装した使用事例《ユース・ケース》を通じて、その実用性を説明することができる。そこで、《ワナクライ》、《ノットペーチャ》、《バッド・ラビット》の回避技術として使用するという困難なシナリオを設定し、それに基づきパロアルト・ネットワークスの商用機能の技術的可能性を検証するため、アメリカ海軍大学院と協力し、実際にユース・ケースを構築してみた。上述した《ノットペーチャ》など、近年の厄介な傾向は、最近のクラウドストライク社のレポートにも反映されている。それは2017年に調査した攻撃の大半が、ファイルレス・メモリのみのマルウェアと侵害された認証情報を用いて、PowerShell やWMICなどの Windows のプログラムを活用し、標的のネットワーク全体にアクセスし、持続し、横断的に展開するという傾向があるということであった。[▼78] トラップス・ツールはシグネチャに依存するのではなく、エクスプロイトのテクニックに集中的に取り組むことにより、ファイルレス攻撃や添付ペイロードのない攻撃を撃退する。悪意のあるコードをメモリに注入して最終的に実行しようとするヒープ・スプレーなどのメモリ破損技術をブロックしたり、悪意のあるプロセスが注入された悪質コードにアクセスすることを阻止するなど、複数の保護方法がサポートされている。これによって正規

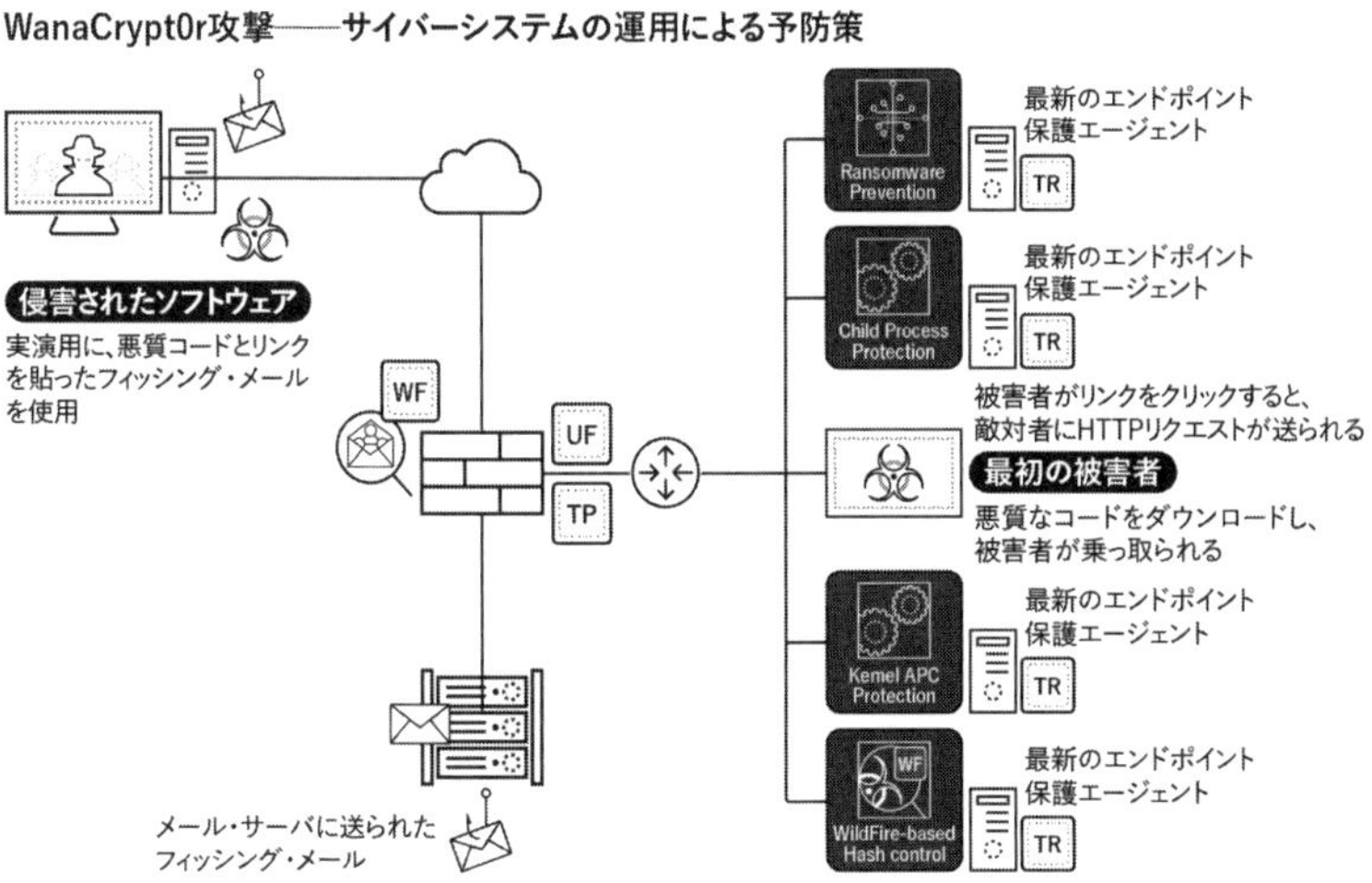

図 8-1　自動化されたサイバー防御の実演
出典：Palo Alto Networks, Corporate Communications Team.

のプロセスに影響を与えることなく攻撃を防止し、継続的な運用が可能となる。また、トラップスは認証情報収集ツールのダウンロードなど、普段とは異なるネットワークの動向を監視し、停止させる。さらに、次世代ファイアウォールは正規のアプリケーション（Secure Shell（SSH）やWMIなど）を、既知の認証済みユーザーとそのシステムに限定し、認証情報の外部システムへの送信（初期侵害の段階でのフィッシング攻撃に典型的に見られる）を防止する。そして、アプリケーションごとに内部システムへの多要素認証を要求することで、万が一盗まれてしまった認証情報が他のシステムへのアクセスに使用されることを防止する。

　このように商用機能がうまく連携できるという実例を示すため、2018年4月にジョンズ・ホプキンス大学で開催された統合サイバーイベントで、自動化された侵害検知・対策のユース・ケースのデモンストレーションが行われた。[79] このデモではサーカデンス（Circadence）社の仮想サイバーレンジを採用し、《ワナクライ》ランサムウェアに対するプラットフォームの運用要領が実演された。そこでは、トラップスのエンドポイント保護デバイス・モジュールにより、複数の実行プロセスをブロックできることが実証された（図8−1参照）。例えば、インストール段階において、トラップス・モジュールはDLL（ランサムウェアが埋め込まれている）が暗号化プロセスを起動するのを停止させた。また、このデモではファイアウォールとエンドポイントのログとタグの相関関係から脅威インテリジェンス作業を自動化し、Splunk SIEMの表示でイベントの優先順位を決定した。この概念実証のデモにおいて、統合サイバー防御アーキテクチャにおける自動化された脅威の予防・検知・対応ソリューションは運用を継続しつつ、ダメージを被る前に適応力のある攻撃者を撃退することが可能であることを証明してみせたのである。

結論

「サイバーセキュリティ」という用語は、情報および情報システムを保護するために設計されたテクノロジー、人材、プロセスから成る多層防衛アーキテクチャを意味している。今日の課題は、高度な脅威アクターはいかなる組織に対しても不正アクセスすることができるということである。

アクセンチュア・セキュリティ社による2018年の調査では、組織は平均して1カ月に2件から3件のセキュリティ侵害を経験していることが明らかにされている。[80] これが意味するのは、組織はこれからも侵入されることを前提にするしかないということである。セキュリティ戦略だけに頼るのではなく、被害を最小限に抑えつつ運用を継続するためには、脅威に迅速に対応するレジリエンス戦略を採用すべきである。これは、ファイアウォールやマルウェア対策などの予防的なセキュリティ管理対策による脅威の特定と防護が、包括的なサイバー・レジリエンス戦略の重要な側面ではないということを意味しているのではなく、常続的にネットワークを監視する堅固な検知メカニズムをもつことが不可欠であることを意味している。[81] アクセンチュア社の調査からは、セキュリティ・チームが侵害を以前よりも早く発見できるようになっており、半数のケースで1週間以内に発見していることも明らかになっている。前年度に比べて大幅に改善されたとはいえ、この発見率では、脅威アクターが高価値の資産を窃取したり、損害を与えたりするのに十分な時間があることに変わりはない。さらに悪いことに、残りの半分のケースでは、検知に1カ月以上を要したり、まったく検知されずにいるのである。もし組織が侵害を検知するために必要なソリューションを最初からもっていない場合、脅威アクターは甚大な損害を与え続けることができる。結局、サイバー・レジリエンスを積極的に実現する唯一の方法は、侵入を受ける前に必要な検知・対応能力を備えておくことである。[82]

特にロシアはセキュリティ上の空白を利用し、ネットワーク上で迅速に行動し、ベクターやターゲットの規模を拡大するとともに、巧妙に検知を回避して修復を困難にする高度な技術を有している。エンドポイント保護ソリューションは、構造化および非構造化されたセキュリティ関連データを処理・分析する方法を提供する。これを自動化されたサイバー防御に使用することで、検知プロセスだけでなく、脅威の封じ込めや修復のための対応措置を加速させることができる。また、迅速な対応により被害を最小限に抑え、復旧の必要性をなくすこともできる。ITチームにとって障害を復旧する作業は、特にデータ・センターのオンライン化、失われたデータの復元、アクセスできなくなったデバイスの交換、アプリケーションの再設定など、複雑で膨大な時間のかかる作業プロセスになる可能性がある。[83] 世界の電力・公益事業の最高執行責任者の約半数がサイバー攻撃は差し迫った脅威であると感じている一方で、すべての組織がそのような事象に対処する十分な準備ができているとはいえない。[84] その理由の一つは、多くの組織が25種類以上の個別のセキュリティ・ツールやポイント・セキュリティ・ツールを利用し、セキュリティ脅威の管理、調査、対応を行っていることである。[85] さまざまなシステムや製品があるだけでセキュリティ運用センターの担当者にとっては負担であり、その結果、正規のアラートの約半数（49パーセント）は処理されないままである。[86] 脅威環境を一元的かつ統一的に把握するためには、自動化された脅威の予防・検知・対応ソリューションを備えた緊密に統合されたセキュリティ運用プラットフォームが不可欠なのである。

第9章　技術のオフセット戦略

『2017年アメリカ国家安全保障戦略』は、アメリカとその同盟国・パートナー国がロシアとの間で長期的な戦略的競争を繰り広げていると主張する。[1]　2018年8月、欧州・ユーラシア問題担当国務次官補のA・ウェス・ミッチェル（A. Wess Mitchell）は「過去のアメリカの政策は、この新しい趨勢が及ぼす影響の範囲について把握することも、それに対処するために国家として十分に備えることもしてこなかった」[2]と議会で証言した。ミッチェル次官補によると、ロシアは「21世紀におけるアメリカの優位と指導性に挑戦する物質的・イデオロギー的な手段を築き上げてきた」[3]手強い競争相手である。武力紛争の閾値を超えない範囲で、さまざまな強制的・破壊的な活動を実施するクレムリンの能力は、国家情報会議（National Intelligence Council）によれば「持続的な経済的、政治的、安全保障上の競争」の要因であり続けるだろう。[4]サイバー行動を通じたそうした競争の拡大は、アメリカの軍事的優位を侵食し、社会インフラを脅かし、経済的繁栄を衰退させる。近年の『国防省サイバー戦略』の重要なポイントは「現在と将来におけるアメリカ軍の軍事的優位に寄与しているネットワークやシステムのセキュリティとレジリエンスを強化する」[5]ことである。そうしたセキュリティとレジリエンスに挑んでくるロシアのサイバー行動のスピード、規模、洗練性を考慮すれば、技術的なオフセット戦略は、アメリカがサイバー戦略の目標を達成するために必要となる。

ＮＡＴＯのイェンス・ストルテンベルグ（Jens Stoltenberg）事務総長は「ロシアが行動を変えようとする兆しは見られない[6]」と語る。ストルテンベルグは「我々はこれまで、北欧から中東に至るロシアの軍備増強や侵略的行為、そしてサイバー攻撃、偽情報、他国の民主主義プロセスへの介入といったハイブリッド戦術など、危険で許容できないロシアの行動パターンを目撃してきた。ロシアはまた、ウクライナの主権と領土保全の侵害を続けている[7]」と述べた。本章では、ロシアがウクライナに対して行ってきた挑発的な行動パターンのうち、比較的最近の事例を取りあげ、軍事行動と連携して運用されてきたサイバー作戦や偽情報活動について説明する。そこでは、明確さを欠いた国際規範の欠陥をロシアがいかに巧みに利用し、何ら臆することなくサイバー作戦を実行してきたか、また、ロシアの軍事的進展に対抗する手段として技術的なオフセット手段の有効性について論じる。そして最後に、統合セキュリティ運用プラットフォーム（integrated security operating platform）の中のデータ相関技術（data-correlation technology）を活用し、ロシアのサイバー行動に対する優位をいかにして取り戻すことができるかについて論じたい。

対立の継続

２０１８年11月25日、ＦＳＢは、ウクライナの主要な海軍基地であるオデッサからマリウポリ〔ウクライナ南東部ドネツク州のアゾフ海に面する港湾都市〕の港へ向けて航海するウクライナ海軍の３隻の艦艇を捕捉した[8]。黒海からケルチ海峡を通過してアゾフ海に入るには、タグボート群による誘導が必要だった。ちょうど前日、同じルートを航行したウクライナの艦隊指揮官は、ロシア当局からケルチ海峡一帯での外国船の航行が禁止されたとの通告を受けていた。25日の朝、ウクライナの派遣艦隊は海峡通過の許可を求めたが、ロシア海洋管理局から停船を命ぜられた。[9] ウクライナ艦隊は停船を拒否し、海峡通過を試みた。ロシアの巡視船は通過を阻止しようと接近し、そのうちの一隻がウクライナのタグボートに衝突し、船体を損傷させた。ロシア側はその後、海峡大橋〔2015年5月から建設が開始され、道路部分は18年5月、鉄道部分は19年12月に開通〕の下に巨大タンカーを浮かべ、ケルチ海峡を封鎖してしまった。通過待ちの多数の貨物船が立ち往生した。[10] ロシア側はKa－52攻撃ヘリコプターやSu－25戦闘機から成る航空戦力の増援を要請した。膠着状態が続いていた同日夕刻、不意にロシア艦艇が砲撃を開始するとともに、攻撃機の1機がウクライナの砲艦めがけて2発の無誘導ミサイルを発射し、ウクライナ軍人6名が負傷した。[11] その後、ロシアは3隻のウクライナ艦艇すべてを拿捕し、乗組員を捕虜にした。拿捕された艦船はクリミアの港湾都市ケルチに曳航され、ロシアの管轄下に置かれた。翌日、ロシアはケルチ海峡を通過する航路を再開した。

この黒海におけるロシアとの衝突の後、約1年にわたって集中的なプロパガンダ・キャンペーンが巻き起こり、米欧やウクライナの活動に関する偽情報が拡散された。当初、ロシア側メディアは、キーウがNATO艦隊を迎え入れるためにアゾフ海の海底土砂をさらっていると報道した。[12] 次にメディアが報じたのは、ウクライナが海水をコレラ菌で汚染しているという作り話だった。次は、アメリカが計画してウクライナ軍とロシア軍との間に武力衝突を引き起こそうとしているとの疑惑であった。ついには、ケルチ海峡大橋を爆破するため、イギリスとウクライナのシークレットサービスが核爆弾を持ち込もうとしたのをロシアの特殊作戦部隊が阻止したという荒唐無稽な記事まで現れた。[13]

その裏で、ウクライナ艦艇との対決が起こる前から、ロシアの政府系アクターがウクライナ政府と軍の施設を標的としたサイバー作戦を開始していた。ロシア国家が後援するハッカー集団〈カルバナック（Carbanak〉は10月下旬、ウクライナ海軍関連の情報を保有していると予想された標的に対し、フィッシング攻撃を行った。[14] そのフィッシング・メールには、悪質コードとリンクされたPDFドキュメントが添付されていた。もしロシアが海上危機の発生を望んでいたなら、このとき窃取した情報は大いに役立ったであろう。ケルチの対立が起こる1週間前、FSBとつながりのある独立集団〈Gamaredon〉は、Pterodoと呼ばれるバックドアを使ってウクライナ政府機関を標的にサイバー攻撃を行った。最後に、ウクライナの水兵たちが収監された翌日、〈カルバナック〉はウクライナ政府機関に対する2度目の調整攻撃を開始した。[15] ケルチ海峡の対立で見られたサイバー攻撃は、ロシアが攻勢作戦を開始する直前のタイミングでサイバー作戦を実施するパターンを踏襲したものであり、このパターンは2008年のジョージア以来、継続している。

当初、NATO加盟国は、ペンタゴンがウクライナにおける「秩序を乱す非合法的な行動」と呼んだこの事態に対し、実効性ある対応で歩調を合わせることができなかった。アメリカがただちにとり得る行動方針は「ウクライナに対するアメリカのコミットメントを再確認するため」[16] 12月初旬、オープンスカイ条約にしたがい空中監視飛行を強化することだった。キーウの欧州および欧州大西洋統合問題担当の副首相イワンナ・クリンプッシュ・ツィンツァーゼ（Ivanna Klympush-Tsintsadze）は、ロシアの野心の根深さを見ようとしない欧州各国政府の「近視眼ぶり」を非難するとともに、米欧が一体となってロシアに対する新たな制裁を科すべきだと訴えた。欧州各国が統一的な対応策を打ち出せない理由の一つとして考えられるのは、ロシア大統領のウラジーミル・プーチンは欧州社会の亀裂を巧みに操り、オーストリアの自由党（右派政党）やイタリアの同盟（右派政党）など、親クレムリン派の欧州政党が掲げる構想を後押しする政治《ポリティカル・》戦《ウォーフェア》キャンペーンが功を奏しているという事情があった。[17] 戦争研究所のキャサリン・ハリスとメイソン・クラークは、アゾフ海におけるロシアの侵略行為に対し、NATOが結束した対応をとれなかったことは、ロシア人たちに「今後、ウクライナや他の地域に対して行動をエスカレートさせる好機[18]」であると受けとめられた可能性が高いと指摘している。

クリンプッシュ・ツィンツァーゼ副首相は、ロシアは「米欧に対する戦争、そして世界秩序の指針となっているルールや手続きに対する戦争[19]」を戦っているのだと主張した。彼女はＮＡＴＯに対し、黒海でのプレゼンスをさらに強化するよう求めた。２０１９年１月、「ＵＳＳフォート・マクヘンリー」（*Fort McHenry*）〔アメリカ海軍の揚陸艦〕がルーマニアのコンスタンツァ港に寄港したが、これはロシアがウクライナの艦艇を拿捕した後、黒海を訪れた最初のアメリカ海軍艦艇であった。アメリカ海軍第６艦隊司令官のリサ・フランケッティ（Lisa Franchetti）海軍中将は、海兵隊員を乗船させた水陸両用艦を黒海に派遣することにより、アメリカ海軍が「域内で国際法を遵守するアメリカのコミットメントを地域の関係各国すべてに伝えること[20]」が狙いだと語った。ウクライナ政府はロシア艦船が国連憲章に違反して不当に武力を行使し、その中で「国連総会決議29/3314（「侵略の定義に関する決議」）第３条のⓒ項（封鎖）およびⓓ項（一国の海軍に対する攻撃）において定義された侵略行為を行った[21]」と主張した。これに対するロシアの公式見解は、ケルチ海峡での衝突はウクライナ艦艇が「国家の領海内に不法に侵入し、停船警告を無視し、危険行動をとった[22]」ことが原因で発生したというものだった。しかし、この見解では、ウクライナ艦艇がロシア船との衝突を回避するために高速航行せざるを得なかった点が見落とされていた。

法的観点から言えば、ロシア船は「海洋法に関する国際連合条約」、「国際連合憲章」、「アゾフ海およびケルチ海峡の利用に関するロシア連邦およびウクライナとの間の協力に関する条約」（アゾフ海条約）——２００４年４月に両国議会により批准された——に違反している。このアゾフ海条約では、アゾフ海とケルチ海峡は「歴史的にロシア連邦とウクライナの内水[23]」であると定義され、「ロシア国旗もしくはウクライナ国旗を掲げた商船および軍艦は、アゾフ海およびケルチ海峡における移動の自由を享受する[24]」と述べられている。上述した事案が発生した当時、本条約は締約国によって破棄されていなかった。[25] ２０１５年、ロシアは海峡を通過する船舶に対し、ロシア当局への事前通告を義務づけるルールを採用していた。ウクライナのボート群は事前通告をしたものの、ロシアのルールが設定した通告の期限を満たしていなかったのである。ウクライナ側は海峡通過のためにロシア側の認可を必要とするという考えを拒絶したのに対し、ロシア側は「本状況を領域主権の侵害[26]」と見なした。しかし、ウクライナ艦艇は条約で管理されたケルチ海峡内部の12カイリの領海線に入ったにすぎない。海洋法によると、たとえロシアの領海への侵犯が発生したとしても、国境警備隊が「同艦船への発砲を回避し、違反艦船を領海の外までエスコート[27]」することが適切な対応とされてきた。したがって、今回の事案は、法的な面でまたしても「国際的行動規範の侵害に対するロシア側の関心の欠如」を浮き彫りにしているが、その規範の多くが「ロシアが懸命になって修正もしくは現状変更に取り組んできた国際秩序の一部」なのである。[28]

曖昧な規範

〔第5章で論じたように〕２０１６年から２０１７年にかけてのＧＧＥ報告書草案に対する合意の障害となったのは、ロシアの国際法解釈に加え、「固有の自衛権」および「国際人道法の適用」という2つの問題であった。[29] 過去のＧＧＥ報告書では、結論として「特に国連憲章が適用され、それは開かれた、安全な、安定した、誰もが利用できる平和的なＩＣＴ環境を促進するために必要不可欠である[30]」と述べられていた。この結論には「個別的または集団的自衛の固有の権利[31]」を定めた憲章第51条が含まれている。明らかなことは、ＧＧＥ協議における論点は、当該権利の存否をめぐるものではなく、権利が効力を生じる閾値――

すなわち「自衛権行使の先行条件となる武力攻撃[32]」をめぐるものだった。『タリン・マニュアル２・０』のルール71には「サイバー行動が武力攻撃に該当するか否かは、その規模および効果による[33]」と述べられている。だが「重大であると認識されながら、いまだ規模と効果の測定基準となるパラメータは定まっていない[34]」という点も、専門家の間で既に認められているところである。

『タリン・マニュアル２・０』の執筆に携わった国際専門家グループでは「多くの人々に深刻な傷害を与え、または殺害するか、財産に重大な損傷を与えたり、破壊をもたらすサイバー行動は、規模と効果の要件を満たす」という解釈が提示された。とはいえ、「深刻な（seriously）」あるいは「重大な（significant）」といった用語には幅広い解釈の余地が残る[35]。このため、専門家自身「サイバー行動の効果が武力攻撃と見なされる正確なポイントについて、法は曖昧である[36]」と指摘している。また、広範な負の効果をもたらすサイバー行動に該当する事例について、法は明確ではない。例えば、国家の基本的機能を標的とし、国家の機能作用や安定性を著しく阻害するようなサイバー行動は、ことによると武力攻撃と見なされることもあり得る[37]。このような法的曖昧さを逆手に取った事例が、２０１５年に起きたウクライナの電力会社を標的としたロシアによるサイバー攻撃であった。このインシデントは、武力攻撃と見なされる「規模と効果」の閾値に至らないと見なされた。とはいえ、電力網は国家の基本的機能と見なすことができるし、その負の効果が国家の安定性を著しく阻害したかどうかをめぐる議論を巻き起こした。武力攻撃の閾値とは「国家が自衛権に基づき合法的に武力を行使する閾値[38]」である。このため、本ケースでは欺騙のために親ロシア集団〈サンドワーム〉を利用しながら、武力攻撃の閾値に至らぬよう巧みに操作するロシアの能力が責任を回避するうえで重要な役割を果たしたのである。

　武力行使の決定の閾値は多くの問題を孕《はら》んでいる。アメリカの立場は「死、傷害、重大な破壊を直接的にもたらすサイバー活動は武力の行使と見なされる可能性がある[39]」というものである。それゆえ、武力の行使には「損害や傷害をもたらす行為が当然含まれるが、伝統的な経済的または政治的制裁は除外される」[40]。これに伴う問題の一つは「物理的危害をもたらすサイバー行動と、本質的に経済的もしくは政治的なサイバー行動との間のグレーな領域に存在する行為を見分ける[41]」ための有権的な基準がないことだ。とはいえ、甚大な経済被害を生み出すサイバー行動を〔武力行使の対象から〕除外してしまうのも問題である。一例として、２００７年のエストニアに対するロシアのＤＤｏＳ攻撃を取りあげてみよう。マイケル・シュミットは「これ全体を単一の『サイバー作戦』と見なせば、当該インシデントは国連憲章に違反した武力行使の閾値に到達していたといってよいだろう[42]」と結論を述べている。国連憲章には、ある行為が武力行使に至ったと判断する明確な基準がなく、それ自体が必ずしも評価に役立つというわけではない。そこでシュミットの場合、政府機関、経済、国民の日常生活に対するＤＤｏＳ攻撃の「直接的かつ即時的効果」(the direct and immediate effects)に基づき評価した。

『タリン・マニュアル2・0』のルール69には、「サイバー行動は、その規模および効果が武力の行使のレベルに到達している非サイバー行動に比肩しうる場合、武力の行使に該当する[43]」と記載されている。「国際コミュニティが武力の行使に該当すると見なすキネティックまたはノンキネティックな行動に類するサイバー行動を識別」するため、『タリン・マニュアル』は「国家による武力行使」の判断に影響を与える要因――具体的には、烈度(severity)、即時性(immediacy)、直接性(directness)、侵襲性《しんしゅうせい》(invasiveness)、結果の測定可能性(measurability)、軍事的性格の有無(military character)、国家の関与の度合い(state involvement)、合法性の推定(presumptive legality)――を提起している[44]。なお、各要因は相互に関連し合う。例えば、一時的なＤＤｏＳ攻撃は武力の行使に分類される可能性は低いといえるが、２００７年のエストニアで起きた事例のように、経済に甚大な被害を与えた大規模なサイバー行動は武力の行使に分類される可能性はある。専門家たちは規模と効果の尺度に関し、「あるサイバー行動が武力の行使に到達しているか否かを判断する際の量的・質的要素を分析するための有効なアプローチ」であると見なしている。ただし「規模と効果」の指標を用いた場合、「最も重大な」武力行使の形態（武力攻撃に該当）と、その他の「さほど重大ではない」形態とをどのように区分するかが問題となる。『タリン・マニュアル』では『武力の行使』と『武力攻撃』は異なる規範的目的に沿った基準である」[45]ことが強調されている。「武力攻撃」に至らないレベルの「武力の行使」に直面した国家は、対抗措置しか行使できない。2007年のエストニアに対するサイバー行動では、ロシアの行動が「武力の行使」に該当すると指定されてもおかしくはなかった。しかし、モスクワは国際法のルールを巧みに操作し、自らのサイバー行動に対する合法的な報復を回避した。それは愛国的ハッカーを利用することで、国家責任を逃れることができたからである。

2016年から2017年の国連GGE草案報告への合意を阻んだ第2の問題は、武力紛争法とも呼ばれる国際人道法の直接的な適用の是非についてであった。『タリン・マニュアル2・0』のルール80には「武力紛争の文脈で実施されるサイバー行動は、武力紛争法にしたがう」[46]と記載されている。国際専門家会合では「武力紛争法は、国際武力紛争時および非国際武力紛争時の活動に適用される」[47]との見解に満場一致で合意した。この見解は、2008年のジョージアで起きたサイバー作戦および2014年以降のドンバス地方で起きているサイバー作戦の事例に適用されている。GGEの審議で問題になったのは参照《レファレンス》（非合意的な法形成の一形態）をめぐる誤った懸念であり、「人道法の適用を認めることにより、紛争時のサイバー作戦が正当化される、という誤った法的結論」[48]に至ってしまった。この結論は法の人道目的——例えば、民間人や民間の器物に対する攻撃の禁止——を歪めてしまう。これに代わってロシアは、ジョージア紛争とドンバス紛争——民間インフラに対するサイバー作戦が、非対称戦や新世代戦の一角を占めた——での国際人道法に関する独自の解釈を打ち出した。アメリカは同じ考えをもつ国々と連合を形成し、規範侵害行為を行った国の責任を追及している。[49]だが、条約や協定の中の規範が不明瞭であるため、紛争または競争を問わず、ロシアはサイバー行動を継続している。

オフセット技術

2014年11月、チャック・ヘーゲル（Chuck Hagel）国防長官はレーガン国防フォーラムで聴衆に対し、「ロシアのウクライナ侵攻は、第2次世界大戦の終結以来はじめて欧州大陸で起きた国家による国家の侵略という最もあからさまな行為の一つである」[50]と語った。そして、この侵略行為は台頭する大国による世界秩序に対する挑戦の終わりではなく、始まりであるとも語った。ヘーゲルは演説の中で、ロシアはアメリカ軍の技術的優位を阻止するため軍近代化プログラムに多額の投資を行っており、最新の航空機や潜水艦、長射程で精度の高いミサイルを配備していると指摘した。そして比類なき技術的優位がなければ、友好国も敵対国も国際法やルールの執行に対するアメリカのコミットメントに疑念を抱く可能性があると主張した。したがって、重要な長期的投資は、他の追随を許さない国家の技術革新分野に向けられるべきであると力説したのだった。[51]

これは目新しいアプローチではなく、アメリカは過去2度にわたりオフセット戦略を用いてロシアの優位に対抗してきた。冷戦期、アメリカ軍はテクノロジーの優位を活かし、時間、空間、兵力の面でソヴィエトの優位を相殺したのだった。この技術的優位のおかげで新たな兵力態勢と運用構想の採用が可能となり、ワルシャワ条約機構が通常戦力の面で有していた圧倒的な数的優勢を相殺することができたのである。[52]

1950年代、ニュールック戦略〔アイゼンハワー政権期の核の大量報復戦力に依存した対共産圏封じ込め政策〕により戦場に強力な核戦力が配備された。ソヴィエト軍より小規模であったアメリカ軍はミサイル、ロケット、低出力の核弾頭を搭載した砲弾を装備し、通常戦力で優勢なソヴィエト軍を抑止した〔第1次オフセット戦略〕。その後、1970年代初めになると、ディジタル式超小型電子工学《マイクロエレクトロニクス》や情報テクノロジーを土台としたオフセット戦略により、ワルシャワ条約の兵力増強――東西ドイツ国境沿いに配備された近代的通常戦力――に対抗した。このときのオフセット効果は「奥深くまで観測し、縦深を撃つ《ルック・ディープ・アンド・シュート・ディープ》」[53]ことを可能にする新世代のセンサー、兵器、ネットワークの中に見出された〔第2次オフセット戦略〕。このアメリカの縦深《ディープ・》打撃複合体《バトル・コンプレックス》はソ連軍に対して実際に試されることはなかったが、1991年の「砂漠の嵐」作戦でその有効性が実証された。ロシア製や中国製の兵器で武装され、ソヴィエト式の軍事ドクトリンで訓練されたイラク軍は、アメリカの誘導弾戦闘ネットワークにより完膚なきまでに打ちのめされた。[54]

ヘーゲルの演説は、国防革新イニシアティブ（Defense Innovation Initiative）により作戦面と技術面での優位を獲得するため、ゲームチェンジャーとなり得る「第3次オフセット戦略」の開始を告げるものだった。その狙いは、アメリカの軍事力を前進させる画期的なテクノロジーとシステムの分野で技術革新を加速することにあった。[55]技術の変化が急速に進む時代には、いかなる優位も長続きしないため、迅速なイノベーションを遂げる必要があることは明らかである。[56]

元国防副長官のロバート・ワーク（Robert Work）は、現在の技術革新の焦点は「商業部門で起きており、バイオテクノロジー、ナノテクノロジー、ロボット工学（および）原子力工学である」[57]と語った。ワーク副長官が追求すべき目標として強調した重点分野は「自律型ディープラーニング・マシンおよびシステム」ならびに「最先端の人とマシンの協働化」である。[58]前者のカテゴリーの一例として「攻撃を探知し、弱点を認識し、システム防御を自己補正するサイバーシステム」[59]があった。第3次オフセット戦略で具体化された事例は、海軍のSM-6地対空ミサイルの改良型、海兵隊の高機動ロケット砲システムの対艦兵器への改良など、キネティック兵器が際立っていた。[60]その狙いは、対等に近い競争相手《ニアピア・コンペティター》に対抗できるよう、現有の通常戦型能力を増強し、相手の能力を凌駕しようとするものだった。こうした動きに対し、ロシアは独自の戦力増強プログラムで対抗し、人工知能、指向性エネルギー兵器、極超音速飛翔体といった限られた分野に焦点をあてている。[61] こうしたテクノロジーの一部はいまだ初期段階にあるが、極超音速兵器の開発は急速に進み、すでに配備されているものもある。

アメリカのミサイル防衛網を回避・突破する6つの新たないわゆる「無敵の兵器システム」のうちの2つは、極超音速のカテゴリーに分類される。一つ目はアヴァンガルド極超音速滑空体で、大気圏再突入型の戦略ミサイルである。この滑空体はマッハ27の速度を出すといわれ、水平・垂直機動が可能である。[62] 二つ目はキンジャール極超音速ミサイルで、最大2000キロメートルの到達範囲をもつと言われている。キンジャールはイスカンダル・ミサイルの改良型である公算が高く、速度はマッハ5からマッハ10にまで達する。[63] キンジャールが最初に姿を現したのは、モスクワでの2018年戦勝記念日パレードであり、2機のMiG-31ジェット戦闘機に搭載されていた。[64] ソチで開催された国際政策フォーラムの場で、プーチン大統領は新たな極超音速ミサイルはロシアに軍事的優越をもたらしていると注意を喚起し、「我々はこの分野の競争で先行している」と誇らしげに語った。たしかに、他国はようやく極超音速兵器の試験を始めたばかりであったが、ロシアはすでにキンジャールを実戦配備していた。[65]

プーチンの主張は本当のようだ。アメリカの当時の空軍長官ヘザー・ウィルソン（Heather Wilson）は「極超音速分野における彼らの目覚ましい進歩を目の当たりにし」、モスクワからもたらされた「我々が直面している現実を黙って放置しておいてよいとは思わない」と語った。[66] アメリカでは、ようやく攻撃用の極超音速型打撃兵器への投資が開始されたばかりであり、体系的とはいえない部分的な防御システムの研究開発を続けていた。[67] ペンタゴンの国防次官（研究・工学担当）を務めたマイク・グリフィン（Mike Griffin）は「我々はおそらく極超音速ブースト・グライド・ミサイルを撃ち落とせないだろう」と率直に認め、なぜなら「視認したときにはすでに、ミサイルは追跡ループの内側に入り込んでいるからだ」と語った。[68]

アメリカは航空領域のうち、極超音速の次元ではロシアの優位を諦めざるを得なくなる可能性がある。同様にサイバー領域においても、ロシアは侵入者を発見・撃退するというセキュリティ対策の能力にとどまらず、サイバー作戦の技術革新に取り組んできた。ロシアのアクターたちはサイバー防御の突破と回避のための戦術とテクニックを継続的に導入し、改良を重ねていた。こうした非対称脅威に対する優位が揺らぎはじめたことを受けて、第3次オフセット戦略によりイノベーションを育成し、活用し、持続させ、「新たな敵がいつ、どこに現れようと、それに対処する」[69]ことが期待された。

だが、第3次オフセット戦略に関する会議の議論で広く提起された課題やテーマは、商業部門にある豊富なイノベーションの中から必要なものを見つけ出し、それを軍事に適応させることの難しさであった。[70]とはいえ、第3次オフセット戦略の柱である「自律型ディープラーニング・マシンおよびシステム」ならびに「最先端の人とマシンの協働化」に関しては、データ相関技術(data-correlation technology)の分野で商業的進歩が幅広く見られた。データ相関技術はこれまでも育成・活用・持続されてきた分野であり、この分野でアメリカは、ロシアのサイバー行動に対する優位を取り戻すことができるかもしれない。

データ相関技術

統合セキュリティ運用プラットフォームは、脅威の予防、検知、対処を自動化する。予防機能の最初のステップは、あらゆるアプリケーション、ユーザー、コンテンツ、エンドポイント、トラフィックを可視化することである。これにより大量のデータが観測・収集され、既知および未知の脅威による侵入を防ぐことができる。ネットワークに設置されたファイアウォール、エンドポイントの機器類、プラットフォームの中のクラウド・セキュリティ・サービスでは、それぞれイベント・データの調査、不審な活動の検知、セキュリティ対策による処置がなされ、データ融合と解析のためにログ・イベントが作成される。ログ・イベントはSIEMソリューションに取り込まれ、ログの保管、脅威の関連付けと表示が可能となる。

　このように、セキュリティ運用プラットフォームは、単なる従来からあるポイント製品の寄せ集めではない。それは多様な技術とテクニックを取り入れた単一のソリューションであり、サイバーキルチェーンにしたがって行われる攻撃を防止する機会を増大させる。▼[71] 高い適応力をもつ攻撃者を日単位ではなく秒単位で撃退する能力は、第8章で説明した使用事例《ユース・ケース》のように、自動的に侵入を検知し、脅威を緩和する有効な対策であることが実証されている。その使用事例のスポンサーであるパロアルト・ネットワークス社は、これまでデータ相関技術の有効性を活用した事業に取り組み、「Cortex XDRフレームワーク」と業界屈指の「Security Orchestration, Automation, and Response（SOAR）ソリューション」を統合して新しいセキュリティ運用プラットフォームを構築した。その運用構想は、低レベルの攻撃を阻止する一方、マシンラーニング技術を使って高度な攻撃を探知し、連携自動ツールを使って「人とマシンの協働化」技術による調査を行うことである。そこで、新しいプラットフォームの機能の多くを検証し、第3次オフセット戦略の柱である「自律型ディープラーニング・マシンおよびシステム」と「最先端の人とマシンの協働化」という2つの分野を例に、それぞれの分野におけるデータ相関技術の概念と運用について考察する。

ディープラーニング・マシン

　高度なサイバー攻撃では、マルウェアのシグネチャや悪意のあるドメインといった従来の侵害指標《インディケーター・オブ・コンプロマイズ》を含まないケースが増えている。今では最良の脅威予防策を利用すれば、既知の脅威、回避型マルウェア、ゼロデイ攻撃、ファイルレス・マルウェア攻撃〔非マルウェア攻撃〕の99パーセントを阻止することができる。最も被害の大きい残りの1パーセントの攻撃を検知するためには、マシンラーニングと挙動解析（behavior analytics）によって、分析期間を長く設定したシステム層全体のアクティビティを分析する必要がある。このタイプのデータ相関技術に期待されるのは、組織のユニークな特徴を学習し、そこから予想される行動のベースラインを作成し、そのベースラインに照らしてインサイダー脅威を含む高度な攻撃を検知することである。

マシンは、マシンラーニングによって独自に回答を予測し、判断する方法を学習する。そこでテクノロジーに最も期待される能力は、膨大な労力を要する人間の作業に取って代わり、過去に遭遇したことのない状況に対処してくれることである。マシンはデータセットとそのデータセットに適用するルールやアルゴリズムという形で、多種多様な事例を学習する。マシンラーニングには「教師あり学習」（supervised learning）と「教師なし学習」（unsupervised learning）の2つのタイプがある。「教師あり学習」では、マシンはラベル付けされたサンプルデータを使用して訓練を受け、どのような質問と応答が用意されているかをマシンは知っている。それに対し、「教師なし学習」においては、マシンはラベルのないデータを使って訓練を受ける。つまり、マシンはデータが何を表しているかを知らないため、入力データのパターンや構造を自ら計算して見つけ出さねばならない。[72]

マシンラーニングは、すでに経験済みの既知の脅威を検出することに有益であることは疑いない。しかし、その真の価値はゼロデイなどの未知の脅威とともに、既知の脅威の中でも過去に見られなかった亜種を検出することにある。[73] 既知の脅威の亜種は「教師あり学習」を使ってマシンが習得したルールとの照合やパターン認識により検出される。また、既知の挙動と異なる未知の脅威は「教師なし学習」を使って検出される。ここでいうマシンラーニングは、ユーザーの操作やデバイスの動作をプロファイリングした平常の状態をモデルにしている。

次に挙動解析であるが、これは攻撃の兆候を示す特異な挙動や不審な挙動を検知するため、膨大なデータを解析することである。検出アルゴリズムによって、過去の挙動、ピア〔対向する2台の装置〕の挙動、組織やユーザーのタイプ、その他多くの属性が評価され、正確で具体的な対応へとつながるアラートを発する。例えば挙動解析では、通信していないはずのホストとの間で生じたネットワーク上の新しいピア関係を検出することがある。[74] このようにマシンラーニングと挙動解析の手法を取り入れることで、標的型攻撃のみならず、信頼ある認証情報やアクセス権限を悪用する職員やインサイダーの危険な行為まで暴くことができる。[75]

Cortex XDR解析アプリケーションは社内ネットワーク全体に対する隠密攻撃を発見するため、マシンラーニングおよび挙動解析を利用している。それは、拡張性のあるクラウドベースのデータストアの内部にあるセキュリティ運用プラットフォームから集められた豊富なデータを収集し、相互に関連付け、つなぎ合わせる。ネットワーク上の豊富なデータ（IP、ポート、バイト）、ユーザー情報（ネーム、システム、アドレス）、アプリケーション情報（ネーム、プロトコル、ドメイン）、エンドポイント情報（ファイル、プロセス、ハッシュ、レジストリ）、脅威インテリジェンス情報（ハッシュ値、IP、URL）は結合され、完全に可視化される。その解析アプリケーションは、次のようなマシンラーニング・テクニックを用いてユーザー行動とデバイス動作の解析を行う。

・教師ありのマシンラーニング　ネットワーク・トラフィックの特徴を監視し、各デバイスをタイプ別に分類し、IT管理者と一般ユーザーの区別を学習する。そして、デバイスやユーザーのタイプに基づき、期待される動作や行動からの逸脱を認識する。

・教師なしのマシンラーニング　ユーザー行為とデバイス動作のベースライン化とモデル化、ピアグループ解析の実行、デバイスを関連性のある動作グループに分類する。次に、過去の挙動とピア動作の比較から異常値を検出し、マルウェアの挙動、横断的侵害《ラテラル・ムーブメント》、情報流出などの悪意ある活動を表示する。▼76

挙動解析のアプリケーションは１０００件以上の挙動を追跡し、マシンラーニングで計算された値を検出アルゴリズムが解析する。隠密攻撃は豊富なデータ観察と挙動プロファイルの作成、検出アルゴリズムによるプロファイルの解析を通じて発見することができる。例えば、このアプリケーションは毎日、データ量の転送、ＨＴＴＰ、ＨＴＴＰ（Ｓ）（Hypertext Transfer protocol［secure］）、ＳＳＨプロトコルの使用、接続するホスト数を記録する。そして、普段は滅多に利用されていないサイトへのアクセスの繰り返しや、複数回にわたる、いかにもランダムに見えるドメイン名システム（ＤＮＳ）へのリクエストなどの異常を監視するが、これらは遠隔操作《コマンド・アンド・コントロール》活動を示唆している。

Cortex XDR調査・対応アプリケーションは、多様な予防法を備えたTrapsのエンドポイント防護シーケンスにマシンラーニングと挙動解析の手法を活用したものである。Trapsは、単にエクスプロイトのシグネチャだけでなく、エクスプロイトのテクニックを識別してホストを保護する。ユーザーが実行ファイルを起動させようとすると、デバイスはまずWindows、macOS、Linuxの実行ファイル、ＤＬＬ、Officeマクロのハッシュ値をWildFire脅威インテリジェンスに問い合わせ、そのファイルが良性か悪性かをチェックする。もしファイル判定が最初のハッシュ値の検索で不明な場合、エンドポイント上のマシンラーニングによるローカル解析が行われる。そのエンドポイントのデバイス「マシンラーニング」は、数千件に及ぶファイルの特徴をリアルタイムで検査し、ファイルを実行するかどうかを判断する。

次に、正規のアプリケーションやプロセスを利用する攻撃者に対しては、挙動脅威の保護対策により悪意ある活動が識別される。つまり、エンドポイント上のさまざまな活動――ネットワーク、プロセス、ファイル、レジストリ活動――を対象とした悪意あるフローや一連のイベントを検知し、それに対処するのである。この保護対策はスクリプトベースの攻撃やファイルレス攻撃に対する理想的な対処法である。Traps はローカル解析に加え、未知のファイルを WildFire に送信して特徴を静的に解析したり、サンドボックス内で送信を起爆し、効果や挙動を調べる動的な解析を行うことができる[77]。もし WildFire があるファイルを脅威と判断した場合、Traps と連携した保護に加え、統合セキュリティ運用プラットフォームの次世代型ファイアウォールによる保護を利用できる。セキュリティ企業のガートナー（Gartner）社は、Traps がマシンラーニングなどの非シグネチャ検出機能を活用し、強固なエクスプロイト予防と軽減を行っていると評価している[78]。

セキュリティ運用プラットフォームは、イスラエルに拠点を置く Secdo 社の能力を Traps に取り入れている[79]。Secdo 社のスレッドレベル（イベントのシーケンス）のデータ収集と可視化に対するアプローチは、一般的なイベント・データのみを収集していた従来のエンドポイント・ソリューションの手法を超えるものだ。Secdo 社はマシンラーニングを使い、次のような見解に基づいて調査手法の簡素化に取り組んでいる。

• 根本原因の分析　脅威の背後にある一連のイベントを自動的に識別し、根本原因まで遡った一連の攻撃経過を各要素の詳細とともに可視化することができる。アナリストはこの表示を見ることによって、手動でイベントの関連付けを行ったり、コンソール間を行ったり来たりすることなく、どこのエンドポイント・プロセスがアラートの原因であるかを即座に知ることができる。
• 時系列履歴《タイムライン》の分析　すべての攻撃活動に関する実用的なフォレンジック情報の詳細が時系列で表示

される。アナリストはこれを見ることによって、疑わしい挙動を特定するための情報アラートを確認することができる。[80]

セキュリティ・チームは脅威が特定されると、マルウェアの拡散を阻止するとともに、ネットワーク活動を制限し、悪質なドメインなどの脅威対策リストを更新する。また、リモート端末応答機能により、実行中のデバイスのプロセスを正確に終了させ、削除することができる。これにより、ユーザーは作業を中断することなく業務を継続することができる。このように、Cortexフレームワークは脅威の可視化と防護策において、ディープラーニングの長所を具現化しているのである。

人とマシンの協働化

ＳＩＥＭソリューションは、監視と警告をサポートするフレームワークとディスプレイを使用し、組織がセキュリティ状況を総合的に可視化し、攻撃に対応できるよう支援する。[81] ＳＩＥＭはサードパーティ製品〔対象製品の開発元・販売元ではない第三者《サードパーティ》による関連製品〕から大量のログデータを取り込み、それを処理して初期のアラートを生成する。ＳＩＥＭのダッシュボードは、新たに発生した特徴的なイベントをトリアージし、選別した情報を再調査するためにアナリストに送信する。[82] しかし、今日のアナリストは、単調で反復的かつ時間のかかる手作業のインシデント対応プロセスに過度の負担を強いられている。第一のステップは「脅威を特定するための問題の調査」であり、主にログとユーザーやデバイスを含むネットワーク全体のアクティビティを確認する。この調査では、最新の脅威情報を常に把握し、侵害指標（ウイルスのシグネチャ、悪質なＩＰアドレス、マルウェア・ファイルのハッシュ、遠隔操作サーバとリンクしたＵＲＬ）など既知の攻撃情報とデータを比較する必要がある。第二のステップは「脅威の封じ込め」であり、具体的には①ＩＰ

アドレス、ドメイン、サービスのブロック、②特定アカウントの無効化や、特定デバイスのネットワークに対するアクセスを拒否することによって、感染したユーザーやデバイスを隔離する〔丸数字は訳者〕ことを通じて達せられる。第三のステップは「脅威の無効化」であり、感染したデバイスの再イメージ化〔コンピュータ上のソフトウェアをすべてアンインストールし、Windows上に画像を再インストールすること〕、パスワードの変更、アップデートを適用することによって実施される。第四のステップは「回復」であり、ブロックの除去、アカウントの有効化、データの復元、トレーニングの実施によって達せられる。最後に第五のステップは「インシデントの文書化」であり、文書には完了した一連の業務とそこから学んだ教訓が書き込まれる。さらに、担当者は今後の活動に備えて新たなアラートを再設定し、新しい侵害指標を使ってネットワーク全体を検査《スキャン》し直す必要がある。アラートに関する一連の流れ《コンテキスト》を手作業で収集し、適切な判断を下すために数時間以上かかることもある。

さいわいなことに、新しいデータ相関技術が登場し、最初のイベント通知から修復、終了に至るまで、インシデント対応プロセスの全体を自動化し、組織化（orchestrate）することができるようになった。「セキュリティの自動化（security automation）」という用語は手動プロセスの代わりに情報テクノロジーを利用することを示しているが、「セキュリティの組織化（security orchestration）」という用語はプロセスの合理化・効率化を目的としたツールやプレイブックの活用法を意味している。[83]「自動化による実行」または「組織化による調整」のいずれの場合でも、セキュリティはマシンを土台として実行される。[84]セキュリティの自動化と組織化は、未調査・未解決のアラート件数を減らすことで組織がセキュリティ・リスクにさらされる頻度を減少させる。また、この種のプラットフォームが運用されていれば、セキュリティの実行を承認するセキュリティ・アナリストの有無にかかわらず、脅威を数秒で調査し、封じ込めと修復に要する時間を短縮させることができる。さらに、マンパワーとスキルに制約を抱えながら、増大するセキュリティ・アラートに対処しなければならないセキュリティ・チームにとって、自動化と組織化は能力増幅《フォース・マルチプ》要因《ライヤー》となっている。[85]

サイバー脅威を防ぐため、重要な情報を自動的に収集し、意思決定が必要なケースを選定し、重要な対策を実行するＳＯＡＲソリューションが数多く登場している。[86] 人間とマシンが協働してセキュリティの手順や作業の流れを自動化するＳＯＡＲソリューションは、アナリストによる迅速な調査を可能にする。例えば、あるＳＯＡＲの顧客は、通常手動で90分以上かかっていたフィッシング・メールの調査プロセスを自動で対処できるようになった。従来の標準的な手順は、従業員からの異常な受信を確認し、悪意のある指標を探し出し、改善策を講じるというものだった。それを自動化することで、このプロセスは１分以内に完了し、アナリストはより複雑な脅威に〔時間と労力を〕集中することができるようになったのである。[87]

ガートナー社は、２０２２年までに５人以上のセキュリティ運用センター（ＳＯＣ）チームを抱える組織の30パーセントでＳＯＡＲ技術が活用されると予測している。[88] 大手のセキュリティ・ベンダーはＳＯＡＲ機能を取得して、それをＳＯＣ最適化のためのポートフォリオに追加している。パロアルト・ネットワークス社は「デミスト（Demisto）ＳＯＡＲソリューション」を自社のセキュリティ運用プラットフォームに組み入れ、セキュリティ・チームが脅威の調査と対応を速やかに行うことができる製品を提供している。デミストの自動化されたプレイブックは「人間による再調査が必要なアラートの95パーセントを削減する」ことが実証されている。[89]

セキュリティの組織化《オーケストレーション》に関するプレイブックは業務別に作業の流れを図式化したもので、業務プロセスの可視化と調整を容易にする。２０１９年のアンケート調査では、回答者の約50パーセントが、インシデント対応に６つ以上の異なる製品を使用していると回答している。[90] この「最良の組み合わせ《ベスト・オブ・ブリード》」アプローチでは、セキュリティ製品が、ベンダー、機能、データ標準の垣根を越えて広く行き渡ることになる。プレイブックは最良の実践方法《ベスト・プラクティス》を体系化し、セキュリティ製品がこれまで繰り返してきた、次のような反復的なセキュリティ・アクションの自動化を可能にしている。

・脅威インテリジェンス・ツールから指標《インディケーター》の信用度を評価
・サポートチケットの開始、整理、終了
・影響を受けたエンドユーザーのメール送信
・マルウェア解析ツールでファイルを破壊
・感染したエンドポイントの隔離
・受信するアラートの重要度レベルの設定
・指標監視リストおよびブラックリストの更新▼91

このように、デミストはレスポンス・アクションや調査クエリを実行しやすいように、誰もが使いやすいドラッグ・アンド・ドロップ式のプレイブックを利用している。このエンタープライズ・ソリューションは継続的な改良を重視しており、マシンラーニングを使用して、インシデントの発生源、業務管理、関連インシデント、指標による製品とインシデント間の相関関係の割り出しに関する深い知見を提供してくれる。デミストは多種多様なソース（例えば、SIEM、eメール・ツール、脆弱性スキャナ、クラウドなど）からアラートを取り込むことができるため、セキュリティ・チームは、さまざまなインシデントに共通する指標を見出し、それを可視化することができる。この相関分析により、セキュリティ・チームはある指標が単独のものなのか、それともより大規模な持続的攻撃キャンペーンの一部なのかを速やかに見分けることができる。また、デミストにはアナリストが知見や情報を共有できるウォールーム〔作戦指令室〕タイプの共同プラットフォームが搭載されている。ウォールームは「Chat作戦」構想により、アナリストがデミスト内から第三者を装ったセキュリティ・アクションをリモートで実行できるため、コンテキスト・スイッチングを最小限に抑えることができる。また、ウォールームでは、すべてのタスク、コメント、アクションが自動的に文書化される。

また、デミストはCortex XDRに統合され、実際のインシデントを吸収してプレイブックを起動し、エンリッチメントとレスポンスに対応する。[92] Cortex XDRのインシデント情報（ファイルやネットワーク・アーティファクトなど）の断面図は、プレイブックの中のタスクやウォールーム内で統合される。全般的に、デミストのインシデント対応機能は「攻撃の発生件数が増加する中、迅速なトリアージ、レスポンス、調整を可能にするセキュリティの組織化と自動化に取り込まれている」。[93] これによりノイズを最小限に抑え、アラート疲労を予防することができる。このようにSOARソリューションは、共同作業、予測可能性、動作の再現性において、「人とマシンの協働化」の長所を具現しているといえる。

結論

2018年11月、ウクライナのペトロ・ポロシェンコ（Petro Poroshenko）大統領は「ロシアがわが国にハイブリッド戦を仕掛けて5年目になる。だが、ウクライナ軍の艦艇に対する攻撃により、侵略は新たな段階に移行した」[94]と宣言した。欧州連合、イギリス、フランス、ポーランド、デンマーク、カナダが共同歩調を取り「ロシアの侵略」と呼んで非難したのだが、アメリカは強硬路線を取らなかった。ドナルド・トランプ大統領は衝突についてどう感じたかを問われると、ロシアを非難することに躊躇する様子を見せた。トランプは「いいことではない。まったく残念なことだ」とだけ語った。そして「いずれにしても、起きていることは好ましくない。事態が解決することを望んでいる」と付け加えた。[95] 下院外交委員会のメンバーであるエリオット・エンゲル（Eliot Engel）議員は、ロシアの大統領がNATOの決意を試している矢先に、大統領は誤ったメッセージ——NATOは分裂しており、対応する気がない——を送ってしまったと語った。〔トランプ〕大統領の最初の反応は、ロシア政府とその代理人に対してサイバー工作の責任を追及するためにこれまで採用してきた「名指しと恥さらし《ネーム・アンド・シェイム》」戦略とは懸け離れていた。NATO諸国の外相らは最終的に「黒海地域においてロシアへの対抗を目的とした一連の措置」を承認し、それは主に「ジョージアおよびウクライナとの間で海上協力、哨戒、寄港訪問を強化する」というものだった。[96] ロシアは結局、捕虜交換の形でウクライナ軍水兵を拘束されてから8カ月以上経った後、劣悪な状態に置かれていた艦船と一緒に解放した。[97] それでも、サイバー作戦と偽情報キャンペーンを武力による軍事行動と連携させたケルチ海峡の衝突は、ロシアの侵略の抑止にアメリカと欧州が失敗した事例であったと見なされている。

クレムリンがこのような大胆な行動に出たのは、クリミア併合、ドンバス地域の占拠、アブハジアと南オセチアの併合に対する米欧の無責任な反応を見てのことである。ロシアは隠然たるサイバー作戦で強化されたケルチ海峡での公然たる攻撃が、国際条約の明白な違反であるにもかかわらず、自分たちが耐えられないような反応を引き起こすとはほとんど考えていなかった。[98] しかし、アメリカの議員の間では、ロシアのサイバー行動に対する懸念はますます高まっていた。上院情報委員会のマーク・ワーナー（Mark Warner）議員は新アメリカ安全保障センター〔ワシントンに拠点を置くアメリカのシンクタンク〕で、ロシアの「ハイブリッドなサイバー戦という新しいブランド」に対して「我々はまだ自覚が足りない」と語った。[99] ロシアがルールに基づく国際秩序を分断する長期的な戦略的競争を遂行する方法としてサイバー行動を選択してきたことは、数々の事例から明らかである。[100] クレムリンは「サイバー攻撃や偽情報キャンペーンなど、21世紀の非対称的手段のツールキット」を駆使して、政治、経済、軍事の各分野で競争を繰り広げている。[101] テクノロジーを駆使し、情報を操作することで、こうした競争は加速される。研究者のアリーナ・ポリアコヴァ（Alina Polyakova）とスペンサー・P・ボイヤー（Spencer P. Boyer）は、人工知能、自動化、マシンラーニング分野におけるテクノロジーの進歩とビッグデータ（膨大なデータ）の組み合わせが「洗練され、安価な、影響力の大きい政治戦という新時代の舞台を整えている」[102] と論じている。

現在、ロシアは複雑な手法とツールを活用してサイバー工作を遂行している。ロシアのAPTグループは従来の防御策を回避するため、最新のポリモーフィック型および難読化されたマルウェア、ファイルレス型マルウェア、正規のOS機能の乗っ取りなどの手法を使い、ターゲットに不正アクセスする持続的なキャンペーンに従事している。そして、PowerShellなど信頼性の高いマイクロソフト社のソフトウェアを悪用し、オペレーティング・システムの動作を変更している。[103]

一方、セキュリティ・チームは数多くの機器を監視し、増え続ける脅威アラートを調査するため、手一杯の状態にある。ほとんどの組織は自分たちが不正侵入されていることを知らず、侵入者が自分たちのシステム内にとどまっていることにすら気づいていない。[104] ロシアのサイバーアクターたちが日進月歩で戦術を進化させている一方で、その脅威にさらされている組織は変化に追随するのに悪戦苦闘している。そこで、データ相関技術を統合セキュリティ運用プラットフォームに導入すれば、防御者がロシアのサイバー行動のスピード、規模、洗練さを克服する手助けとなる。その精巧に組み立てられたシステムは、マシンラーニング、挙動解析、自動化された調査方法を活用することで、これまでの「検知と対応」機能に新たなアプローチを提供する。米欧は技術的オフセットの進歩により、ロシアがサイバー行動からいかなる利益を得ることも拒否し、これまでの形勢を逆転させるときを迎えているのである。

Ａ・ウェス・ミッチェル国防次官補は、アメリカの外交は「誰も太刀打ちできない軍事力によって支えられねばならない」[1]という認識に立ってこそ、アメリカの対ロシア政策は前進すると主張した。実際、アメリカは国防予算削減の時代から抜け出し、欧州の国防費増額に向けＮＡＴＯ同盟国との関係を強化している。クリミアとウクライナ東部へのロシアの侵略に対応し、アメリカは欧州の同盟国およびパートナー国が「欧州抑止イニシアティブ（ＥＤＩ）」を通じて欧州の安全保障にコミットすることを保証している。ＥＤＩは２０１４年以降、着実に成長し、２０１９会計年度には66億ドルに達した。この資金によって東欧におけるアメリカ軍のプレゼンスは強化され、装備が事前集積されるとともにインフラ能力が向上した。[2]アメリカはロシアに対する示威行動《デモンストレーション》として2個空母打撃群を地中海へ派遣するなど、軍事演習や部隊運用によって軍事力を見せつけている。[3]それと並行してアメリカは、ロシアの国家と新興財閥に経済コストを科し、侵略を阻止しようとしている。ロシアのセルゲイ・ラブロフ外相によると、最近のアメリカの政策は両国関係を最低水準にまで押し下げている。ラブロフ外相は、２０１８年の国連における演説で「政治的恐喝、経済圧力、あからさまな武力」に関与しているとアメリカを非難したが、これらはロシアが周辺諸国に対して実践しているロシア自身のドクトリンといえるものばかりである。[4] さらにラブロフは、2016年のアメリカ大統領選挙に介入していないとするクレムリンの立場を繰り返し主張した。だが、ロシアの民主主義国の選挙への介入やその他の悪質な活動は継続している。それは、モスクワがサイバー行動に伴う「技術的複雑性」や「法的曖昧性」の両面において競争上の優位を占めてきたからであり、実際のサイバーキャンペーンやサイバーインシデントを分析すれば、おのずと明らかになる。

2015年、G20諸国の指導者たちが「国際法はサイバースペースにおける国家行動に適用されることを確認した」。[5]『タリン・マニュアル2・0』はこの主張と一致した立場を採用しており、サイバー行動に国際法を適用する際の指針を提供しようとする試みであった。しかし、いつ、どのように国際法が適用されるのかをめぐる議論が曖昧であるため、ロシアが戦略的競争手段としてサイバー行動を実施することを妨げるには至っていない。過去の事例を見れば、サイバー手段を用いて対抗措置を行使する権利が、法的曖昧性によっていかに阻まれてきたかが明らかになる。そうした事例を通じて、現在のセキュリティ措置を潜り抜けるため、ロシアがサイバー行動の技術的複雑性をいかに高めてきたかを知ることができる。あいにく、これまでの経済、法律、外交手段を用いた全政府的アプローチでは、サイバースペースにおけるロシアの行動を防ぐことはできなかった。かといって、サイバー手段を積極的に用いる新たな戦略は、はじめの段階では成果を獲得できるものの、常に報復のリスクがつきまとう。したがって、本章の「結びの考察」では、前方防御《ディフェンド・フォワード》という攻勢的なコンセプトと、ネットワークとシステムのレジリエンスを強化する堅固な防御ソリューションを組み合わせた、これまでとは異なるアプローチの必要性を強調している。日々の競争で優位を取り戻すためには、セキュリティ運用プラットフォームに取り入れられたデータ相関技術が有望であることを指摘し、本章の締めくくりとしたい。

法的な曖昧性

ロシアは陸上、海上、サイバー領域に関連する法的レジームの曖昧性を、自国が作戦上および戦略上の柔軟性を維持するための手段として活用してきた。２０１６-２０１７年ＧＧＥ報告草案をめぐり、ロシアは中国、キューバ、その他の国と連携し、「サイバーが種々の法的概念やスキームといかなる関係を有するかについての懸念が再浮上したことを考慮し[6]」同案を拒否した。最も深刻な問題は、違法なサイバー行動に対し、どの程度の対抗措置《カウンター・メジャー》が可能となるかについてであった。具体的には「国家は敵対的なサイバー行動に対して、いつ、どのように自国のサイバー能力を用いて対応できるのか、それは攻撃者に行動を断念させることを目的としたものであるという事実がなければ違法とされるが、それをいかにして見極めればよいのか？[7]」という問題であった。２０１６年の民主党全国委員会からの機密情報のハッキングと情報漏洩のケースは、国家は「いつ、どのように」対抗措置により対応できるかという問題の不確実性を浮き彫りにした代表的な事例であった。このインシデントに最も適用可能な法的判断とは、それが武力攻撃ではなく、国際違法行為のカテゴリに該当するアメリカの内政問題への違法な干渉であったということだ。

争点となったのは、影響力キャンペーンは強制的干渉（coercive intervention）に該当するかどうかについてであり、この問題をめぐっては法学者たちの間で意見が分かれている。「実際のｅメールの公開を奨励することが――例えば、サイバー手段を用いて選挙の開票結果を変更するといったこととは明らかに異なり――法律の問題としての強制力に該当する[8]」かどうかは明らかではない。『タリン・マニュアル』編集主幹のリイス・ヴィフルは「十分な情報に基づく意思決定を行うための情報を、人々に与えることが強制的であるはずがない[9]」と語っている。これに対するマイケル・シュミットの反論は「アメリカの政治プロセスを操作しようとする試みにより、侵害性は一線を越えていた」[10]というものであった。このように、2016年のアメリカ大統領選挙では、違法な干渉の有無をめぐる法的曖昧性が、アメリカが対応策を決断する際の足かせとなった。国際法上の判断が明白であれば、バラク・オバマ政権はロシア政府と民間のサイバー活動を妨害するため、逆ハッキングという手段を用いて対抗措置を発動していたにちがいない。実際には、アメリカ政府は「アメリカの選挙におけるロシアの介入を『容認できない』と非難し、『断じて許されない』と声明を出したものの、その活動を違法とは見なさなかった」[11]。

アメリカ政府は外交官の追放、大使館施設の閉鎖、制裁の発動に訴えたが、それらは報復行為（国際法に抵触しない非友好的行為）としてであった。これらの直接的な対応策は、法的問題としてロシアの影響力キャンペーンを国際違法行為であると証明する必要はなく、一方的に発動できるものだった[12]。アメリカ大統領選挙への介入もしくは干渉の有無をめぐる問題では、国際社会が「はたしてロシアは国際法を侵害したのか、ロシアに対し国際社会は法的にどのように反応することができたか」という論点をめぐって国際社会がコンセンサスに到達するのが困難な法的領域における行動を、ロシアは巧妙に選択していたといえる。これからもロシアは「法的に正当化された対抗措置」を行使する際に「いつ、どのように」という問題が抱えるディレンマについて、国際フォーラムの場で明確化することを避ける可能性が高い。とはいえ、法的曖昧性が解消されない限り、関係国は法的論争に関わり続けることになるが、違法なサイバー行動への対処の敷居が引き下げられるようなことになれば、それはロシアにとっても利益とはならないだろう。

現在の安全保障の戦略家たちは、ロシアのサイバー関連アクターに「サイバー行動は成功しない」との認識を抱かせることができていない。それどころかロシア人たちは、より一層複雑な技術的手段を用いてサイバー工作を実行している。例えば、２０１７年６月の《ノットペーチャ》攻撃の目的は、ウクライナの制度的基盤を不安定化・弱体化させることだった。この疑似ランサムウェア攻撃は、22の銀行、４つの病院、６つの電力会社、２つの空港、現金自動預払機（ＡＴＭ）、小売業者や運輸業者のカード決済システム、そしてほぼすべての連邦政府機関のデータを消去した。[13] 被害を受けた企業や政府機関は複雑な攻撃に対する備えができていなかったばかりか、どれもが世界とつながりをもつグローバル企業だったため、ワームは国境を越えて拡散した。コペンハーゲンを本拠とする巨大海運企業マースク社は、パソコン４万５０００台、サーバ４０００台にソフトウェアを再インストールしなければならなかった。[14] あらゆるドメイン・コントローラーが消去された。唯一の例外はガーナのオフィスに置かれていたサーバで、現地で偶然発生した停電によりネットワークから切り離されていたため、そのサーバだけが影響を逃れたのだった。ワームは主に**M. E. Doc**ソフトウェアのダウンロードにより拡散したが、このソフトウェアはウクライナで納税申告やビジネスの経験をもつ者なら誰もが使用していた。オデッサのマースク社の財務オフィスに置かれた1台のコンピュータによるわずか一度のダウンロードだけで、ネットワーク全体に感染が広がったのである。《ノットペーチャ》は最初の感染の後、複数の伝播経路を通じてネットワーク全体に拡散し、横断的侵害《ラテラル・ムーブメント》の段階には正規のWindows管理ツールを活用することで防御対策をうまくすり抜けている。また、ＮＳＡから盗用した2種類のエクスプロイトを活用し、マイクロソフト社製ＳＭＢの脆弱性対応パッチが適用されていないシステムに感染した。[15] 他方、《ノットペーチャ》はシステムにパッチが施されていようといまいと、ウクライナの中継拠点をほんの16秒で感染させながら、被害にあったネットワークの中を電光石火のスピードで伝播している。これは、セキュリティ運用センターの手作業によるインシデント対応では、到底追いつくことのできない速さであった。[16]

《ノットペーチャ》はマースク社、メルク社、モンデリーズ社にとどまらず、フェデックスの子会社であるTNTエクスプレス社、フランスの建設企業サンゴバン社、日用雑貨品製造業者のレキット・ベンキーザー社［イギリスの日用品・医薬品・食品メーカー］などに合計で9桁の額に及ぶ損害を与えた。[17] このように、《ノットペーチャ》は主に欧州やウクライナの重要インフラを感染させたが、ロシアのサイバーアクターたちは高度な戦術やテクニックを駆使し、少なくとも2016年3月以降、アメリカの複数の重要インフラ部門のサイバー防御網を突破・迂回し、侵入することに成功している。サイバーアクターたちはスピアフィッシングeメール、水飲み場ドメイン、認証情報の収集といった侵入のための典型的な攻撃ベクターを採用しつつ、独創的な方法を実践している。メールの添付ファイルを利用してマルウェアをダウンロードさせるのではなく、Microsoft Officeの正規の機能を活用してサーバ認証ハッシュを取得し、パスワード解析テクニックを使って平文でパスワードを取得している。また、不正アクセスやウェブサイトから認証情報を取得する場合にも、同様のテクニックを使っている。二つ目のスピアフィッシングの手口は、アクティブ・コードを含まない市販のPDFドキュメントを利用し、ユーザにeメールアドレスとパスワードを入力させるため、別のウェブサイトへとリダイレクトする方法がとられている。不正入手した認証情報を使って標的ネットワークにアクセスした後、スクリプトを使用してローカル管理者アカウントを作成し、権限昇格を図る。欺騙については、ハードコード化された管理者名は5つの異なる言語で書かれていた。このほかTA18-074A報告書には技術的な複雑さによって検知を回避した実例が数多く掲載されており、それは重要なICS情報を収集するアクターの高い能力を明らかにしている。

積極的な戦略

NATOのイェンス・ストルテンベルグ事務総長は欧州議会選挙に先立ち、ロシアに向けて、西側軍事同盟は利用可能なあらゆる手段を使ってサイバー攻撃に対応する準備ができていると警告を発した。具体的にいかなる措置を講じるかは明言されなかったが、選択肢の中には欧州連合が採用した「サイバー攻撃を抑止し、対応するため、ターゲットを絞った抑制的な措置」が含まれる。[18] ２０１６年、オバマ大統領はアメリカ大統領選挙のわずか2カ月前に中国の杭州で開催されたG20会合で、プーチン大統領に対し、ハッキングに対する同様の警告を与えた。オバマ大統領は直接ロシアの指導者に「それを断ち切るように。さもなければ、深刻な結果を招くことになる」[19] と告げた。しかし、結局のところ、アメリカ大統領選挙のハッキングをめぐるエピソードは、ロシアを抑止しようとしたオバマの努力がいかに失敗したかを浮き彫りにしている。オバマ政権はサイバー防御の強化に取り組み（サイバーセキュリティ・フレームワークを通じて）、さらには、敵対的サイバーサイバースペースにおける国際法の明確化に努め（国際サイバー規範を通じて）、この最後の懲罰措置は、プーチンによって「些細な迷惑行為」として簡単に片づけられた。[20]

ロシアは、脆弱な電子テクノロジーに依存する、民主的だが政治的に分裂した社会を組織的に標的とする方法を編み出したのである。『ザ・アトランティック』誌でジム・スキアット（Jim Sciutto）は、クレムリンの計画の本質は「軍事的反応を誘発するような閾値には至らない範囲内で、アメリカの国益に攻撃を加えること」であり、「その範囲は、今後ますます拡大していくだろう」[21] と簡潔に要約している。より厳格な措置を講じなければ、ロシアは妥協することはないだろう。米欧が制裁やその他のコスト強要を通じて抵抗姿勢を見せても、プーチン政権はそのような外圧を国内の結束強化に転化してしまう。[22] 国家の舵を取っているプーチンが問題なのではない――それは文化なのだ。ロシアは民主主義国家ではないことを思い出してほしい。〔彼がいなくなっても〕別の強力な指導者《ストロング・マン》が後を継ぐだけである。[23] アメリカが強硬な態度を見せなければ、我々はさらに痛い目に遭うだろう。[24]

　アメリカ・サイバー軍司令官のポール・ナカソネ将軍は「もはやこれ以上、傍観するつもりも、我慢するつもりもない」[25]と語っていた。2018年の中間選挙期間中にIRAをシャットダウンさせる「シンセティック・シオロジー」と名付けられたサイバー軍による極秘作戦の証拠が知られるようになり、そうした彼の信念は本物であることが証明された。[26] 先述したロシア工作員に対する警告に加え、アメリカ・サイバー軍は悪名高いロシアのトロール・ファームとのインターネット・アクセスを遮断した。この妨害はアメリカ国民による投票と集票作業中に行われ、選挙結果に疑念を抱かせることを狙った偽情報キャンペーンをロシア人が実行することを防ぐためのものだった。この攻撃は新たな権限のもと、ロシアに対する最初の攻勢的サイバー・キャンペーンとなった。「国家安全保障大統領覚書第13号」に基づく新たな手続きにしたがって、同覚書の署名後わずか数カ月のうちに、過去10年間よりも規模の大きなサイバー作戦が実行されたのである。[27] さらに、サイバー作戦を公式に認める議会決定により、「持続的関与」戦略の実効性は高まった。この戦略では、サイバー軍はサイバースペースにおいて戦略的競争相手と常時接触を保つ必要性が強調されている。[28]

「持続的関与」戦略の重要な柱が前方防御《ディフェンド・フォワード》の概念であり、サイバー脅威がアメリカに到達する前に、脅威――武力紛争レベルに至らない脅威を含めて――をその発生源において発見・阻止しようとする構想である。前方防御は「自己防護力を高めるのに役立つ」と語るのは、アメリカ・サイバー軍の作戦部長であるチャールズ・ムーア（Charles Moore）少将である。彼は「前方防御を行うことにより、敵のテクニックや手順、そして彼らの戦術を観察することができるし、敵が利用するツールや兵器の解明にもつながる」[29]と語っている。

IRAは中間選挙投票日に攻撃を受けたことを認めたものの、アメリカの作戦は完全な失敗だったと主張した。ロシア国営ニュースは、攻撃により2台のサーバのハード・ドライブが被害を受けたものの、完全な機能停止には至っていないと伝えたのに対し、[30]アメリカでは両党の上院議員が、中間選挙期にロシアからの介入を防いだサイバー軍の功績を認め、これを称賛していた。[31]マイク・ラウンズ上院議員は、サイバー軍の活動がなければ「きわめて深刻なサイバー侵害が起きていたはずだ」[32]と語った。ナカソネ将軍の上級顧問を務める文官のロブ・ジョイスは、サイバー軍の活動は首尾よく進んでいると認めながらも、『2018年国防省サイバー戦略』はロシアの国家行動に変化をもたらさなかったとも指摘した。そのうえで、ロシアに責任が帰属された《ノットペーチャ》攻撃、2016年のアメリカ大統領選挙におけるハッキングや偽情報キャンペーンを引き合いに出し、これらを〔ロシアの戦法が〕「脆弱性攻撃《エクスプロイテーション》」から制限のない「妨害・破壊《ディスラプション》」へとシフトした証拠として挙げている。ジョイスはサイバー攻撃に単に対処するだけにとどまらず、アメリカはより踏み込んだ対策を講じなければならないとも主張し、「我々は目に見える形で抑止を推し進めるため、相手にコストを賦課しなければならない」[33]と語っている。リチャード・ハークネット（Richard Harknett）教授と研究者のマイケル・フィッシャーケラー（Michael Fischerkeller）は、サイバースペースに求められているのは抑止ではなく、「合意された競争」という認識に立つことであると指摘し、「国家は武力攻撃と同等のものを慎重に避けながら、サイバー行動を通じて積極的に国益を追求していくことを前提とした国家間の暗黙の合意」[34]があると論じている。

ジェームズ・ミラー（James Miller）上席研究員とニール・ポラード（Neal Pollard）特任教授は、著名な学者たちは重要な点を見落としていると述べたうえで、「アメリカはサイバースペースを活用したアメリカの選挙へのロシアの介入……といった行動を『合意されたもの』でも『競争』でもなく、むしろ容認できない敵対的行為と見なすべきである（そして、実際にそう見なしている）。そうするためにも、アメリカはより強力な抑止態勢を必要としている（そして、我々はそれを達成できる）」[35]と主張している。『２０１８年国防省サイバー戦略』では、戦略的アプローチとしてサイバースペースでは「競争と抑止」の双方に取り組むべきであると述べ、上述した議論（国家間の暗黙の合意の有無）を整理している。[36]しかし、そこには「競争が抑止をどのように補完するのか」といった点など、両者の関係には依然として解釈の余地が残っている。

アメリカは今や持続的に作戦を継続し、意思決定者が敵対者の攻勢を弱めるために利用できる選択肢を増やしている。ナカソネ将軍は「軍と国益を防護するため、わが軍は相手の仮想領域で作戦を実行する」[37]と説明している。このように「前方防御《フォワード・ディフェンス》」とは、攻勢的サイバー作戦を暗示している。しかし、攻勢的サイバー作戦には、初期アクセスで使用した脆弱性攻撃の手法を相手側に知られてしまうリスクを伴う。もし相手が（攻撃対象である）ネットワークをパッチで修復してしまった場合、将来、アクセスが必要なときにそのエクスプロイトは使えないことになる。さらに悪いことに、相手側にエクスプロイトの再利用を許してしまう可能性すらある。例えば、セキュリティ企業のシマンテック社の報告書によると、中国系グループAPT3は、NSAのネットワークから見つかったアーティファクトをもとにNSAが作成したツールを入手し、それを使用したと報告している。[38]

「カートライトの予測」（ジェームズ・カートライト（James Cartwright）将軍が提唱）を支持する人々の仮説によれば、相手に発見された場合の利点は「アメリカのサイバー能力を知った敵は、自らのサイバー行動を抑制する」[39]ということなのかもしれない。最近発覚したロシアの電力網に対するアメリカのディジタル侵入は、ロシアに対する警告および示威行動であり、さらに「もしワシントンとモスクワとの間で大規模な紛争が勃発した場合、サイバー攻撃を実施する足がかり」[40]となる。

紛争がエスカレートするリスク、将来にその能力を使用できなくなるリスクを抱えながらも、アメリカによる妨害・破壊型のサイバー作戦は、おそらくその頻度を増していくだろう。その代表的な例は、石油タンカーの攻撃をめぐって緊張が高まっていた２０１９年6月に、イランがアメリカの監視用ドローンを撃ち落としたときに生じた。ドナルド・トランプ大統領は人命の損失を懸念して物理的手段による攻撃案を撤回した後、サイバースペースでの対応を選択した。アメリカは、イスラム革命防衛隊が利用するコンピュータ・システムと通信ネットワークに対してディジタル攻撃を実施した。[41] この隠密攻撃によって、〔イランが〕標的とすべき石油タンカーの選定と攻撃位置の割り出しに使われていたデータベースが消去された。[42] アメリカ当局はこのサイバー打撃がきわめて有効であったと見なしていたが、イランの情報通信技術担当大臣は成功しなかったと述べた。[43] いずれにせよ、アメリカの企業はイランからの報復に備えた。ネットワーク全体に影響する破壊力のあるワイパー攻撃を受ける可能性が高かったからである。[44] そうした状況は、元国家安全保障担当補佐官のジョン・ボルトンの言葉を借りれば、アメリカは「今や、開口部を開き、いつでも入り込める準備ができているエリアを広げている」。その一方で、国民国家から報復を受けるリスクを抱えている連邦政府機関や民間の組織は、サイバー攻撃に耐えられる準備をしておく必要がある。[45]

結びの考察

アメリカとＮＡＴＯは「モスクワにとって、協力それ自体は何の利益にもならない」[46] という現実を無視しているように思われる。ロシアは譲歩を弱さの表明と見なす。譲歩によって相手は態度を軟化させると見なすのではなく、譲歩は相手からのさらなる要求を誘ってしまうと解釈する。ロシアが国際合意を侵害するのは「大国はパワーの創造と表明によって安全保障を達成する」という堅い信念に支えられているからだ。他国を不安定化し、弱体化することは、ロシアを相対的に強くすることにつながる。したがって、ロシアが大国の地位を得るには、競争相手の地位を低下させる必要があり、それはとりもなおさず米欧、特にアメリカとの対決を意味する。

　このアプローチにはアメリカと欧州社会に不和の種をまき、それを煽る活動も含まれている。これは冷戦期の政府転覆工作など、ソヴィエト時代の慣行と一致したものである。[47] また、このアプローチには周辺の緩衝国、とりわけウクライナに対する組織的な政治、経済、軍事的な圧力をかけ、「欧州大西洋統合《ユーロ・アトランティック・インテグレーション》」を阻止することも含まれる。[48] 他国への介入の狙いは、その国に混沌《カオス》をもたらすことであり、何らかの実質的な利得を求めてのことではない。混沌はロシアの国益にかなう。ヘッジする同盟国や国際制度の動揺といった国際的な不確実性は、ロシアが調略《マヌーヴァー》できる空間を生み出す。[49]

　国際コミュニティはジョージアやウクライナで現実に起きた過去のハイブリッドな侵略行為をすでに忘れ去り、それを許してしまったかのようだ。トランプ大統領はウクライナの主権尊重を含む再加盟のための条件をどれ一つ満たしていないにもかかわらず、ロシアのG7復帰を後押しした。[50] その結果、ロシアの軍事的冒険主義を抑止するどころか、逆にそれを勇気づけ、ロシアのサイバー工作を焚《た》きつけている。問題はこの冒険主義がより攻撃的で危険なものになっているということだ。例えば、ロシアのサイバー工作はいまや重要インフラ、とりわけアメリカと欧州の電力網の安全性を脅かしているのである。

　２０１９年5月のアメリカ・サイバー軍が主催したサイバースペース戦略シンポジウムにおいて、「持続的関与《パーシステント・エンゲージメント》」と呼ばれる新しいサイバー戦略に関する議論が行われた。そこで匿名のアメリカ軍高官は「敵は阻止《チェック》されるまで、ひたすら前進を続ける」ため、目標は「コストを賦課すること」であると語った。[51] ２０１８年の中間選挙に介入しようとしていたＩＲＡの能力を減らすことで、アメリカはＩＲＡを阻止《チェック》できたとの見方は事実だろう。だが、より強硬なサイバー・ドクトリンがロシアのサイバー行動を抑止するという仮説は〔その因果関係が〕まだ証明されておらず、逆にロシアが「ゲームの水準をあげる」という抑止とは正反対のことが起こるかもしれない。したがって、『２０１８年国防省サイバー戦略』の「ネットワークおよびシステムの安全性と復元力を強化する」という第3の要素はますます重要となってくる。[52]

本書の各種事例から明らかになった課題は、ロシアのサイバー行動のスピード、規模、洗練性である。彼らはマイターＡＴＴ＆ＣＫフレームワークに記述された戦術とテクニックの多くをマスターしている。「前方防御《フォワード・ディフェンド》」のためだけではなく「攻撃に耐える《ウィズスタンド・アタック》」ためにも、従来の発想と異なるアプローチが必要となる。そうした積極的なアプローチにより、サイバー脅威を阻止するとともに、敵対者がセキュリティ境界を突破した場合に備えてサイバー・レジリエンスを強化することができる。かかるアプローチへ転換するためには、サイバーキルチェーンのいずれかの段階で――「目標達成のための実行」以前に――脅威アクターを確実に探知できる技術的ソリューションを必要とする。ＥＤＲソリューションは既存のセキュリティ対策ではブロックされないアクティビティを検査し、「新しい独特のプロセス」や「異常なネットワーク・フロー」を検出する能力を有していることが立証されている。実行や接続プロセスの初期解析から、その後の起動終了までを自動処理するため、エンドポイントをオフラインにしたり、オンラインに回復する作業を必要としない。また、不審なソフトウェアのサンプルをクラウドベースの脅威インテリジェンスに送信し、そこで新しいシグネチャが作成され、そのシグネチャが〔クラウドを共有している〕各ファイアウォールに配信されることで、ほかの組織を保護することができる。これらのコンポーネントを利用し、必要なネットワーク規模と攻撃テンポで敵の高度なサイバー技術に対抗するためには、脅威の予防・検知・対応機能を自動化した統合セキュリティ運用プラットフォームが必要とされる。セキュリティ運用プラットフォームは数日・数カ月単位ではなく、数秒・数分単位で侵害指標に反応・処理することにより、ゼロデイを含んだ「未知の脅威」を「既知の脅威」へと変えてしまう。

セキュリティ運用プラットフォームは、ロシアのサイバー行動の典型的手段である窃取した認証情報、ファイルレス・マルウェア、スクリプト、正規のアプリケーションなどを悪用するサイバー脅威アクターから、システムやネットワークを防護できるように設計されている。最も被害をもたらす攻撃に対しては、長い時間をかけてシステム・レイヤー全体にまたがるアクティビティを解析する必要がある。データ相関技術は正常な動作のベースラインを形成し、悪意ある活動をほのめかす異変を瞬時に検知する。マシンラーニングによって、ユーザーとデバイスの動作はプロファイル化される。そして、挙動解析により膨大な量のデータが解析され、異常な挙動が検出される。このように、データ相関技術はセキュリティ運用チームが行うアラート調査を容易にする。SOARソリューションは手作業によるインシデント対応プロセスを代替し、脅威の封じ込めと修復に要する時間を短縮する。また、未解決のアラートの件数を減らし、ただでさえ負担を抱えているセキュリティ・チームの疲労を軽減してくれる。

これらを踏まえると、将来のサイバーセキュリティの姿は、新たなデータ相関技術をセキュリティ運用プラットフォームに統合したものとなる。「自律型ディープラーニング・マシン」と「人とマシンの協働化」の進展により実現するオフセット技術は、脅威の可視化と予防に無くてはならない技術である。ロシアのサイバー行動が武力紛争のレベルに至ることはあるのか、それとも、今後も戦略的競争の一つの要素にとどまり続けるのかという問題は残されたままだ。しかし、確かなことは、これらの技術によってロシアのサイバー行動に対する優位を取り戻すことが期待できるということである。

訳者あとがき

本書は2020年6月にアメリカのジョージタウン大学出版局から刊行され、2022年6月に同局からペーパーバック版として出版されたスコット・ジャスパー（Scott Jasper）氏の著書 *Russian Cyber Operations: Coding the Boundaries of Conflict* に、Dr.コルスンスキー・セルギー（Sergiy Korsunsky）駐日ウクライナ特命全権大使による推薦文を加えた全訳日本語版である。

著者のスコット・ジャスパー退役海軍大佐は現在、アメリカのカリフォルニア州モントレーにあるアメリカ海軍大学院の国家安全保障学部上級講師を務め、アメリカにおけるサイバー政策の第一人者の一人である。専門分野は防衛戦略、ハイブリッド戦争、サイバー政策であり、イギリスのレディング大学で博士号を取得している。

主な著書に *Strategic Cyber Deterrence: The Active Cyber Defense Option*（戦略的サイバー抑止――積極的サイバー防御のオプション）, Rowman & Littlefield Publishers, 2017、編著 *Conflict and Cooperation in the Global Commons*（グローバル・コモンズにおける紛争と協調）, Georgetown University Press, 2012（いずれも未邦訳）などがあり、特に前著 *Strategic Cyber Deterrence* では戦略的サイバー抑止の選択肢を体系的に分析し、積極的サイバー防衛

という代替戦略を提示した研究として注目を集めた。本書はこうした研究蓄積の延長上にあるといえる。

以下、1では本書の特徴と主要なトピックを解説し、2では本書の内容を踏まえ、最近起きたロシアのウクライナ侵攻について訳者なりに考察したことを述べる。

1　本書の特徴

武力紛争未満のサイバー行動

2007年のエストニアに対するDDoS攻撃や2008年のジョージア紛争、2014年のクリミア侵攻やドンバス紛争を通じて浮かび上がったロシアの新しい戦い方は、ハイブリッド戦、情報戦、新世代戦、政治戦など、従来の戦いとは異なる概念で捉えられてきた。著者はこうした一連のキャンペーンが一定の成果をあげてきた要因として、「武力行使の閾値」を超えない範囲で巧みに運用されてきたロシアのサイバー行動に注目している。

本書『ロシア・サイバー侵略』の特徴は、そうした「武力行使の閾値」を超えない範囲でサイバー行動を継続するため、ロシアがいかに技術的手段を駆使し、法的根拠を操作してきたかについて、独自の分析枠組みを用いて解き明かしている点にある。

著者によると、こうしたサイバー行動の管理は、戦略的要請に基づくものであった。つまり、通常戦力の分野で米欧諸国に太刀打ちできないことを自覚していたロシア指導部にとって、「武力紛争の閾値」に至らぬよう紛争を管理することは、NATO（特にアメリカ）との直接的な軍事対決を避け、被害国に強制力のある制裁や報復措置を発動する口実を与えないための必須条件であった（第2章）。

また、ロシアは長期的な戦略目標（大国としての地位の回復）を追求していくうえで、勢力圏内にとどめておきたい近隣諸国や、ライバル関係にある米欧民主主義諸国の内政を常に不安定化させておく必要があった。その背景には「他国を不安定化し、弱体化することは、ロシアを相対的に強くすることにつながる。したがって、ロシアが大国の地位を得るには、競争相手の地位を低下させる必要」（302頁）があるというロシアに特有の伝統的な戦略文化があった。

このように、ロシアは自らの力の限界を自覚していたからこそ、米欧に対する非対称軍備としてのサイバー戦を、作戦上・戦略上の柔軟性を維持できる数少ない対外政策の有力ツールとして活用してきたのである（第2章）。そして、サイバー作戦が最も効果をあげるのは武力行使未満のいわゆるグレーゾーンの段階であり、相手国指導者の意思決定への影響と相手国民の戦意喪失を狙ったハイブリッド戦（第3章）や、相手国の世論を操作し、社会的亀裂を生み出す情報心理戦型の偽情報キャンペーン（第4章）の中で、サイバー戦は中心的役割を担うようになった。こうしてロシアは少なくとも2007年以降、戦略的競争を有利に勝ち抜くための、サイバー行動を軸とした対外政策の新しいモデルを作り上げてきた。第1部では、こうした経緯が詳細に語られている。

分析枠組み（法的視角と技術的視角）

ロシアがどのように技術的手段を駆使し、法的根拠を操作してきたかを解明するため、著者は第1章で2つの視角から構成される分析枠組みを提示している。

第一に、法的視角であり、ロシアは法的曖昧性を引き出すため、現行法体系をどのように利用してきたかが明らかにされる。これはロシアのサイバー行動が、武力行使の閾値に到達しているか、それとも武力行使未満の戦略的競争のレベルにとどまっているかを判断するための基準となる。第二に、技術的な視角

	攻撃国の狙い	分類
法的視角	・「法的曖昧性」の形成　被害国が合法的に対抗措置（逆ハッキング、経済制我、刑事的訴追など）を行使することを避けるため、法的根拠を可能な限り曖昧にすること	・武力行使の閾値を超える場合　武力攻撃、武力の行使 ・武力行使の閾値を超えないが、国際義務などに抵触する場合　国際違法行為 ・違法性なし　通常の戦略的競争の一要素
技術的視角	・「不確実性」の形成　複雑かつ高度な「侵入」、「回避」技術の利用、代理アクターの利用などによる「欺騙」により「攻撃元の特定」を回避	・侵入技術　フィッシング詐欺、認証情報の窃取、エクスプロイト・コードによる脆弱性の利用 ・回避技術　文字列の暗号化、ファイル圧縮、正規ファイルとの関連付け、マルウェア・コードの難読化、ファイルレス・マルウェアの利用、スクリプトの悪用など ・欺騙戦術　代理アクター（ハッカー集団、犯罪者集団）の利用、第三国のサーバ・IPアドレスの利用、迂回経路の活用

表1　分析枠組み（法的視角と技術的視角）　本書第1章に基づき、訳者が整理したもの

であり、ロシアは「攻撃元の特定」を避けるため、「侵入、回避、欺騙」のテクニックをいかに駆使してきたかが明らかにされる（表1参照）。

著者は特に、「攻撃元の特定」は技術的に困難であるという「不確実性」と、被害国が対抗措置（逆ハッキング、経済制裁、刑事的訴追など）を合法的に行使することを避けるために法的分類を不明確にしておくという「曖昧性」の2つが、武力行使の閾値を管理するために必要な条件であると指摘している。これらの条件は、①検知される可能性が低いこと、②「攻撃元の特定」が困難であること、③攻撃コストが低いこと、④成功した場合の利得が高いこと、⑤法制度が未整備であること、というサイバースペースに固有の属性を反映したものであった（183頁）。

著者はこの法的・技術的枠組みを用いて、ロシアのサイバー行動を法的に分類し、いかなる対応が可能であったかを検証している。かかる検証を通じて、武力行使はおろか、武力攻撃にさえ該当すると判断され得るサイバーキャンペーンや数々のインシデントが実際には生起していたことが明らかになる。例えば、2014年以降の

ドンバス介入について、著者は次のように述べている。

ウクライナ東部の広い範囲にロシア軍が存在していることは侵略行為を示唆するものであり、法的には実に許しがたい武力行使である。……ウクライナ砲兵部隊を攻撃するためにアンドロイドのデバイスをハッキングした行為がGRUに帰属されると明確に特定された事実は、ロシアの国家としての関与を示唆するものであった。このケースでは、キネティックな攻撃に連携して行われたロシアのサイバー作戦は、武力攻撃のレベルに到達していたといえる。なぜなら、ウクライナ軍はD－30型榴弾砲の15パーセントから20パーセントを失うなど、甚大な軍事的損害を被っていたからである。（117－118頁、傍点は訳者）

また、2017年に猛威を振るった《ノットペーチャ》疑似ランサムウェア攻撃については、次のとおりである。

『タリン・マニュアル2・0』を執筆した国際専門家グループの多数派は「〔国家〕機能への介入は損害に該当し……それは標的とされたサイバーインフラが本来設計された機能を取り戻すためにオペレーティング・システムや特定のデータの再インストールが必要となる状況にも及ぶ」と見なしている。この法解釈では《ノットペーチャ》がマスター・ブート・レコードやマスター・ファイル・テーブルを暗号化したことによって、物理的損害を与えたものと判断されている……ウクライナの約1500の組織が所有する1万2500台を超えるコンピュータにもたらされた意図的かつ無差別な損害は、武力の行使を構成するに足る規模と効果であった。そして、政府と民間システムに及んだデータの損害と破壊の程度は、おそらく武力攻撃と見なされるほど重大かつ深刻であった。

（162-163頁。傍点は訳者）

このように、ロシアはこれまでにもサイバー侵略を繰り返してきた。しかし、サイバースペースを取り巻く環境は、第一に、サイバー行動を規制する確立された法規範がいまだに存在しないこと、第二に、国家責任を帰属する際の条件となるアトリビューションが技術的にきわめて困難であるという事情があり、被害国や国際社会は適切な対応行動をとることができなかったのである。

武力行使の閾値の判断基準

ハイブリッド戦であれ、新世代戦であれ、武力（軍事力）が関わる以上、そこには何がしかの「武力の行使」の契機が宿っている。著者によると、2007年のエストニアで起きた国家経済に甚大な被害を与えた大規模なサイバー行動も「武力の行使」に該当すると指定される可能性はあった（272-273頁）。しかし、物理的な戦争行為（キネティック戦）には法的基準が存在するが、サイバー領域には今日、国連憲章のほかにはサイバー行動を規制する国際協定は存在しない。国家間のコンセンサスに最も近いものとしては『タリン・マニュアル2・0』があるが、これは主として米欧諸国の見解を集約したものである点に留意する必要がある。このように、公式な国際規範が未整備であるという現実が、ロシアに法的操作で付け入る隙を与えてきたのだと著者は指摘している（第1章）。

米欧政府や国際専門家グループは、サイバー行動を戦争行為ではなく「武力の行使」の観点から評価している。サイバー行動が武力攻撃に該当すると認められるためには、すでに受けた被害や加えようと意図された被害の程度が一定の基準値に到達していることが前提とされ、その基準値はサイバー行動の規模

類型			違法性	グレーゾーン（ロシアの行動）
①	諜報		小	活動の継続
②	情報心理戦		↕	ハイブリッド戦、情報戦の中心的ツールとして活用
③－1	妨害／破壊	非軍事ターゲット		
③－2		軍事ターゲット	大	「武力行使の閾値」を超える恐れがあり、抑制傾向

表2　サイバー行動の類型と効果（訳者作成）

（scale）と効果（effect）で測られる（271－273頁）。例えば、サイバー攻撃が爆弾の投下やミサイルの発射による物理的被害と同等の効果をもたらした場合、それは国連憲章第2条4項の武力行使に該当すると見なされるという点で、国際専門家グループの見解は一致している（49頁）。

ところで、ひとくちにサイバー行動と言っても、その機能は大きく①「諜報」（情報収集）②「情報心理戦」（意思決定の操作や世論誘導）、③利用妨害／破壊（データの破損、システムの機能障害や物理的損壊）に区分される。さらに利用妨害／破壊のターゲットには軍事システムと非軍事システム（民間インフラなど）がある（表2参照）。

例えば、ドンバス介入（第3章）の事例から明らかなように、軍事行動と連動し、あるいは軍事ターゲットを標的とするサイバー行動は、少なくとも「武力の行使」に該当すると見なされる（表2中③－2）。また、非軍事ターゲットの場合でも、国家の経済基盤や重要インフラを標的とするような、きわめて深刻な結果をもたらすサイバー行動は「武力攻撃」と見なされ、サイバー攻撃を受けた国家は自衛権に基づく対処が認められる（表2中③－1）。

一方、第4章で論じられているように、偽情報キャンペーンによる選挙プロセスへの介入や投票システムの機能低下などによる選挙妨害は「武力の行使」の要件である人的危害・物質的破壊をもたらすものではないが、国家主権にかかわる国際違法行為として「相応の対抗措置」の根拠となり得る（表2中②）。しかし、最上段のサイバー諜報については、それ自体は国際法上禁止されているわけではない（表2中①）。つまり、表2の下段に向かうほど、サイバー行動の違法性は強まるのである。

第1部で詳細に語られているように、非対称的軍備としてのロシアのサイバー行動はハイブリッド戦もしくは情報戦の分野において最も効果を発揮し、なかでも、「情報心理戦型」の偽情報工作や、社会インフラ（非軍事ターゲット）を狙った「妨害／破壊型」のサイバー攻撃が多用されてきた。武力行使の認定を避けるよう周到に計画してきたロシアにとって、違法性が相対的に弱いサイバー行動ほど、作戦目的を達成するうえでも、閾値を管理するうえでも操作が容易なのである。

ちなみに、最下段（表2中③－2）の軍事ターゲットを標的とした「妨害／破壊型」のサイバー行動は、第3章に出てくる「ウクライナ砲兵部隊のアンドロイドのデバイス・ハッキング」の事例以外には思いのほか発生件数が少ないことに気づかされる。その背景には、武力の行使（武力攻撃）と見なされるサイバー行動の判断基準が「通常兵器と同等の規模・効果」であるため、軍事ターゲットを狙うことが違法性の認定に直結しやすいという事情があるのかもしれない。

サイバー防御策の検討――抑止から積極防御へ

武力紛争の閾値を巧みにかわすロシアのサイバー行動への対応策として、第2部と第3部では①コスト賦課オプションおよび②復元力《レジリエンス》を備えた防御ソリューションが提示されている。

ロシアから度重なるサイバー工作を受けていたオバマ政権は、サイバー領域におけるロシアの不当な違法行為に対し、コストを強要する手法で対抗しようとした。一般的に、サイバー領域では自らの能力を相手に伝達することが難しく、サイバー領域のみでの抑止はほとんど効果がないといわれてきた（203頁）。また、アメリカではサイバーインシデントが「ケース・バイ・ケース」で評価され、明確なレッドラインを設定することを躊躇する傾向があった。レッドラインを設定してしまうと敵対者は報復を恐れることなく、明確に引かれたラインのぎりぎり一歩手前まで行動することが懸念されたからである（63頁）。

結局、制裁や法の執行による対抗措置ではモスクワの態度を変えるには至らず、アメリカは『2018年国防省サイバー戦略』において「悪質なサイバー活動をその攻撃源において妨害・阻止」（202頁）することを目指し、持続的関与戦略や前方防御を柱とした積極防御《アクティブ・ディフェンス》へと大きく舵を切る。2016年の大統領選挙でロシアから煮え湯を飲まされていたアメリカは、この戦略的転換により2018年の中間選挙ではようやくモスクワに一矢報いることができた。

第2部・第3部では、法的曖昧性と技術的複雑性を自在に操るロシアのサイバー攻撃に対抗するため、まずはコスト賦課オプションが検討され、多層的な防御ソリューションの有効性について手順を追って解説されている。そのうえで、攻勢的なコスト賦課の方法を採用した場合の抑止に及ぼすリスクを考慮すれば、前方防御への偏重は賢明とはいえず、代わりに、エンドポイントにおける脅威の予防・検知・対応機能を自動化したプラットフォームの必要性が強調されている（258頁）。とはいえ、2021年5月のコロニアル・パイプライン社を狙ったランサムウェア攻撃の後、バイデン大統領が「報復の対象とする16部門の重要インフラ・リスト」をプーチン大統領に手渡して以降（9頁）、ロシアの抑制的行動を引き出すことができた点に注目し、著者はこれを一種の抑止機能が働いた事例と見なしている。

こうした経緯を踏まえると、著者が提起するコスト賦課と防御ソリューションは二者択一ではなく、脅威に応じた使い分けの関係にあるといえる。そのうえで、著者はロシアのようなスピード・規模・洗練性に優れる高度なサイバー脅威アクターに対抗するためには復元力を備えたソリューションを採用し、相手からの攻撃に耐えながら、システム運営を継続させるアプローチが最適であると主張している。

以上のように、本書はロシアのサイバー行動の歴史をたどり、①そのパターンを理解し、②現状の限界（問題点）を検証したうえで、③有効な対応策を提示する、という3部構成で編まれている。特に法規範とサイバー技術を交錯させた分析枠組みを通じて、武力行使未満のグレーゾーンから武力紛争段階にかけて、どのような問題が生起し、その問題に対処するため、どのような処方箋があるかを提示しており、大いに参考になる。本書の副題を「その傾向と対策」とした由縁がここにある。

2　ロシアのウクライナ侵攻とサイバー戦

紛争構造の変容①——分析枠組みの応用

２０２２年2月24日、ロシアがウクライナに武力侵攻した。これまで見てきたように、本書で検討されている事例は、武力紛争の閾値未満で推移してきたサイバー行動であるが、今回のような公然たる武力攻撃のケースに本書の分析枠組みを適用した場合、どのようなことがいえるだろうか。

まず、法的曖昧性が失われる。本書第3章にあるように「より広範な紛争全体の一部として遂行されるサイバー活動の法的性格は、当該紛争そのものの法的枠組みにより規定される」（１０８‐１０９頁）との解釈にしたがえば、武力紛争が公然化したあとのサイバー行動はその規模・効果・被害の如何《いかん》にかかわらず、すべからく武力攻撃の一部と見なされる。

従来「武力侵攻未満」の戦略・作戦環境を巧妙に作為し、被害国による対抗措置や国際社会からの強制的措置（特にＮＡＴＯとの全面対決）を阻んできたロシアであったが、自らあからさまな武力侵攻を開始することで、ＮＡＴＯ諸国からの膨大な軍事援助がウクライナに対して行われることとなった。また、西側諸国をはじめとする国際社会からは「歴史上、最も厳しい」と言われる経済・金融制裁が科された。それはロシアの物資・戦費調達を困難にし、経済・金融面からクレムリンの戦争継続を困難にすることを目的としたものだった。

つまりロシアは、反撃や制裁を受けずに作戦目的を達成するため、法的曖昧性のもとで巧妙に築き上げてきた「機会の窓」を自ら閉ざしてしまう形となった（クレムリンは住民保護を名目とした特別軍事作戦と称し、国際法上の武力攻撃（侵略）に該当しない論拠としたかったようであるが、その違法性は明白である）。

技術的側面については、どうだろうか。ロシアの技術的手段については「攻撃元の特定を避け、複雑で難解なテクニックにより匿名性・不確実性を引き出す」という効果が期待されていた。しかし、これも法的側面と同じように、両国が公然たる交戦状態に入った時点で実質的な意味を失ってしまう。なぜなら、本格的な武力紛争では破壊の規模・効果がサイバー手段をはるかに上回るキネティック戦の応酬がすでに始まっており、「武力紛争の文脈で実施されるサイバー行動は、武力紛争法にしたがう」（『タリン・マニュアル２・０』のルール80。86－87頁、273頁）とのルールに照らせば、サイバー領域に限定した関与否認性をもち出したところで、それがより強度の高い武力攻撃の法的分類を変えることはないからである[1]。もはや武力紛争のもとでのサイバー技術は、それまでの「紛争の閾値を操作するためのツール」から、作戦支援やエスカレーション管理など、もっぱら「軍事パフォーマンスに寄与するためのツール」となってしまう。

こうして、以前であれば法的曖昧性と技術的複雑性によって作り出されてきた戦略・作戦空間は、本格的な武力紛争のもとでは失われてしまうのである。

紛争構造の変容②――情報心理戦型サイバー行動のケース

本書ではロシアのハイブリッド戦にあたる *gibridnaya voyna* とは、敵の政治的結束を内部から瓦解させることであり、本質的に政治的意思決定に影響を及ぼすことを目的とした政治戦（直接的な武力の不行使）の意味合いが強いとされる（第3章、第4章、結論）。つまり、直接的な武力行使に至らないサイバー戦の中心は、おのずと非破壊的な情報心理戦型の偽情報キャンペーンとなる。特に相手国の住民や政治エリートに対し、遠隔地から隠密裏かつ直接的に影響力を及ぼせるサイバースペースは、ソヴィエト時代から受け継がれてきた政府転覆工作や積極工作の流れを汲み、それを現代に蘇らせ、インターネット時代に適応させたものとして、現在ロシアの情報戦に不可欠な手段となっている（126頁）。こうしたロシア流ハイブリッド戦の中心を成す情報心理戦型サイバー作戦を取り巻く環境は、武力紛争に突入したことで、どのように変化すると考えられるだろうか。

図1は情報戦の観点から紛争構造（平時、グレーゾーン、武力紛争）を図式化したものであり、下図は第3章および第4章で描かれているクリミア侵攻後のウクライナ（A国）とロシア（B国）の関係を表した概念図である。

国際法上、ドンバス紛争はウクライナの内戦と見なされてきたが（117頁）、ロシアはウクライナ国内に分離派武装勢力という親ロシア派を代理アクターにもち、ウクライナに対する影響力工作の足場を築いていた（親B派）。そのうえ、ウクライナ全土を対象に、ソーシャルメディアとインターネットを活用した偽情報工作や重要インフラを標的とした破壊的なサイバー攻撃を行い、ウクライナ国民に影響力を及ぼすとともに、政府に揺さぶりをかけ、一定の成果をあげていた。

他方、友敵関係が最も先鋭化する武力紛争では、右上図に示すように、公式な外交ルートは断絶し、敵対感情の高まりとともに国民の結束はおのずと強まる。国内では厳戒態勢が敷かれ、国民の警戒心や危機意識がいやがうえにも強まるなか、親B派は行動の自由を著しく制限され、紛争前のような影響力を発揮することは難しくなるだろう。[2]

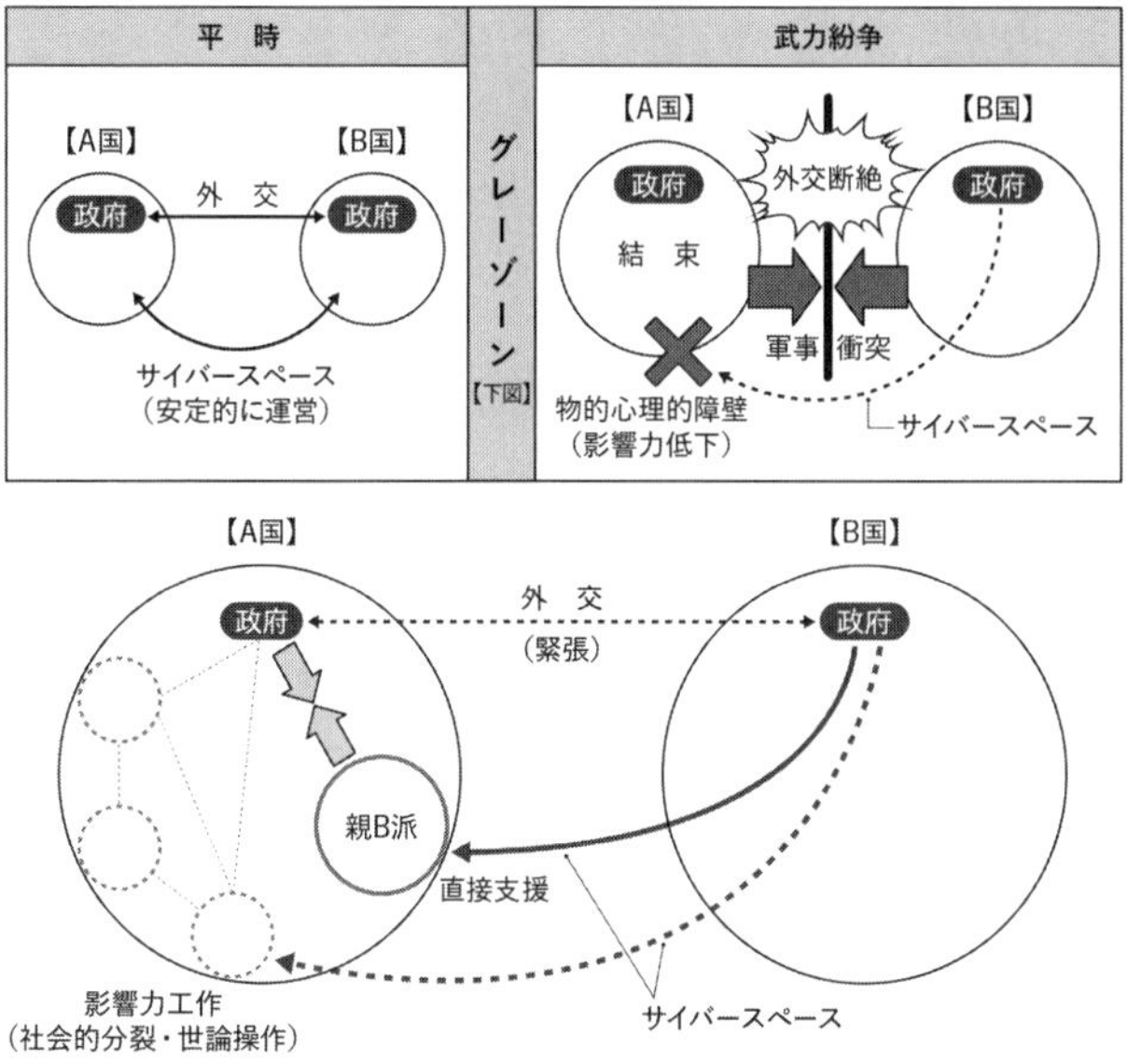

図１　サイバー行動を取り巻く紛争構造（平時〜グレーゾーン〜武力紛争）（訳者作成）

著者はハイブリッド戦の構成要素として、①代理アクター、②偽情報、③サイバー行動を挙げているが（119頁）、これを先の状況にあてはめてみれば、武力侵攻により①相手国内にいる代理アクターが勢いを失い、②相手国民の間で偽情報の信憑性（効果）が急速に失われ、③インフラの損壊や規制強化によるネットワーク利用の制限が原因となって、情報戦に有利だったはずのグレーゾーンの構図は右上図のように変質すると考えられる。その結果、サイバースペースを活用した情報工作の浸透力は物理的にも心理的にも弱まり、情報心理戦型のサイバー戦の効果は武力紛争以前の段階と比べ、きわめて限定的にならざるを得ない。

　ハイブリッド戦とは単なる通常戦とサイバー戦の混合もしくは併用を指すのではなく、図1（下図）に示した構造がうまく機能するか（しないか）が、情報心理戦型のサイバー作戦の鍵を握っていると見なすこともできよう。

グレーゾーンから武力紛争段階への連続性の視点――分析枠組みの永続性

開戦から9カ月が経過した11月下旬にイギリス王立防衛安全保障研究所（RUSI）から公表されたレポートによれば、クレムリンの侵攻計画はウクライナを10日間で制圧し、同年8月には全土を併合する計画であったという。侵攻部隊は首都（地方都市）への前進のスピードが優先され、交戦による時間的ロスを避けるため、ウクライナの戦闘部隊（陣地）を迂回して、できるだけ早期に主要施設（政府機関、空港、電力インフラ）に到達することが構想されていた。ただし、ウクライナ側を欺騙するため、戦闘部隊に実際に命令が下されたのは侵攻開始の24時間前だったという。仮にこのレポートが真実に近いものであれば、政治的・心理的効果を狙った作戦であったとも読み取れ、今回の作戦もロシア流ハイブリッド戦の一つの類型であったと考えることもできよう。[3]

この侵攻を阻止したのが、国防軍の高い士気と国民の結束に支えられたウクライナの強靭な抵抗であった。ロシア軍は攻撃に必要な兵站の準備や作戦調整を行う暇もなく、ひたすら電撃的な奇襲効果（クリミア侵攻を彷彿させる）を狙った結果、逆に甚大な損害を被ったのであった。ウクライナ国内に張り巡らされていたロシアによる政治工作網もウクライナ保安庁（SBU）の防諜活動によって早々と解体させられた模様である。[4]そして何よりも、国家間の初の大規模なサイバー戦と言われる今回の紛争[5]において、開戦初期に見られたロシアによる空前の規模のサイバー攻撃も、NATOやIT企業の支援を受けたウクライナの効果的なセキュリティ防御に阻まれている。[6]

こうした経緯を見ると、今回のロシアの侵攻作戦は、これまでとは異なり、ウクライナの決然たる抵抗によって「法的曖昧性」や「技術的複雑性」を利用する機会を完全に封ぜられたケースとなった。

著者は「本書の分析枠組みは、ロシアのサイバー行動が紛争や競争の中でどのように機能するかを理解するうえで永続的な価値を有している」(15頁)と述べているが、これはあながち誇張ではない。武力の行使の閾値を巧みにかわし、自国に有利な戦略環境を切り開いてきたロシアのサイバー行動を主題とする本書が、もし、今回のロシアによるウクライナ侵攻をケーススタディの新たな章に付け加えるとすれば、それはロシアにとって紛争管理の失敗事例として扱われることだろう(先述の拙考は、訳者なりのささやかな試みである)。

とまれ、本書のようなロシアのサイバー侵略をテーマにした本がすでに世に出されていることに鑑みれば、当然、長年ロシアから現実的脅威を受け続けてきた国々は、本書が描くような「傾向と対策」を教訓とし、それに備え、適応を遂げてきたはずである。今回のウクライナによる強靭な抵抗は、その一端の現れであると訳者には思われる。

また、著者は序文の最後で「制裁措置によってロシア経済が破綻し、ウクライナ戦争が終息してロシアの軍事力が低下する見通しとなっても、プーチンやその後継者たちは米欧諸国に対して隠密裏にサイバー行動に訴えることが可能である」(16頁)と付言している。これは高いサイバー能力を有するロシアに対し、警戒を怠ってはならないとする警鐘の意味を込めたものであろう。しかし、警戒の対象はロシアだけに限られない。ロシア以外にも現行秩序に不満をもち、地政学的に有利な戦略目標を追求するサイバー大国が存在する限り、サイバー行動は武力行使の閾値を超えない非対称軍備として、戦略的競争レベルから武力行使すれすれの状況で今後も活用され続けるだろう。将来、そうした国家が関与するサイバー攻撃を受けた場合、国際法のもとで適切な行動をとるためには、著者がマイケル・シュミットの評言を借りて強調しているように「特定の侵略行為に関する確実な攻撃元の特定が絶対的に不可欠」(120頁)となる。自衛権に基づき対処するにせよ、国際法上の対抗措置をとるにせよ、被攻撃国がどの程度、合法的に対処できるかを決定づけるのは結局、法的分類に拠るからである。

本書の白眉は、サイバー攻撃国が「攻撃元の特定」を避けながら紛争を有利に進めるため、いかにして法的曖昧さを活用し、高度で複雑なテクニックを駆使するか、について理解するための視点を与えてくれたことにある。それは、武力行使の閾値未満（グレーゾーン）にとどまり続けていると見せかける、いうなれば、黒を灰色（さすがに白とまでは言えないが）に見せかけるためのツールであり、テクニックなのである。

こう考えると、著者が主張するように、本書の分析枠組みの価値は、しばらくは失われそうにない。

*

本書には多様な紛争概念（非対称戦、ハイブリッド戦、情報戦、ゲラシモフ・ドクトリン、影響力工作、政治戦、新世代戦、積極工作）が登場するが、議論の始まりには必ず用語が定義されており、ロシアの戦略思想や作戦ドクトリンの概要を体系的にレビューできる。また、エストニアでのDDoS攻撃やジョージア紛争でのハイブリッド戦、アメリカ大統領選挙への介入など、この分野では馴染みの深い事例についても国際法（武力紛争法やサイバー規範）の観点から整理されていること、ロシアのサイバー行動と他国による対応行動を国際政治学の諸概念（抑止、強制、制裁、報復、合理的アクター論）を使って理論的に類型化していること、さらには、サイバー戦の技術的テクニックや効果的な防御ソリューションのトレンドも扱われていることから、サイバー戦略論（紛争論）のテキストとして何ら遜色のない内容となっている。一般書としても、さまざまなサイバーインシデントや一連のキャンペーンが豊富に収められ、大変読み応えのある書籍であると評することができる。

なお、国連憲章やジュネーヴ条約、武力紛争法関連の用語の訳出にあたっては『国際条約集』（有斐閣）、タリン・マニュアルやサイバー法関連の邦訳にあたっては中谷和弘・河野桂子・黒崎将広『サイバー攻撃の国際法――タリン・マニュアル２・０の解説』（信山社、２０１８年）の用語を参照させていただいた。編集者および執筆者各位にこの場を借りて厚くお礼を申し上げます。

最後に、作品社の福田隆雄氏は企画から校正の細部にいたるまで丁寧に訳者を導いてくださいました。ここに改めて感謝の意を表します。

二〇二二年一二月二二日

訳者　川村幸城

▼1　ただし、ウクライナ政府は自国に敵対的なサイバー攻撃があっても、ただちにロシアを攻撃実施国として帰属することはせず、支援国政府やセキュリティ企業の協力を得ながら、平時と同様の標準的手続きにしたがって慎重に「攻撃元の特定」を行う姿勢を崩していないようである。例えば、Rob Wright, "Industroyer2: How Ukraine avoided another blackout stack," Security.com, August 10, 2022 (https://www.techtarget.com/searchsecurity/news/252526575/Ukraine-Russian-cyber-attacks-aimless-and-opportunistic).

▼2　実際、ウクライナ国内ではロシア側と内通した容疑で一部の政府高官、治安関係者が国家反逆罪で摘発されている。「ロシアのためスパイ、ウクライナ高官に禁錮12年と全財産没収の判決」朝日新聞DIGITAL、２０２２年８月26日、「停戦協議参加のウクライナ男性を射殺、『二重スパイ』でロシアに機密情報流したか」英紙：読売オンライン、２０２２年3月9日。

▼3　Mykhaylo Zabrodskyi, Dr Jack Watling , Oleksandr V Danylyuk and Nick Reynolds, Preliminary Lessons in Conventional Warfighting from Russia's Invasion of Ukraine: February–July 2022, RUSI, 30 November 30, 2022(https://rusi.org/explore-our-research/publications/special-resources/preliminary-lessons-conventional-warfighting-russias-invasion-ukraine-february-july-2022).

▼4　Jack Watling and Nick Reynolds, The Plot to Destroy Ukraine, Special Report, RUSI, February 15, 2022(https://rusi.org/explore-our-research/publications/special-resources/plot-destroy-ukraine).

▼5　James A. Lewis, Cyber War and Ukraine, CSIS, June 16, 2022, p.1 (https://www.csis.org/analysis/cyber-war-and-ukraine).

▼6　ウクライナCERT-UAと連携したマイクロソフト社やＥＳＥＴのレポートを見ると、ウクライナのネットワーク防御力は、２０１４年以来のロシアからの度重なるサイバー攻撃に対処してきた教訓を活かし、きわめて高いレベルにあったことが窺える。Microsoft, Special Report: Ukraine: An overview of Russia's cyberattack activity in Ukraine April 27, 2022 (chrome-extension://efaidnbmnnnibpcajpcglclefindmkaj/https://query.prod.cms.rt.microsoft.com/cms/api/am/binary/RE4Vwwd); Defending Ukraine: Early Lessons from the Cyber War, Jun 22, 2022(chrome-extension://efaidnbmnnnibpcajpcglclefindmkaj/https://query.prod.cms.rt.microsoft.com/cms/api/am/bin); ESET Research, Industroyer2 Industroyer reloaded, April 12, 2022 (https://www.welivesecurity.com/2022/04/12/industroyer2-industroyer-reloaded/). 防御の詳細を現時点で知ることはできないが、本書第3部を読めば、どのような防御ソリューションが敷かれていたか、おおよそのイメージはつかめるはずである。

＊ここに記した内容は訳者個人の見解であり、所属する組織の見解を反映したものではありません。

原註

2022年版への序文

1 National Intelligence Council, "Foreign Threats to the 2020 US Federal Elections," March 10, 2021, i.

2 UN General Assembly, "Resolution Adopted by the General Assembly on 5 December 2018," A/RES/73/27, December 11, 2018.

3 National Security Agency, "Sandworm Actors Exploiting Vulnerability in Exim Mail Transfer Agent," PP-20-0393, May 28, 2020.

4 US District Court, Western District of Pennsylvania, criminal indictment, United States of America v. Yuriy Sergeyevich Andrienko et al., filed October 15, 2020.

5 Martin Matishak, "White House Blames Russia for Latest Digital Attacks on Ukraine," Recorded Future, February 18, 2022.

6 FireEye, "Highly Evasive Attacker Leverages SolarWinds Supply Chain to Compromise Multiple Global Victims with SUNBURST Backdoor," Mandiant, December 13, 2020.

7 Liam Tung, "SolarWinds Attackers Breached Email of US Prosecutors, says Department of Justice," ZDNeT, August 2, 2021; and Alan Suderman, "SolarWinds Hack Got Emails of Top DHS Officials," Associated Press, March 29, 2021.

8 Stephen Eckels, Jay Smith, and William Ballenthin, "SUNBURST Additional Technical Details," Mandiant, December 24, 2020.

9 Unit 42, "SolarStorm Supply Chain Attack Timeline," Palo Alto Networks, December 23, 2020.

10 Nikesh Arora, "Palo Alto Networks Rapid Response: Navigating the SolarStorm Attack," Palo Alto Networks, December 17, 2020.

11 Cybersecurity and Infrastructure Security Agency, "Joint Statement," January 5, 2021.

12 Michael R. Gordon, et al., "U.S. Puts Fresh Sanctions on Russia Over Hacking, Election Interference," *Wall Street Journal*, April 15, 2021.

13 Department of the Treasury, "Treasury Sanctions Russia with Sweeping New Sanctions Authority," press release, April 15, 2021.

14 Todd Prince, "U.S. Sanctions on Russian Debt Still 'More Bark Than Bite,' Analysts Say," Radio Free Europe / Radio Liberty, April 16, 2021.

15 Microsoft Threat Intelligence Center, "New Sophisticated Email-Based Attack from NOBELIUM," Microsoft Security, May 27, 2021.

16 Microsoft Threat Intelligence Center, "NOBELIUM Targeting Delegated Administrative Privileges to Facilitate Broader Attacks," Microsoft Security, October 25, 2021.
17 David Sanger, "Russia Challenges Biden Again with Broad Cybersurveillance Operation," *New York Times*, October 25, 2021.
18 Colonial Pipeline, "Colonial Pipeline System Disruption," media statement, May 9, 2021.
19 Collin Eaton, "Colonial Pipeline Expects to Fully Restore Service Thursday Following Cyberattack," *Wall Street Journal*, May 13, 2021.
20 Michael Kerner, "Colonial Pipeline Hack Explained: Everything You Need to Know," Tech Target, July 7, 2021.
21 Eamon Javers, "Here's the Hacking Group Responsible for the Colonial Pipeline Shutdown," *CNBC News*, May 10, 2021.
22 William Turton, et al., "Colonial Pipeline Paid Hackers Nearly $5 Million in Ransom," Bloomberg, May 13, 2021.
23 White House, Briefing Room, "Remarks by President Biden on the Colonial Pipeline Incident," May 13, 2021.
24 Michael N. Schmitt, ed., *Tallinn Manual 2.0 on the International Law Applicable to Cyber Operations*, 2nd ed. (Cambridge: Cambridge University Press, 2017), 30.
25 Paul D. Shinkman, "Russia Denies Involvement in Darkside Attack on Colonial Pipeline," *U.S. News & World Report*, May 11, 2021.
26 Insikt Group, "Dark Covenant: Connections Between the Russian State and Criminal Actors," Recorded Future, September 9, 2021, 1.
27 Kim Zetter, "Darkside Retreats to the Dark," *Zero Day*, May 14, 2021.
28 Liam Tung, "Ransomware: Meat Firm JBS Says it Paid Out $11m After Attack," ZDNeT, June 10, 2021.
29 David E. Sanger and Nicole Perlroth, "Biden Weighs Response to Ransomware Attacks Emanating From Russia," *New York Times*, July 8, 2021.
30 Ellen Nakashima, "Pressure Grows on Biden to Curb Ransomware Attacks," *Washington Post*, July 7, 2021.
31 Department of State, "Reward Offers for Information to Bring DarkSide Ransomware Variant Co-Conspirators to Justice," press release, November 4, 2021; and Department of State, "Reward Offers for Information to Bring Sodinokibi (REvil) Ransomware Variant Co-Conspirators to Justice," press release, November 8, 2021.
32 Department of Justice, "Ukrainian Arrested and Charged with Ransomware Attack on Kaseya," Justice News, November 8, 2021.
33 Robert McMillan and Dustin Volz, "U.S. and Europe Crack Down on REvil Ransomware Group," *Wall Street Journal*, November 8, 2021.
34 Department of Justice, "Justice Department Seizes $6.1 Million Related to Alleged Ransom-

ware Extortionists," Justice News, November 8, 2021.

35 Department of the Treasury, "Treasury Continues to Counter Ransomware as Part of Whole-of-Government Effort; Sanctions Ransomware Operators and Virtual Currency Exchange," press release, November 8, 2021.

36 "JBS: FBI says Russia-linked Group Hacked Meat Supplier," BBC News, June 3, 2021.

37 Kelly Sheridan, "Who is BlackMatter?" Dark Reading, September 22, 2021.

38 Elizabeth Montalbano, "BlackMatter Strikes Iowa Farmers Cooperative, Demands $5.9M Ransom," Threat Post, September 21, 2021.

39 Lawrence Abrams, "Shutterfly Services Disrupted by Conti Ransomware Attack," Bleeping Computer, December 27, 2021.

40 Tom Balmforth and Gabrielle Tetrault-Farber, "Russia Takes Down REvil Hacking Group at U.S. Request - FSB," Reuters, January 14, 2022.

41 Paul M. Nakasone and Michael Sulmeyer, "How to Compete in Cyberspace," *Foreign Affairs*, August 25, 2020.

42 David E. Sanger and Nicole Perlroth, "One-Two Punch from Microsoft and U.S. Takes Down an Election Risk," *New York Times*, October 13, 2020.

43 Ionut Ilascu, "TrickBot Botnet Targeted in Takedown Operations, Little Impact Seen," Bleeping Computer, October 12, 2020.

44 Benjamin Jensen, Brandon Valeriano, and Mark Montgomery, "The Strategic Implications of SolarWinds," Cybersecurity and Deterrence (blog), Lawfare, December 18, 2020.

45 Julian E. Barnes, "U.S. Military Has Acted Against Ransomware Groups, General Acknowledges," *New York Times*, December 6, 2021.

46 Sumeet Wadhwani, "REvil Ransomware Gang Taken Down Again, This Time for Good," Toolbox, October 22, 2021.

47 The Editorial Board, "Vladimir Putin Names His Price," *Wall Street Journal*, December 18, 2021.

48 James Marson and Dustin Volz, "Ukraine Government Websites Hit by Cyberattack," *Wall Street Journal*, January 14, 2022.

49 Robert McMillian and Dustin Volz, "Ukraine Hacks Signal Board Risks of Cyberwar Even as Limited Scope Confounds Experts," *Wall Street Journal*, January 20, 2022.

50 Microsoft Threat Intelligence Center, "Destructive Malware Targeting Ukrainian Organizations," Microsoft Security, January 15, 2022.

51 Unit 42, "Weekly Threat Digest," Palo Alto Networks, January 25, 2022.

52 Robert McMillian and Dustin Volz, "Ukraine Hacks Signal Board Risks of Cyberwar Even as Limited Scope Confounds Experts," *Wall Street Journal*, January 20, 2022.

53 Sarah Dean, et al., "Putin Launches Russia's Ballistic and Cruise Missile Exercises," CNN World, February 19, 2022.

54 Matthew Luxmoore and Brett Forrest, "Russia Extends Belarus Drills for Thousands of Troops as Ukraine Violence Escalates," *Wall Street Journal*, February 20, 2022.
55 Andrew Osborn and Polina Nikolskaya, "Russia's Putin Authorizes 'Special Military Operation' Against Ukraine," Reuters, February 23, 2022.
56 Broadcom, "Ukraine: Disk-wiping Attacks Precede Russian Invasion," February 24, 2022.
57 Cybersecurity and Infrastructure Security Agency and Federal Bureau of Investigation, "Destructive Malware Targeting Organizations in Ukraine," Joint Cybersecurity Advisory, February 26, 2022.
58 Sean Lyngaas, "US Firms Should be Wary of Destructive Malware Unleashed on Ukraine, FBI and CISA Warn," CNN World, February 26, 2022.
59 Microsoft Digital Security Unit, "Special Report: Ukraine," April 27, 2022, 2.
60 Microsoft Digital Security Unit, "Special Report."
61 Reuters, "Putin Says Western Sanctions are Akin to Declaration of War," March 5, 2022.
62 Cybersecurity and Infrastructure Security Agency, "Shields Up," February 27, 2022.
63 Office of the Director of National Intelligence, "Annual Threat Assessment of the US Intelligence Community," April 9, 2021, 11.
64 Andy Greenberg, "The Untold Story of NotPetya, the Most Devastating Cyberattack in History," *Wired*, August 22, 2018.
65 Unit 42, "Russia-Ukraine Cyberattacks: How to Protect against Related Cyberthreats Including DDoS, HermeticWiper, Gamaredon and Website Defacement," Palo Alto Networks, February 22, 2022.
66 David Uberti, "Ukrainian Defense Ministry, Banks Hit by Suspected Cyberattacks, Officials Say," *Wall Street Journal*, February 15, 2022.
67 Kevin Poulsen and Melanie Evans, "The Ruthless Hackers behind Ransomware Attacks on U.S. Hospitals: 'They Do Not Care,'" *Wall Street Journal*, June 10, 2021.
68 Isabelle Khurshudyan and Serhiy Morgunov, "In a Shared Sea, Ukraine and Russia Already Risk Direct Conflict," *Washington Post*, December 26, 2021; and Melissa de Zwart, "Why the Russian Anti-Satellite Missile Test Threatened Both the International Space Station and the Peaceful Use of Outer Space," The Conversation, November 16, 2021.
69 Gabriel Honrada, "Russia Doubles Down on Hypersonic Missile Tests," *Asia Times*, December 25, 2021.
70 Jordan Robertson, "Russian Isolation Spells Trouble for Global Cybersecurity," Bloomberg, March 16, 2022.

序章　武力行使の閾値とサイバー行動

1 Raphael Satter, "What Makes a Cyberattack? Experts Lobby to Restrict the Term," Associated Press, March 28, 2017.

2 Ellen Nakashima, “Russia’s Apparent Meddling in U.S. Election Is Not an Act of War, Cyber Expert Says,” *Washington Post*, February 7, 2018.

3 Michael J. Adams and Megan Reiss, “How Should International Law Treat Cyberattacks like WannaCry?,” Lawfare Institute, December 22, 2017.

4 Nakashima, “Russia’s Apparent Meddling.”

5 戦略的競争とは、政治・経済・軍事の各分野で影響力と優位性を競うものである。

6 Lorne Cook and Robert Burns, “NATO Chief Says Allies Keen to Avoid Arms Race with Russia,” *Stars and Stripes*, February 13, 2019.

7 Jim Mattis, “Summary of the National Defense Strategy of the United States of America,” Department of Defense (hereafter DOD), January 2018, 3.

8 Julian Cooper, “Russia’s Invincible Weapons: Today, Tomorrow, Sometime, Never,” Changing Character of War Centre, University of Oxford, May 2018, 2.

9 Michael Ruhle, *Deterring Hybrid Threats: The Need for a More Rational Debate*, NDC Policy Brief no. 15 (Rome: NATO Defense College, July 2019), 1.

10 NATO, *NATO Glossary of Terms and Definitions*, AAP-6 (Brussels: NATO Standardization Office, 2018), 62.

11 President of Russia, “Speech and Following Discussion at the Munich Conference on Security Policy,” Kremlin Event Transcripts, Moscow, February 10, 2007.

12 Volodymyr Horbulin, *The World Hybrid War: Ukrainian Forefront* (Kiev: Ukrainian Institute for the Future, 2017), 25.

13 Keir Giles et al., *The Russia Challenge* (London: Chatham House, June 2015), 51.

14 Keir Giles, *Moscow Rules: What Drives Russia to Confront the West* (Washington, DC: Brookings Institution Press, 2019), 13.

15 Donald Trump, *National Security Strategy of the United States of America* (Washington DC: White House, December 2017), 25.

16 Trump, 25.

17 Mattis, “Summary of the National Defense Strategy,” 2.

18 Thomas Wright, “The Return to Great-Power Rivalry Was Inevitable,” *The Atlantic*, September 12, 2018.

19 Gen. Curtis M. Scaparrotti, USA, “Statement before the United States Senate Committee on Armed Services,” March 8, 2018, 19–20.

20 Mattis, “Summary of the National Defense Strategy,” 2.

21 Giles, *Moscow Rules*, xix.

22 Giles, xix.

23 Joint Chiefs of Staff, *Cyberspace Operations*, Joint Publication 3-12 (Washington, DC: Chairman of the Joint Chiefs of Staff, June 8, 2018), vii.

24 DOD, *DOD Dictionary of Military and Associated Terms* (Washington, DC: Secretary of De-

fense, April 2018), 59.

25 Joint Chiefs of Staff, *Cyberspace Operations*, GL-4.

26 DOD, Office of General Counsel, *Law of War Manual* (Washington, DC: Secretary of Defense, June 2015; updated December 13, 2016), 1012.

27 Gregory Conti and David Raymond, *On Cyber: Towards an Operational Art for Cyber Conflict* (San Bernardino, CA: Kopidion Press, 2017), 7.

28 DOD, "Summary: Department of Defense Cyber Strategy," 2018, 1.

29 Donald Trump, *National Cyber Strategy of the United States of America* (Washington, DC: White House, September 2018), 21.

30 Joint Chiefs of Staff, *Cyberspace Operations*, i-x.

31 Joint Chiefs of Staff, I-12.

第 1 章　分析枠組み

1 Nicole Perlroth, "Chinese and Iranian Hackers Renew Their Attacks on U.S. Companies," *New York Times*, February 18, 2019.

2 DOD, Office of General Counsel, *Law of War Manual* (Washington, DC: Secretary of Defense, December 2016), 1013.

3 David A. Wheeler and Gregory N. Larsen, "Techniques for Cyber Attack Attribution," Institute for Defense Analysis, November 11, 2013.

4 Aaron Franklin Brantly, *The Decision to Attack* (Athens: University of Georgia Press, 2016), 80.

5 Bryant Jordan, "US Still Has No Definition for Cyber Act of War," Military.com, June 22, 2016.

6 Legal Information Institute, 18 US Code §2331: Definitions, Cornell Law School.

7 Saundra McDavid, "When Does a Cyber Attack Become an Act of War?," InCyberDefense, American Public University, July 31, 2017.

8 Ronald H. Spector, *Eagle against the Sun: The American War with Japan* (New York: Free Press, 1985), 1–8.

9 Blair Hanley Frank, "When Is a Cyber Attack an Act of War? We Don't Know, Warns Ex-Obama Adviser," VentureBeat, September 14, 2017.

10 Mike Rounds, "Cyber Act of War Act of 2016," S. 2905, 114th Congress, 2nd Session, May 9, 2016.

11 Marcell Lettre, "Cybersecurity, Encryption and United States National Security Matters," Hearing before the Committee on Armed Services, S. 114-671, 114th Congress, 2nd Session, September 12, 2016, 85.

12 Ellen Nakashima, "When Is a Cyberattack an Act of War?," *Washington Post*, October 26, 2012.

13 Michael N. Schmitt and Liis Vihul, "The Nature of International Law Cyber Norms," *The Tal-*

linn Papers, no. 5, special expanded issue (2014): 7.

14 Michael N. Schmitt, "Cyber Operations in International Law: The Use of Force, Collective Security, Self-Defense, and Armed Conflicts," in *Proceedings of a Workshop on Deterring Cyberattacks: Informing Strategies and Developing Options for U.S. Policy* (Washington, DC: National Academies Press, 2010), 152.

15 Schmitt, 152.

16 Schmitt, 152.

17 DOD, *Law of War Manual*, 82.

18 Michael N. Schmitt, "Classification of Cyber Conflict," *International Law Studies* 89, no. 233 (2013): 240.

19 UN, Charter of the United Nations, Chapter I, Article 2(4), October 24, 1945.

20 Michael Schmitt, "Tallinn Manual 2.0 on the International Law Applicable to Cyber Operations: What It Is and Isn't," Just Security, February 9, 2017, https://www.justsecurity.org/37559/tallinn-manual-2-0-international-law-cyber-operations/.

21 Michael Schmitt, ed., *Tallinn Manual 2.0 on the International Law Applicable to Cyber Operations*, 2nd ed. (Cambridge: Cambridge University Press, 2017), 329.

22 Net Politics Program, "The Cyber Act of War Act: A Proposal for a Problem the Law Can't Fix," Council on Foreign Relations, May 12, 2016.

23 Rounds, "Cyber Act of War Act of 2016."

24 Harold Hongju Koh, "International Law in Cyberspace: Remarks as Prepared for Delivery to the USCYBERCOM Inter-Agency Legal Conference," September 18, 2012, reprinted in *Harvard International Law Journal Online* 54, nos. 3–4 (December 2012).

25 Koh.

26 DOD, *Law of War Manual*, 1015.

27 DOD, 1015.

28 DOD, 1016.

29 Schmitt, *Tallinn Manual 2.0*, 341.

30 Michael N. Schmitt, "Peacetime Cyber Responses and Wartime Cyber Operations: An Analytical *Vade Mecum*," *Harvard National Security Journal* 8, no. 2 (2017): 245.

31 Schmitt, 245.

32 Schmitt, *Tallinn Manual 2.0*, 341.

33 Schmitt, 341.

34 Schmitt, "Peacetime Cyber Responses," 246.

35 UN, Charter of the United Nations, Chapter VII, Article 51, October 24, 1945.

36 DOD, *Law of War Manual*, 40.

37 Schmitt, *Tallinn Manual 2.0*, 348.

38 Schmitt, 349.

39 Schmitt, "Peacetime Cyber Responses," 248.

40 Schmitt, *Tallinn Manual 2.0*, 84.

41 Schmitt, 84.

42 Schmitt, 85.

43 Schmitt, 20.

44 Schmitt, 20.

45 Michael Schmitt, "In Defense of Sovereignty in Cyberspace," Just Security, May 8, 2018.

46 Schmitt.

47 Schmitt, *Tallinn Manual 2.0*, 21.

48 Schmitt, 22.

49 Schmitt, *Tallinn Manual 2.0*, 84.

50 International Law Commission, "Draft Articles on Responsibility of States for Internationally Wrongful Acts, with Commentaries," Article 2, 2001, 34.

51 International Law Commission, 34.

52 Schmitt, *Tallinn Manual 2.0*, 87.

53 International Law Commission, "Draft Articles on Responsibility of States," Article 8.

54 International Law Commission, chap. II, commentary, para. 1.

55 Michael N. Schmitt and Liis Vihul, "Proxy Wars in Cyberspace: The Evolving International Law of Attribution," *Fletcher Security Review* 1, no. 2 (Spring 2014): 59.

56 Matthew Monte, *Network Attacks and Exploitation: A Framework* (New York: John Wiley, 2015).

57 International Law Commission, "Draft Articles on Responsibility," Article 50, 1a.

58 Scott Maucione, "Lawmakers Still Looking for Definitive Answer on What Constitutes Cyber War," Federal News Radio, April 16, 2018.

59 Lettre, "Cybersecurity, Encryption," 85.

60 Bradley Barth, "New EU Framework Allows Members to Consider Cyber-Attacks Acts of War," *SC Magazine*, October 31, 2017.

61 Schmitt, *Tallinn Manual 2.0*, 375.

62 Verizon, "2018 Data Breach Investigations Report," 11th ed., April 2018, 8.

63 Tao Yan, Bo Qu, and Zhanglin He, "Phishing in a Nutshell: January–March 2018," Palo Alto Networks, Unit 42 Blog, June 18, 2018.

64 Cisco, "2018 Annual Cybersecurity Report," May 2018, 21.

65 Sandra, "Top 10 Free Keylogger Software in 2019," Elite Keylogger (blog), January 17, 2019.

66 National Institute of Standards and Technology (hereafter NIST), *Glossary of Key Information Security Terms*, draft NISTIR 7298, revision 3, September 2018.

67 Elise Thomas, "As the West Warns of Chinese Cyber Spies, Poorer Nations Welcome Gifts with Open Arms," *Wired*, June 11, 2018.

68 NIST, *Glossary of Key Information Security Terms.*

69 Radware, "Five Ways Modern Malware Defeats Your Defenses ... and What You Can Do about It," 2018.

70 Julia Sowells, "Polymorphic: Refers to a Malware's Ability to Change," Hacker Combat, August 20, 2018.

71 McAfee Labs, "Quarterly Threats Report," June 2017, 8–10.

72 CrowdStrike, "Who Needs Malware?," white paper, 2017, 2.

73 Kevin Jones, "Fileless Ransomware: The Next Big Threat for the US in the Waiting," Hacker Combat, December 30, 2018.

74 Red Canary, "Threat Detection Report," 1st ed., 2019, 6.

75 Red Canary, 8.

76 McAfee Labs, "Quarterly Threats Report," September 2017, 38, 53.

77 Cisco, "2018 Annual Cybersecurity Report," 6.

78 FireEye, "Advanced Malware Exposed," white paper, 2011, 16.

79 Joseph Caddel, "Deception 101: Primer on Deception," Strategic Studies Institute, US Army War College, December 2004.

80 Joint Chiefs of Staff, *Military Deception*, Joint Publication 3-13.4 (Washington, DC: Joint Chiefs of Staff, January 26, 2012), I-6.

81 Gregory Conti and David Raymond, *On Cyber: Towards an Operational Art for Cyber Conflict* (San Bernardino, CA: Kopidion Press, 2017), 246.

82 James Scott, "Information Warfare," Institute for Critical Infrastructure Technology, 2018, 85–86.

83 Gordon Corera, "How France's TV5 Was Almost Destroyed by Russian Hackers," BBC News, October 10, 2016.

84 Ellen Nakashima, "Russian Spies Hacked the Olympics and Tried to Make It Look like North Korea, U.S. Officials Say," *Washington Post*, February 24, 2018.

85 Tim Maurer, *Cyber Mercenaries* (Cambridge: Cambridge University Press, 2018), 5.

86 Ian Duncan, "Cyber Command Chief: Foreign Governments Use Criminals to Hack U.S Systems," *Baltimore Sun*, March 16, 2016.

87 James R. Clapper, "Worldwide Threat Assessment of the US Intelligence Community," statement for the record, Senate Armed Services Committee, February 9, 2016.

88 Electricity Information Sharing and Analysis Center, "Analysis of the Cyber Attack on the Ukrainian Power Grid," defense use case, March 18, 2006, v.

89 ICS-CERT, "Cyber-Attack against Ukrainian Infrastructure," alert (IR-Alert-H-16-056-01), February 25, 2006.

90 Michael J. Assante, "Confirmation of a Coordinated Attack on the Ukrainian Power Grid," SANS (blog), January 9, 2016.

91 Electricity Information Sharing and Analysis Center, "Ukrainian Power Grid," 9.

92 Kim Zetter, "Inside the Cunning, Unprecedented Hack of Ukraine's Power Grid," *Wired*, March 3, 2016.

93 Zetter.

94 GReAT, "BlackEnergy APT Attacks in Ukraine Employ Spearphishing with Word Documents," Securelist, Kaspersky (blog), January 28, 2016.

95 Zetter, "Inside the Cunning."

96 JASmius, "Russian Hackers Take Down Power Grid in Ukraine," Political Pistachio, January 5, 2016.

97 Electricity Information Sharing and Analysis Center, "Ukrainian Power Grid," 6.

98 Zetter, "Inside the Cunning."

99 Zetter.

100 Zetter.

101 SBU Press Center, "Russian Hackers Plan Energy Subversion in Ukraine," Ukrinform, December 28, 2018.

102 Zetter, "Inside the Cunning."

103 Ellen Nakashima, "Russian Hackers Suspected in Attack That Blacked Out Parts of Ukraine," *Washington Post*, January 5, 2016.

104 Jim Kinkle, "U.S. Firm Blames Russian 'Sandworm' Hackers for Ukraine Outage," Reuters, January 7, 2016.

105 National Security Agency, "Sandworm Actors Exploiting Vulnerability in Exim Mail Transfer Agent," Cybersecurity Advisory, PP-20-0393, May 28, 2020.

106 Dan Goodin, "First Known Hacker-Caused Power Outage Signals Troubling Escalation," Ars Technica, January 4, 2016.

107 Michael Connell and Sarah Vogler, "Russia's Approach to Cyber Warfare," CNA, March 2017, 20.

108 Connell and Vogler, 21.

109 Schmitt, *Tallinn Manual 2.0*, 22.

110 Daniel Goure, "A Competitive Strategy to Counter Russian Aggression against NATO," Lexington Institute, May 2018, 5.

111 Julian E. Barnes, "U.S. Cyber Command Bolsters Allied Defenses to Impose Cost on Moscow," *New York Times*, May 7, 2019.

112 Alissa de Carbonnel, "Trump Says Putin 'Competitor,' Not Enemy," Reuters, July 12, 2018.

113 Anna Mikulska, "When Trump Calls Russia a 'Competitor' for the US, He Might Be Talking about Natural Gas Exports," The Conversation, July 13, 2018.

114 Michael Rogers, "Achieve and Maintain Cyberspace Superiority: Command Vision for U.S. Cyber Command," US Cyber Command, March 2018, 3.

115 Rogers, 3.

116 "Threat of Cyber Attack from Russia Has Intensified, British MPs Told," *The National*, June 25, 2018.

117 Morgan Chalfant, "Rosenstein Warns of Growing Threat from Russia, Other Actors," *The Hill*, July 19, 2018.

118 Aaron Hughes, deputy assistant secretary of defense for cyber policy, Statement before the House of Representatives Committee on Oversight and Government Reform, Information Technology and National Security Subcommittee, July 13, 2016, 1.

119 Mark Pomerleau, "Why DoD Leaders Are Increasingly Worried about the 'Gray Zone,'" C4ISR Networks, February 5, 2018.

第１部　現代ロシアのサイバー戦

第２章　非対称的軍備としてのサイバー戦

1 Steven J. Lambakis, "Reconsidering Asymmetric Warfare," *Joint Forces Quarterly*, no. 36 (December 2004): 102.

2 Minority Staff, *Putin's Asymmetric Assault on Democracy in Russia and Europe: Implications for U.S. National Security*, report prepared for the US Senate Committee on Foreign Relations (Washington, DC: Government Publishing Office, January 10, 2018), iv.

3 Olga Oliker, "Unpacking Russia's New National Security Strategy," Center for Strategic and International Studies, January 7, 2016, 3.

4 Keir Giles, *Moscow Rules: What Drives Russia to Confront the West* (Washington, DC: Brookings Institution Press, 2019), 15.

5 Keir Giles et al., *The Russia Challenge* (London: Chatham House, June 2015), 21.

6 Brian Wang, "Russia Is Weak and Has a Rapidly Aging and Shrinking Population," Next Big Future, August 6, 2018.

7 DOD, *DOD Dictionary of Military and Associated Terms* (Washington, DC: Secretary of Defense, April 2018), 22.

8 Oliker, "Unpacking Russia's New National Security Strategy," 7.

9 Dmitri Trenin, "The Revival of the Russian Military: How Moscow Reloaded," *Foreign Affairs*, May/June 2016: 23–29.

10 Associated Press, "NATO Members Concerned about Russian 'Military Posturing,'" *Stars and Stripes*, September 11, 2018.

11 Mark Galeotti, "Here's the Real Message behind Russia's Big Far-East Wargame," Defense One, September 12, 2018.

12 Justin Doubleday, "New Cyber Strategy Etches Out DOD's More Prominent, Day-to-Day Role," Inside Defense, September 19, 2018.

13 Lionel Beehner et al., "Analyzing the Russian Way of War," US Army Modern War Institute,

March 20, 2018, 4.

14 Steven Metz, "Strategic Asymmetry," *Military Review* (July/August 2001): 23.

15 Joseph S. Nye Jr., "Cyber Power," Belfer Center for Science and International Affairs, May 2010, 5.

16 Rebecca Slayton, "What Is the Cyber Offense-Defense Balance?," *International Security* 41, no. 3 (Winter 2016/17): 79.

17 Joseph L. Votel, "Operationalizing the Information Environment," *Cyber Defense Review* (Fall 2018): 1.

18 Everett C. Dolman, *Pure Strategy: Power and Principle in the Space and Information Age* (New York: Frank Cass, 2005), 6.

19 Lukas Milevski, "Asymmetry Is Strategy, Strategy Is Asymmetry," *Joint Force Quarterly*, no. 75 (Fourth Quarter, 2014): 79.

20 Roger W. Barnett, *Asymmetrical Warfare: Today's Challenge to U.S. Military Power* (Washington, DC: Potomac Books, 2003), 15.

21 Milevski, "Asymmetry Is Strategy," 79.

22 Milevski, 79.

23 Dmitry (Dima) Adamsky, "Cross-Domain Coercion: The Current Russian Art of Strategy," Proliferation Papers no. 54, IFRI Security Studies Center, November 2015, 25.

24 Andreas Jacobs and Guillaume Lasconjarias, "NATO's Hybrid Flanks: Handling Unconventional Warfare in the South and the East," in *NATO's Response to Hybrid Threats*, ed. Guillaume Lasconjarias and Jeffrey A. Larsen, Forum Paper no. 24 (Rome: NATO Defense College, 2015), 268.

25 Diego A. Ruiz Palmer, "Back to the Future? Russia's Hybrid Warfare, Revolutions in Military Affairs, and Cold War Comparisons," in Lasconjarias and Larsen, *NATO's Response to Hybrid Threats*, 49.

26 Palmer, 50, 51.

27 "The Russian Federation's National Security Strategy," Russian Federation Presidential Edict 683, full-text translation, December 31, 2015, http://www.ieee.es/Galerias/fichero/OtrasPublicaciones/Internacional/2016/Russian-National-Security-Strategy-31Dec2015.pdf.

28 Mark Galeotti, "Russia's New National Security Strategy: Familiar Themes, Gaudy Rhetoric," War on the Rocks, January 4, 2016.

29 Defense Intelligence Agency, "Russia Military Power: Building a Military to Support Great Power Ambitions," 2017, 17.

30 Roger McDermott, "Russia's 2015 National Security Strategy," *Eurasia Daily Monitor*, January 12, 2016.

31 Oliker, "Unpacking Russia's New National Security Strategy," 7.

32 Tracy German, "In with the Old: Russia's New National Security Strategy," Defense-in-Depth

(blog), King's College London, January 27, 2016.

33 "Russian Federation's National Security Strategy," Presidential Edict 683.

34 German, "In with the Old."

35 "Russian Federation's National Security Strategy," Presidential Edict 683.

36 "Russian Federation's National Security Strategy."

37 Chris Miller, "How Russia Survived Sanctions," Foreign Policy Research Institute, May 14, 2018.

38 Richard Connolly, "Stagnation and Change in the Russian Economy," *Russian Analytical Digest*, no. 213 (February 7, 2018): 5.

39 Matt Rosenberg, "Population Decline in Russia," Thought Co., March 6, 2018, https://www.thoughtco.com/population-decline-in-russia-1435266.

40 Frank Holmes, "Which Has the Bigger Economy: Texas or Russia?," Great Speculations(blog), *Forbes*, April 17, 2018.

41 Polina Sinovets and Bettina Renz, "Russia's 2014 Military Doctrine and Beyond: Threat Perceptions, Capabilities and Ambitions," in Lasconjarias and Larsen, *NATO's Response to Hybrid Threats*, 75.

42 The Military Doctrine of the Russian Federation, Approved by the President, No. Pr.-2976, December 25, 2014, https://www.rusemb.org.uk/press/2029.

43 Military Doctrine of the Russian Federation.

44 Adamsky, "Cross-Domain Coercion," 31.

45 Thomas Schelling, *Arms and Influence* (New Haven, CT: Yale University Press, 1966), 71.

46 Schelling, 69–72.

47 Adamsky, "Cross-Domain Coercion," 33.

48 Brandon Valeriano, Benjamin Jensen, and Ryan C. Maness, *Cyber Strategy: The Evolving Character of Power and Coercion* (New York: Oxford University Press, 2018), 31.

49 Valeriano, Jensen, and Maness, 35.

50 Binoy Kampmark, "Cyber Warfare between Estonia and Russia," *Contemporary Review* (Autumn 2007): 288.

51 "Europe: A Cyber-Riot; Estonia and Russia," *The Economist* 383, no. 8528 (May 12, 2007): 42.

52 Rebecca Grant, *Victory in Cyberspace*, special report, Air Force Association, October 2007, 5.

53 Grant, 7.

54 Merike Kao, "Cyber Attacks on Estonia: Short Synopsis," Double Shot Security, 2007, 4.

55 "International: Newly Nasty; Cyberwarfare," *The Economist* 383, no. 8530 (May 26, 2007): 76.

56 Joshua Davis, "Hackers Take Down the Most Wired Country in Europe," *Wired*, August 21, 2017.

57 Andreas Schmidt, "The Estonian Cyberattacks," in *A Fierce Domain: Conflict in Cyberspace,*

1986 to 2012, ed. Jason Healey (Washington, DC: Cyber Conflict Studies Association, 2013), 176–77.
58 Schmidt, 176–77.
59 Eneken Tikk, Kadri Kaska, and Liis Vihul, *International Cyber Incidents: Legal Considerations* (Tallinn: NATO CCD COE Publications, 2010), 18.
60 Tikk, Kaska, and Vihul, 19.
61 Michael Connell and Sarah Vogler, "Russia's Approach to Cyber Warfare," CNA, March 2017, 14.
62 Jose Nazario, "DDoS Attacks: A Summary to Date," Arbor Networks, May 17, 2007.
63 Iain Thomson, "Russia 'Hired Botnets' for Estonia Cyber-War," Computing United Kingdom, May 31, 2007.
64 Rain Ottis, "Overview of Events," CCD COE Activation Team, May 15, 2007.
65 Schmidt, "Estonian Cyberattacks," 181.
66 Davis, "Hackers."
67 Mark Landler and John Markoff, "Digital Fears after Data Siege in Estonia," *New York Times*, May 29, 2017.
68 Tikk, Kaska, and Vihul, *International Cyber Incidents*, 22.
69 Tikk, Kaska, and Vihul, 23.
70 Patrick Jackson, "The Cyber Raiders Hitting Estonia," BBC News, May 17, 2007.
71 Charles Clover, "Kremlin-Backed Group behind Estonia Cyber Blitz," *Financial Times*, March 11, 2009.
72 Thomson, "Russia 'Hired Botnets.'"
73 Connell and Vogler, "Russia's Approach to Cyber Warfare," 15.
74 Christopher Rhoads, "Cyber Attack Vexes Estonia, Poses Debate," *Wall Street Journal*, May 18, 2007.
75 Michael N. Schmitt, *Tallinn Manual on the International Law Applicable to Cyber Warfare* (Cambridge: Cambridge University Press, 2013), 58.
76 Schmitt, 58.
77 Schmitt, "Cyber Operations in International Law," 156.
78 Schmitt, 157.
79 Michael N. Schmitt, ed., *Tallinn Manual 2.0 on the International Law Applicable to Cyber Operations*, 2nd ed. (Cambridge: Cambridge University Press, 2017), 382.
80 Tikk, Kaska, and Vihul, *International Cyber Incidents*, 27.
81 Tikk, Kaska, and Vihul, 27.
82 Paul Cornish et al., *On Cyber Warfare* (London: Chatham House, November 10, 2010), vii.
83 Cornish et al., vii.
84 East West Institute, "Russia: U.S. Bilateral on Cybersecurity; Critical Terminology Founda-

tions," April 2011.

85 Gen. James E. Cartwright, USMC, vice chairman of the Joint Chiefs of Staff, "Joint Terminology for Cyberspace Operations," memorandum, 2011, 8.

86 Keir Giles, *Information Troops: A Russian Cyber Command?* (Tallinn: NATO CCD COE Publications, 2011).

87 Roy Allison, "Russia Resurgent? Moscow's Campaign to Coerce Georgia to Peace," *International Affairs* 84, no. 6 (2008): 1151–52.

88 Ariel Cohen and Robert E. Hamilton, "The Russian Military and the Georgia War: Lessons and Implications," Strategic Studies Institute, June 2011, 1–4.

89 Cohen and Hamilton, 13–18.

90 John Markoff, "Before the Gunfire, Cyberattacks," *New York Times*, August 12, 2008.

91 Stephen W. Korns, "Botnets Outmaneuvered," *Armed Forces Journal*, January 2009, 26.

92 Steven Adair, "Georgian Attacks: Remember Estonia?," Calendar (blog), Shadowserver Foundation, August 13, 2008.

93 Adair.

94 Beehner et al., "Analyzing the Russian Way of War," 38–42.

95 Beehner et al., 44–46.

96 David Smith, "How Russia Harnesses Cyber Warfare," American Foreign Policy Council, *Defense Dossier*, no. 4 (August 2012): 9.

97 Tikk, Kaska, and Vihul, *International Cyber Incidents*, 69–71.

98 Tikk, Kaska, and Vihul, 73.

99 Project Grey Goose, "Russia/Georgia Cyber War: Findings and Analysis," Phase I Report, October 17, 2008, 15.

100 Iftach Ian Amit, "Cyber[Crime/War]," Security and Innovation, April 2001, 4–5.

101 Beehner et al., "Analyzing the Russian Way of War," 61–62.

102 Beehner et al., 50.

103 John Bumgarner, "Overview by the US-CCU of the Cyber Campaign against Georgia in August of 2008," US Cyber Consequences Unit, August 2009, 2, http://static1.1.sqspcdn.com/static/f/956646/23401794/1377708642927/US-CCU+Georgia+Cyber+Campaign+Overview.pdf?token=qsctl9f%2FMEKA8LrILGO%2B9EDlwYI%3D.

104 Bumgarner, 3.

105 Joseph Mann, "Expert: Cyberattacks on Georgia Websites Tied to Mob, Russian Government," *Los Angeles Times*, August 13, 2008.

106 Markoff, "Before the Gunfire, Cyberattacks."

107 Michael N. Schmitt and Liis Vihul, "The Nature of International Law Cyber Norms," *The Tallinn Papers*, no. 5, special expanded issue (Tallinn: NATO CCD COE Publications, 2014), 7–8.

108 Schmitt, *Tallinn Manual*, 375.

109 Schmitt, 376.

110 Schmitt, 379.

111 Eneken Tikk et al., *Cyber Attacks against Georgia: Legal Lessons Identified* (Tallinn: NATO CCD COE Publications, 2013), 21–22.

112 Tikk et al., 23.

113 Cohen and Hamilton, "Russian Military and the Georgia War," 28.

114 Julian Cooper, "The Russian State Armament Programme, 2018–2027," NATO Defense College, Research Division, Russian Studies, no. 01/18 (May 2018): 2.

115 Richard Connolly and Mathieu Boulegue, "Russia's New State Armament Programme," research paper, Chatham House, May 2018, 2, https://www.chathamhouse.org/publication/russia-s-new-state-armament-programme-implications-russian-armed-forces-and-military.

116 Cooper, "Russia's Invincible Weapons," 10.

117 Daniel Goure, "A Competitive Strategy to Counter Russian Aggression against NATO," Lexington Institute, May 2018, 14.

118 Associated Press, "Russia Displays Its Latest Weapons," *Stars and Stripes*, August 21, 2018.

119 Brad Lendon, "Russia's Navy Parade: Big Show but How Much Substance?," CNN, July 29, 2018.

120 Thomas Watkins, "US Agencies Need to Join Efforts against Russia," Agence France-Presse, March 8, 2018.

121 Sam LaGrone, "Carrier USS *Harry S. Truman* Operating in the Atlantic as Russian Submarine Activity Is on the Rise," USNI News, June 29, 2018.

122 Rossiskoe Oruzhiye and Siriskom Konflikte, "Russian Weapons in the Syrian Conflict," NATO Defense College, Research Division, Russian Studies, no. 02/18 (May 2018): 4–10.

123 Jeremy Binnie and Neil Gibson, "Syria Strikes Showcase Russian Navy's Cruise Missile Capability," *Jane's Defence Weekly*, October 14, 2015, 4.

124 Tim Ripley, "Russia Ramps Up Syria Strikes," *Jane's Defence Weekly*, November 18, 2016, 4; Nicholas de Larrinaga, "Russian Submarine Fires Cruise Missiles into Syria," *Jane's Defence Weekly*, September 12, 2015.

125 Nicholas de Larrinaga, "Russia Launches Long-Range Air Sorties into Syria," *Jane's Defence Weekly*, November 17, 2015, 5.

126 Vladimir Isachenkov, "Russian Defense Minister Happy with Results of Syria Mission," Associated Press, February 22, 2017.

127 Scott Boston et al., "Assessing the Conventional Force Imbalance in Europe," research report, RAND Corp., 2018, 1, https://www.rand.org/pubs/research_reports/RR2402.html.

128 Franz-Stefan Gady, "Russian Navy Commissions New Stealth Frigate," *The Diplomat*, August 1, 2018.

129 Gady.

130 Miko Vranic, "Russia to Acquire More Su-57s and Mi-28NMs," *Jane's Defence Weekly*, May 22, 2019, 13.

131 Tim Ripley, "Putin's Plans," *Jane's Defence Weekly*, April 17, 2019, 21.

132 Jane's Defence Budgets, "Russia Defense Budget," September 12, 2018, 2–3.

133 Jane's Defence Budgets, 6–7.

134 Stephanie Yang and Amrith Ramkumar, "Oil Plunges to 15-Month Low," *Wall Street Journal*, December 19, 2018.

135 Daniel R. Coats, director of national intelligence, "Worldwide Threat Assessment of the US Intelligence Community," statement for the record, Senate Select Committee on Intelligence, January 29, 2019, 38.

136 Sinovets and Renz, "Russia's 2014 Military Doctrine and Beyond," 78.

137 Keir Giles, "Conclusion: Is Hybrid Warfare Really New?," in Lasconjarias and Larsen, *NATO's Response to Hybrid Threats*, 326.

138 Keir Giles and Mathieu Boulegue, "Russia's A2/AD Capabilities: Real and Imagined," *Parameters* 49, nos. 1–2 (Spring/Summer 2019): 26–30.

139 Stephen Blank, "Moscow's Competitive Strategy," American Foreign Policy Council, July 2018, 1.

140 Connell and Vogler, "Russia's Approach to Cyber Warfare," 13.

141 Ian Traynor, "Russia Accused of Unleashing Cyberwar to Disable Estonia," *The Guardian*, May 17, 2007.

142 Tikk, Kaska, and Vihul, *International Cyber Incidents*, 81.

143 Adamsky, "Cross-Domain Coercion," 26.

144 Vladimir Putin, Annual Address to the Federal Assembly of the Russian Federation, May 11, 2006, cited in Keir Giles, *Handbook of Russian Information Warfare*, Fellowship Monograph no. 9 (Rome: NATO Defense College, November 2016), 3.

第3章　ハイブリッド戦とサイバー戦

1 Frank G. Hoffman, *Conflict in the 21st Century: The Rise of Hybrid Wars* (Arlington, VA: Potomac Institute for Policy Studies, 2007), 8.

2 Frank G. Hoffman, "Hybrid Warfare and Challenges," *Joint Force Quarterly*, no. 52 (First Quarter 2009): 35.

3 NATO, "Brussels Summit Declaration," Public Diplomacy Division press release, PR/CP(2018)074, July 11, 2018, para. 2.

4 NATO, para. 6.

5 NATO, para. 6.

6 NATO, "Warsaw Summit Communique," Public Diplomacy Division press release, 2016, para. 72.

7 Bettina Renz, "Russia and 'Hybrid Warfare,'" *Contemporary Politics* 22, no. 3 (2016): 283.

8 Renz, 284.

9 "Complex Crises Call for Adaptable and Durable Capabilities," editor's introduction, *Military Balance* 115, no. 1 (2015): 5.

10 Ofer Fridman, "Hybrid Warfare or *Gibridnaya Yoyna?*," *RUSI Journal* 162, no. 1 (2017): 42–49.

11 Hoffman, "Hybrid Warfare and Challenges," 37.

12 Stephen Biddle and Jeffrey A. Friedman, "The 2006 Lebanon Campaign and the Future of Warfare: Implications for Army and Defense Policy," Strategic Studies Institute, September 2008, 35–38.

13 Anthony H. Cordesman, "Preliminary 'Lessons' of the Israeli-Hezbollah War," Center for Strategic and International Studies, September 11, 2006: 22.

14 Hoffman, *Conflict in the 21st Century*, 8, 14.

15 John Arquilla, "Perils of the Gray Zone: Paradigms Lost, Paradoxes Regained," *Prism* 7, no 3 (May 2018): 126.

16 Robert M. Gates, "A Balanced Strategy: Reprogramming the Pentagon for a New Age," *Foreign Affairs* 88, no. 1 (January/February 2009): 33.

17 DOD, Capstone Concept for Joint Operations, version 3.0, January 15, 2009, 8.

18 NATO, "Phase 1 Countering Hybrid Threat (CHT) IPT Report," 5000 TC-70/TT-4587/ Ser: NU0365, June 16, 2009, 1.

19 Russell W. Glenn, "Thoughts on 'Hybrid' Conflict," *Small Wars Journal* (2009): 2, https://smallwarsjournal.com/jrnl/art/thoughts-on-hybrid-conflict.

20 Margaret S. Bond, "Hybrid War: A New Paradigm for Stability Operations in Failing States," US Army War College, March 30, 2007.

21 NATO, "Bi-SC Input to a New NATO Capstone Concept for the Military Contribution to Countering Hybrid Threats," 5000 FXX 0100/TT-6051/ Ser: NU0040, August 25, 2010, 2.

22 NATO, 2.

23 Supreme Allied Commander Transformation, "Assessing Emerging Security Challenges: Countering Hybrid Threats (CHT) Experiment Overview," May 9, 2011.

24 Sascha-Dominik Bachman and Hikan Gunneriusson, "Hybrid Wars: The 21st-Century's New Threats to Global Peace and Security," *Scientia Militaria: South African Journal of Military Studies* 43, no. 1 (2015): 79.

25 Renz, "Russia and 'Hybrid Warfare,'" 283.

26 Nicu Popescu, "Hybrid Tactics: Neither New nor Only Russian," *European Union Institute for Security Studies*, Alert Issue no. 4 (January 2015): 1.

27 Guillaume Lasconjarias and Jeffrey A. Larsen, "Introduction: A New Way of Warfare," in *NATO's Response to Hybrid Threats*, ed. Guillaume Lasconjarias and Jeffrey A. Larsen, Forum Pa-

per no. 24 (Rome: NATO Defense College, 2015), 1.

28 Lasconjarias and Larsen, 1.

29 Lasconjarias and Larsen, xxi.

30 Julian Lindley-French, "NATO and New Ways of Warfare: Defeating Hybrid Threats," NDC conference report no. 03/15, Research Division, NATO Defense College, May 2015, 4.

31 Lindley-French, 4.

32 Frank Hoffman, "On Not-So-New Warfare: Political Warfare vs Hybrid Threats," War on the Rocks, commentary, July 28, 2014, 3.

33 Valery Gerasimov, "Tsennost nauki v predvidenii［科学の価値は先見性にある］," *Voyenno-Promyshlennyy Kuryer*, no. 8 (February 27, 2013): 1–2.

34 Gerasimov, 2.

35 Sydney J. Freedberg Jr., "US Needs New Strategy to Combat Russian, Chinese 'Political Warfare': CSBA," Breaking Defense, May 31, 2018.

36 Charles K. Bartles, "Getting Gerasimov Right," *Military Review*, January/February 2016, 34.

37 Mark Galeotti, *Russian Political War: Moving beyond the Hybrid* (London: Routledge, 2019), 28.

38 US Army Special Operations Command, "'Little Green Men': A Primer on Modern Russian Unconventional Warfare, Ukraine 2013–2014," 2016, 18.

39 Bartles, "Getting Gerasimov Right," 34.

40 "Ukraine Protests after Yanukovych EU Deal Rejection," BBC News, November 30, 2013.

41 Elias Kuhn von Burgsdorff, "The Euromaidan Revolution in Ukraine: Stages of the Maidan Movement and Why They Constitute a Revolution," *Inquiries Journal* 7, no. 2 (2015).

42 Glib Pakharenko, "Cyber Operations at Maidan: A First-Hand Account," in *Cyber War in Perspective: Russian Aggression against Ukraine*, ed. Kenneth Geers (Tallinn: NATO Cooperative Cyber Defense Centre of Excellence, 2015), 61.

43 Von Burgsdorff, "Euromaidan Revolution in Ukraine."

44 Ian Traynor, "Ukraine's Bloodiest Day: Dozens Dead as Kiev Protesters Regain Territory from Police," *The Guardian*, February 21, 2014.

45 Traynor.

46 Pakharenko, "Cyber Operations at Maidan," 61.

47 Von Burgsdorff, "Euromaidan Revolution in Ukraine."

48 US Army Special Operations Command, "Little Green Men," 55.

49 Mark Galeotti, "Hybrid, Ambiguous, and Non-linear? How New Is Russia's 'New Way of War'?," *Small Wars and Insurgencies* 27, no. 2 (2016): 284.

50 Heidi Reisinger and Alexander Golts, "Russia's Hybrid Warfare: Waging War below the Radar of Traditional Collective Defense," in Lasconjarias and Larsen, *NATO's Response to Hybrid Threats*, 118.

51 Emmanuel Karagiannis, "The Russian Interventions in South Ossetia and Crimea Compared: Military Performance, Legitimacy and Goals," *Contemporary Security Policy* 35, no. 3 (September 29, 2014): 408.

52 Karagiannis, 119.

53 Galeotti, "Hybrid, Ambiguous, and Non-linear," 284.

54 Philip P. Pan, "Ukraine to Extend Russia Naval Base Lease, Pay Less for Natural Gas," *Washington Post*, April 22, 2010.

55 Kathy Lally, "Russian Parliament Approves Use of Troops in Ukraine," *Washington Post*, March 1, 2014.

56 John Leyden, "Battle Apparently Underway in Russia-Ukraine Conflict," *The Register*, March 4, 2014.

57 Pakharenko, "Cyber Operations at Maidan," 62.

58 Pavel Polityuk, "Ukraine Says Communications Hit, MPs Phones Blocked," Reuters, March 4, 2014.

59 Infosec Institute, "Crimea: The Russian Cyber Strategy to Hit Ukraine," General Security (blog), March 11, 2014.

60 Jeffrey Carr, "Rival Hackers Fighting Proxy War over Crimea," CNN Special, March 25, 2014.

61 CrowdStrike, "Global Threat Intel Report," 2014, 25–27; John Bumgarner, "A Cyber History of the Ukraine Conflict," Dark Reading, March 27, 2014; Doug Bernard, "Russia-Ukraine Crisis Could Trigger Cyber War," Voice of America, April 20, 2014.

62 David M. Herszenhorn, "Crimea Votes to Secede from Ukraine as Russian Troops Keep Watch," *New York Times*, March 16, 2014.

63 John B. Bellinger III, "Why the Crimean Referendum Is Illegitimate," Council on Foreign Relations, March 16, 2014.

64 Adrian Croft and Peter Apps, "NATO Websites Hit in Cyber Attack Linked to Crimea Tension," Reuters, March 15, 2014.

65 Croft and Apps.

66 Danielle Wiener-Bronner, "Putin Holds Treaty Signing to Annex Crimea," *The Atlantic*, March 18, 2014.

67 US Army Special Operations Command, "Little Green Men," 58.

68 Michael Ruhle and Julijus Grubliauskas, "Energy as a Tool of Hybrid Warfare," in Lasconjarias and Larsen, *NATO's Response to Hybrid Threats*, 189–94.

69 William J. Broad, "In Taking Crimea, Putin Gains a Sea of Fuel Reserves," *New York Times*, May 17, 2014.

70 Danielle Wiener-Bronner, "Russia Cuts Off Gas Supplies to Ukraine," *The Atlantic*, June 16, 2014.

71 Nikolay Koval, "Revolution Hacking," in Geers, *Cyber War in Perspective: Russian Aggression*

against Ukraine, 56.

72 Koval, 56.

73 Mark Clayton, "Ukraine Election Narrowly Avoided 'Wanton Destruction' from Hackers," *Christian Science Monitor*, June 17, 2014.

74 Clayton.

75 FireEye, "APT28: A Window into Russia's Cyber Espionage Operations?," special report, 2014, 3.

76 Koval, "Revolution Hacking," 57.

77 Koval, 57.

78 Pakharenko, "Cyber Operations at Maidan," 63.

79 Jan Stinissen, "A Legal Framework for Cyber Operations in Ukraine," in Geers, *Cyber War in Perspective: Russian Aggression against Ukraine*, 124.

80 Stinissen, 125.

81 Eduard Kovacs, "Anonymous Ukraine Launches OpIndependence, Attacks European Investment Bank," *Softpedia News*, October 31, 2013.

82 Kovacs.

83 Pakharenko, "Cyber Operations at Maidan," 61.

84 Stinissen, "Legal Framework for Cyber Operations in Ukraine," 131.

85 Fred Dews, "NATO Secretary-General: Russia's Annexation of Crimea Is Illegal and Illegitimate," Brookings Now, March 19, 2014.

86 Marc Weller, "Analysis: Why Russia's Crimea Move Fails Legal Test," BBC News, March 7, 2014.

87 Weller.

88 Stinissen, "Legal Framework for Cyber Operations in Ukraine," 127.

89 Stinissen, 127.

90 Renz, "Russia and 'Hybrid Warfare,'" 285.

91 Keir Giles, *Russia's "New" Tools for Confronting the West: Continuity and Innovation in Moscow's Exercise of Power*, Chatham House, Russia and Eurasia Programme (London: Royal Institute of International Affairs, March 2016), 9.

92 Giles, 9.

93 Ofer Fridman, *Russian Hybrid Warfare: Resurgence and Politicisation* (London: Hurst, 2018), 93.

94 Fridman, 93.

95 Fridman, 96.

96 Giles, *Russia's "New" Tools*, 9.

97 Fridman, *Russian Hybrid Warfare*, 93.

98 Galeotti, *Russian Political War*, 43–44.

99 Galeotti, 44.

100 Sergey Chekinov and S. A. Bogdanov, "The Nature and Content of a New-Generation War," *Military Thought*, no. 4 (2013).

101 Fridman, *Russian Hybrid Warfare*, 135–36.

102 Phillip Karber and Joshua Thibeault, "Russia's New-Generation Warfare," Association of the US Army, May 20, 2016.

103 Lionel Beehner and Liam Collins, "Countering Russian Aggression in the Twenty-First Century," US Army Modern War Institute, March 20, 2018.

104 Timothy Thomas, "The Evolving Nature of Russia's Way of War," *Military Review*, July/August 2017, 39.

105 Galeotti, "Hybrid, Ambiguous, and Non-linear," 285.

106 US Army Special Operations Command, "Little Green Men," 59.

107 Shaun Walker, Oksana Grytsenko, and Howard Amos, "Ukraine: Pro-Russia Separatists Set for Victory in Eastern Region Referendum," *The Guardian*, May 12, 2014.

108 Reisinger and Golts, "Russia's Hybrid Warfare," 123.

109 Reuben F. Johnson, "Russia's Hybrid War in Ukraine 'Is Working,' Conference Concludes," *Jane's Defence Weekly*, February 25, 2015, 4.

110 Pakharenko, "Cyber Operations at Maidan," 63.

111 Pakharenko, 27.

112 Anna Reynolds, "Social Media as a Tool of Hybrid Warfare," NATO Strategic Communications Centre of Excellence, 2016.

113 Nicole Kobie, "Ukraine Banned Its Biggest Social Network over Fears of Russian Influence," Motherboard, May 16, 2017.

114 Aaron F. Brantley, Nerea M. Cal, and Devlin P. Winkelstein, "Defending the Borderland," Army Cyber Institute, 2017, 27.

115 Brantley, Cal, and Winkelstein, 36.

116 Brantley, Cal, and Winkelstein, 25.

117 Adam Meyers, "Danger Close: Fancy Bear Tracking of Ukrainian Field Artillery Units," CrowdStrike (blog), December 22, 2016.

118 Rafia Shaikh, "Russian-Linked DNC Hackers Used Android Malware to Track Ukrainian Military," WCCFTech Security (blog), December 22, 2016.

119 National Security Agency and Federal Bureau of Investigation, "Russian GRU 85th GTsSS Deploys Previously Undisclosed Drovorub Malware," Cybersecurity Advisory, PP-20-0714, August 2020 Rev 1.0.

120 Dustin Volz, "Russian Hackers Tracked Ukrainian Artillery Units Using Android Implant: Report," Reuters, December 21, 2016.

121 Elias Groll, "In a Hacked Ukrainian App, a Picture of the Future of War," *Foreign Policy*, De-

cember 22, 2016.
122 Brantley, Cal, and Winkelstein, "Defending the Borderland," 32.
123 Asymmetric Warfare Group, "Russian New Generation Warfare Handbook," version 1, unclassified sections, December 2016, 17.
124 Asymmetric Warfare Group, 18.
125 Karber and Thibeault, "Russia's New-Generation Warfare."
126 Samuel Cranny-Evans, "Russia Sustains Pressure in East Ukraine, Tests Latest Weapons," *Jane's Defence Weekly*, May 15, 2019, 23.
127 Pamela Engel, "Putin: 'I Will Say This Clearly: There Are No Russian Troops in Ukraine,'" *Business Insider*, April 16, 2015.
128 Viktor Shydlyukh, "Eight Russia's Battalion-Level Tactical Groups Entered Ukraine a Year Ago: General Staff," Central Research Institute of the Armed Forces of Ukraine, August 13, 2015.
129 Michael N. Schmitt, "Grey Zones in the International Law of Cyberspace," *Yale Journal of International Law Online* 42, no. 2 (2017): 1.
130 United Nations Security Council, Meeting 8270, S/PV.8270, 16, (May 29, 2018).
131 Stinissen, "Legal Framework for Cyber Operations in Ukraine," 130.
132 M. Dovbenko, "International Legal Classification of the Russian Federation's Actions in the East of Ukraine as an Act of Aggression," Borysfen Intel, November 30, 2015.
133 Schmitt, "Grey Zones," 2.
134 Meyers, "Danger Close."
135 Christopher S. Chivvis, *Understanding Russian "Hybrid Warfare" and What Can Be Done about It*, testimony before the House Committee on Armed Services, March 22, 2017 (Santa Monica, CA: RAND Corp., 2017), 1, https://www.rand.org/content/dam/rand/pubs/testimonies/CT400/CT468/RAND_CT468.pdf.
136 Marcel H. Van Herpen, *Putin's Wars: The Rise of Russia's New Imperialism* (New York: Rowman & Littlefield, 2015), 268.
137 Van Herpen, 269.
138 Kyle Rempfer, "Hybrid Warfare," *Defense News*, May 20, 2019, 10–11.
139 Rempfer, 2.
140 Galeotti, "Hybrid, Ambiguous, and Non-linear," 287.
141 Galeotti, *Russian Political War*, 13.
142 NATO Strategic Communications Centre of Excellence, "Hybrid Threats: A Strategic Communications Perspective," April 2019, 18.
143 Philip Kapusta, "The Gray Zone," *Special Warfare*, October–December 2015.
144 Reisinger and Golts, "Russia's Hybrid Warfare," 116.
145 Reisinger and Golts, 116.

146 Reisinger and Golts, 116.

147 Keir Giles, "Conclusion: Is Hybrid Warfare Really New?," in Lasconjarias and Larsen, *NATOs Response to Hybrid Threats*, 329.

148 Sara Moore, "Russian Federation," intelligence report, Anomali, August 2017, 3, https://www.anomali.com/resources/whitepapers/russian-federation-cybersecurity-profile.

第４章　情報戦とサイバー戦

1 Keir Giles and William Hagestad II, "Divided by a Common Language: Cyber Definitions in Chinese, Russian and English," in *Proceedings of 5th International Conference on Cyber Conflict* (Tallinn: NATO CCD COE Publications, 2013), 419–20.

2 Michael Connell and Sarah Vogler, "Russia's Approach to Cyber Warfare," CNA, March 2017, 3.

3 Giles and Hagestad, "Divided by a Common Language," 422.

4 Connell and Vogler, "Russia's Approach to Cyber Warfare," 3.

5 Connell and Vogler, 3.

6 Connell and Vogler, 4.

7 Keir Giles, "The Next Phase of Russian Information Warfare," NATO Strategic Communications Centre of Excellence, May 20, 2016, 4.

8 Keir Giles, "With Russia and Ukraine, Is All Really Quiet on the Cyber Front?," Ars Technica, March 11, 2014.

9 Kateryna Kruk, "Analyzing the Ground Zero: What Western Countries Can Learn from Ukrainian Experience of Combating Russian Disinformation," Kremlin Watch Report, European Values, December 2017, 13.

10 Keir Giles, "Russia's Toolkit," in *The Russian Challenge* (London: Chatham House, June 2015), 45.

11 Jolanta Darczewska, *The Devil Is in the Details: Information Warfare in the Light of Russia's Military Doctrine*, Point of View, no. 50 (Warsaw: Centre for Eastern Studies, May 2015), 7.

12 Keir Giles, *Russia's "New" Tools for Confronting the West: Continuity and Innovation in Moscow's Exercise of Power* (London: Chatham House, Russia and Eurasia Programme, March 2016), 27.

13 Stephen Blank, "Moscow's Competitive Strategy," American Foreign Policy Council, July 2018, 9.

14 Blank, 10.

15 Blank, 36.

16 The Military Doctrine of the Russian Federation, Approved by the President, No. Pr.-2976, December 25, 2014.

17 Dmitry (Dima) Adamsky, "Cross-Domain Coercion: The Current Russian Art of Strategy,"

Proliferation Papers 54, IFRI Security Studies Center, November 2015, 26–27.

18 Giles, "Russia's Toolkit," 46.

19 Keir Giles, *Handbook of Russian Information Warfare*, Fellowship Monograph no. 9 (Rome: NATO Defense College, November 2016), 4.

20 S. G. Chekinov and S. A. Bogdanov, "Forecasting the Nature and Content of Wars of the Future: Problems and Assessments," *Military Thought*, no. 10 (2015): 44–45.

21 Chekinov and Bogdanov, 7.

22 Timothy Thomas, "Russia's 21st Century Information War: Working to Undermine and Destabilize Populations," *Defense Strategic Communications* 1, no. 1 (Winter 2015): 11.

23 Defense Intelligence Agency, "Russia Military Power: Building a Military to Support Great Power Ambitions," 2017, 38.

24 Blank, "Moscow's Competitive Strategy," 37.

25 T. S. Allen and A. J. Moore, "Victory without Casualties: Russia's Information Operations," *Parameters* 48, no. 1 (Spring 2018): 60.

26 Stephen Blank, "Signs of New Russian Thinking about the Military and War," *Eurasia Daily Monitor*, February 13, 2014.

27 Christopher S. Chivvis, Testimony presented before the House Committee on Armed Services, published by the RAND Corp., March 22, 2017, 3.

28 Giles, "Next Phase of Russian Information Warfare," 6.

29 Christopher S. Chivvis, "Hybrid War: Russian Contemporary Political Warfare," *Bulletin of the Atomic Scientists* 73, no. 5 (2017): 316.

30 Chivvis, 316.

31 DOD, "Summary: Department of Defense Cyber Strategy," 2018, 1.

32 Timothy L. Thomas, *Recasting the Red Star: Russia Forges Tradition and Technology through Toughness* (Fort Leavenworth, KS: Foreign Military Studies Office, 2011), 143.

33 Giles, "Russia's Toolkit," 47.

34 Ofer Fridman, *Russian Hybrid Warfare: Resurgence and Politicisation* (London: Hurst, 2018), 67.

35 Allen and Moore, "Victory without Casualties," 61.

36 Katri Pynnoniemi and Andras Racz, *Fog of Falsehood: Russian Strategy of Deception and the Conflict in Ukraine*, Report no. 45 (Helsinki: Finnish Institute of International Affairs, May 11, 2016), 37.

37 Pynnoniemi and Racz, 38.

38 Allen and Moore, "Victory without Casualties," 61.

39 Pynnoniemi and Racz, *Fog of Falsehood*, 38.

40 Natasha Bertrand, "It Looks like Russia Hired Internet Trolls to Pose as Pro-Trump Americans," *Business Insider*, July 27, 2016.

41 Aristedes Mahairas and Mikhail Dvlyanski, "Disinformation (Dezinformatsiya)," *Cyber Defense Review* (Fall 2018): 21.

42 Pynnoniemi and Racz, *Fog of Falsehood*, 37.

43 Giles, "Handbook of Russian Information Warfare," 24.

44 James R. Clapper, "Foreign Cyber Threats to the United States," Joint Statement for the Record, Senate Armed Services Committee, January 5, 2017, 5.

45 Clapper, 5.

46 Khatuna Mshvidobadze, "The Battlefield on Your Laptop," Radio Free Europe / Radio Liberty, March 21, 2011.

47 A. J. C. Selhorst, "Russia's Perception Warfare," *Militaire Spectator* 185, no. 4 (2016): 151.

48 Giles, "Handbook of Russian Information Warfare," 12.

49 Giles, 12.

50 Daniel Fried and Alina Polyakova, "Democratic Defense against Disinformation," Atlantic Council, February 2018, 2.

51 Zoe Williams, "What Is an Internet Troll?," *The Guardian*, June 12, 2012.

52 Williams, 3–4.

53 Office of the Director of National Intelligence, "Assessing Russian Activities and Intentions in Recent US Elections," Intelligence Community assessment, January 6, 2017, 1.

54 Office of the Director of National Intelligence, 1.

55 Office of the Director of National Intelligence, 2.

56 Joint Chiefs of Staff, *Military Information Support Operations*, Joint Publication 3-13.2 (January 2010), vii.

57 Randal Marlin, *Propaganda and the Ethics of Persuasion* (Calgary: Broadview Press, 2002), 22.

58 Allen and Moore, "Victory without Casualties," 65–67.

59 Giles, *Russia's "New" Tools*, 37.

60 Media Ajir and Bethany Vailliant, "Russian Information Warfare: Implications for Deterrence Theory," *Strategic Studies Quarterly* (Fall 2018): 78.

61 Office of the Director of National Intelligence, "Assessing Russian Activities," 3.

62 Office of the Director of National Intelligence, 4.

63 Gordon Pennycook and David Rand, "Why Do People Fall for Fake News?," *New York Times*, January 19, 2019.

64 Neil MacFarquhar, "Yevgeny Prigozhin: Russian Oligarch Indicted by U.S. Is Known as Putin's Cook," *New York Times*, February 16, 2018.

65 Ajir and Vailliant, "Russian Information Warfare," 76.

66 Jarred Prier, "Commanding the Trend: Social Media as Information Warfare," *Strategic Studies Quarterly* (Winter 2017): 66.

67 Prier, 67.

68 Prier, 74.
69 United States v. Internet Research Agency, US District Court, District of Columbia, Criminal Complaint, February 16, 2018, 6.
70 United States v. Internet Research Agency, 17.
71 United States v. Internet Research Agency, 18–19.
72 Natasha Bertrand, "DOJ Says Russian Trolls Are Interfering Online with the Midterms," *The Atlantic*, October 19, 2018.
73 Bertrand.
74 New Knowledge, "The Tactics and Tropes of the Internet Research Agency," December 2018, 7.
75 Todd Neikirk, "Massive Twitter Data Dump Shows How Russians Came to Support Trump," *Hill Reporter*, October 17, 2018.
76 Department of Justice, "Deputy Attorney General Rod J. Rosenstein Delivers Remarks," July 13, 2018.
77 Herbert Lin and Jaclyn Kerr, "On Cyber-Enabled Information/Influence Warfare and Manipulation," *Oxford Handbook of Cybersecurity* (Oxford: Oxford University Press, forthcoming), 14.
78 Malcolm Nance, *The Plot to Destroy Democracy* (New York: Hachette, 2018), 106–9.
79 Ellen Nakashima, "Russian Government Hackers Penetrated DNC, Stole Opposition Research on Trump," *Washington Post*, June 14, 2016.
80 Dmitri Alperovitch, "Bears in the Midst: Intrusion into the Democratic National Committee," CrowdStrike (blog), June 15, 2016, 1.
81 Steve Ragan, "DNC Hacker Slams CrowdStrike, Publishes Opposition Memo on Donald Trump," CSO News, June 15, 2016.
82 Ragan.
83 Alana Abramson and Shushannah Walshe, "The 4 Most Damaging Emails from the DNC Wikileaks Dump," ABC News, July 25, 2016.
84 Julian Routh, "Emails Show DNC Taking Aim at Sanders," *Wall Street Journal*, July 26, 2016.
85 Ben Kamisar, "Wasserman Schultz Booed off Stage in Philadelphia," *The Hill*, July 25, 2016.
86 Jeff Zeleny, M. J. Lee, and Eric Brader, "Dems Open Convention without Wasserman Schultz," CNN Politics, July 25, 2016.
87 Nakashima, "Russian Government Hackers."
88 Ellen Nakashima, "Hackers Breach Some White House Computers," *Washington Post*, October 28, 2014; Craig Whitlock and Missy Ryan, "U.S. Suspects Russia in Hack of Pentagon Computer Network," *Washington Post*, August 6, 2015.
89 FireEye, "APT28."
90 Anomali, "Russian Federation," 3.
91 Joint Chiefs of Staff, "Joint Operating Environment," July 14, 2016, 6.

92 Joint Chiefs of Staff, 6.

93 US District Court for the District of Columbia, criminal indictment, United States of America v. Viktor Borisovich Netyksho et al., received July 13, 2018, 10.

94 US District Court, 11.

95 US District Court, 11.

96 Micha Lee, "What Mueller's Latest Indictment Reveals about Russian and U.S. Spycraft," *The Intercept*, July 18, 2018, 3.

97 US District Court, criminal indictment, United States of America v. Viktor Borisovich Netyksho et al., 6.

98 Luke Harding, "Top Democrat's Email Hacked by Russia after Aide Made Typo, Investigation Finds," *The Guardian*, December 14, 2016.

99 Harding.

100 DHS and FBI, "Joint Analysis Report," JAR-16-20296, December 29, 2016.

101 DHS and FBI, 3.

102 Alperovitch, "Bears in the Midst," 4.

103 Alperovitch, 6.

104 Department of Justice, "Grand Jury Indicts 12 Russian Intelligence Officers for Hacking Offenses Related to the 2016 Election," July 13, 2018.

105 Robert Abel, "Russian Election Hackers Breached 39 U.S. States," *SC Magazine*, June 13, 2017.

106 Abel.

107 Michael Wines, "Russians Breached Florida County Computers before 2016 Election, Mueller Report Says," *New York Times*, April 18, 2019.

108 Nance, *Plot to Destroy Democracy*, 101–2.

109 Ellen Nakashima, "Russia's Apparent Meddling in U.S. Election Is Not an Act of War, Cyber Expert Says," *Washington Post*, February 7, 2018.

110 Nakashima.

111 Michael N. Schmitt, ed., *Tallinn Manual 2.0 on the International Law Applicable to Cyber Operations*, 2nd ed. (Cambridge: Cambridge University Press, 2017), 312.

112 Schmitt, 312.

113 Robert Jennings and Arthur Watts, *Oppenheim's International Law*, 9th ed. (Oxford: Oxford University Press, 1992), 428.

114 Michael N. Schmitt, "The Law of Cyber Warfare: *Quo Vadis?*," *Stanford Law and Policy Review* 29 (2014): 275.

115 Michael Schmitt, "Virtual Disenfranchisement: Cyber Election Meddling in the Grey Zones of International Law," *Chicago Journal of International Law* 19, no. 1 (August 16, 2018): 48.

116 Schmitt, *Tallinn Manual 2.0*, 315.

117 Schmitt, "Virtual Disenfranchisement," 49.

118 Schmitt, *Tallinn Manual 2.0*, 317.

119 Schmitt, "Virtual Disenfranchisement," 50, 51.

120 Byard Duncan, "When Does a Cyberattack Mean War? Experts Say There's No Clear Line," Reveal News, January 30, 2017.

121 Matthijis Veenendall et al., *DNC Hack: An Escalation That Cannot Be Ignored* (Tallinn: NATO CCD COE Publications, 2016).

122 Department of State, "The Inauguration of Organized Political Warfare," Policy Planning Staff memorandum, May 4, 1948.

123 Mark Galeotti, *Russian Political War: Moving beyond the Hybrid* (London: Routledge, 2019), 53.

124 Alina Polyakova and Spencer P. Boyer, "The Future of Political Warfare: Russia, the West, and the Coming Age of Global Digital Competition," Brookings Institution, Robert Bosch Foundation Transatlantic Initiative, March 2018, 3.

125 Chivvis, "Hybrid War," 316.

126 Chivvis, 316.

127 Thomas G. Mahnken, Ross Babbage, and Toshi Yoshihara, "Countering Comprehensive Coercion: Competitive Strategies against Authoritarian Political Warfare," Center for Strategic and Budgetary Assessments, 2018, 4.

128 Mahnken, Babbage, and Yoshihara, 6.

129 Frank Hoffman, "On Not-So-New Warfare: Political Warfare vs Hybrid Threats," War on the Rocks, commentary, July 28, 2014, 3.

130 Galeotti, *Russian Political War*, 71.

131 Galeotti, 73–99.

132 Alina Polyakova et al., "The Kremlin's Trojan Horses," Atlantic Council, November 2016, 3.

133 Polyakova and Boyer, "Future of Political Warfare," 4.

134 Nance, *Plot to Destroy Democracy*, 95.

135 Nance, 95.

136 Mark Galeotti, "Controlling Chaos: How Russia Manages Its Political War in Europe," policy brief, European Council on Foreign Relations, August 2017, 1.

137 Galeotti, 4.

138 Office of the Director of National Intelligence, "Assessing Russian Activities," iii.

139 Ann M. Simmons, "Russia's Meddling in Other Nations' Elections Is Nothing New. Just Ask the Europeans," *Los Angeles Times*, March 20, 2017.

140 Laura Galante and Shaun Ee, "Defining Russian Election Interference: An Analysis of Select 2014 to 2018 Cyber Enabled Incidents," issue brief, Atlantic Council, September 2018, 8–9.

141 Galante and Ee, 12–13.

142 Polyakova and Boyer, "Future of Political Warfare," 6.

143 Mahnken, Babbage, and Yoshihara, "Countering Comprehensive Coercion," 18.

144 Coats, "Worldwide Threat Assessment," 11.

145 Lin and Kerr, "On Cyber-Enabled Information/Influence," 17.

146 Coats, "Worldwide Threat Assessment," 11.

147 Elizabeth Zwirz, "Russian National Charged with Interfering in US Political System, 2018 Elections," Fox News, October 19, 2018.

148 United States v. Elena Alekseevna Khusyaynova, US District Court, Eastern District of Virginia, criminal complaint, September 28, 2018, 6.

149 United States v. Elena Alekseevna Khusyaynova, 32–37.

150 Alfred Ng, "Justice Department Charges Russian Troll's Chief Accountant," CNET, October 19, 2018.

151 Dustin Volz, "No Major Vote Interference Detected," *Wall Street Journal*, November 7, 2018.

152 Catalin Cimpanu, "DNC Says Russia Tried to Hack Its Servers Again in November 2018," ZDNeT, January 19, 2019.

153 Julian E. Barnes, "U.S. Begins First Cyber Operation against Russia Aimed at Protecting Elections," *New York Times*, October 23, 2018.

154 Coats, "Worldwide Threat Assessment," 7.

155 Mark Galeotti, "I'm Sorry for Creating the 'Gerasimov Doctrine,'" *Foreign Policy*, March 5, 2018.

156 Mason Clark and Catherine Harris, "Russia in Review: The Gerasimov Doctrine Is Here to Stay," Institute for the Study of War, October 30, 2018.

157 Timothy Thomas, "The Evolving Nature of Russia's Way of War," *Military Review*, July/August 2017, 36.

158 Bill Gertz, "Russian Military Chief Outlines Aggressive Anti-U.S. War Strategy," *Free Beacon*, March 12, 2019.

第２部　安全保障理論とサイバー行動

第５章　合理的な国家行動

1 Herbert A. Simon, "Human Nature in Politics: The Dialogue of Psychology with Political Science," *American Political Science Review* 79 (1985): 294.

2 Minority Staff, *Putin's Asymmetric Assault on Democracy in Russia and Europe: Implications for U.S. National Security*, report prepared for the use of the US Senate Committee on Foreign Relations (Washington, DC: Government Publishing Office, January 10, 2018), 1.

3 Aaron Franklin Brantly, *The Decision to Attack* (Athens: University of Georgia Press, 2016), 44.

4 Brantly, 57.

5 G7 Foreign Ministers, "Defending Democracy: Addressing Foreign Threats," Ministerial Meeting, Toronto, April 22–24, 2018.

6 G7 Foreign Ministers.

7 Donald Trump, *National Security Strategy of the United States of America* (Washington, DC: White House, December 2017), 25.

8 Joint Chiefs of Staff, *Joint Operating Environment: JOE 2035; The Joint Force in a Contested and Disordered World* (Washington, DC: Joint Chiefs of Staff, July 14, 2016), 28.

9 Joint Chiefs of Staff, 28.

10 Joint Chiefs of Staff, 28.

11 Minority Staff, *Putin's Asymmetric Assault on Democracy*, 67.

12 Peter J. Katzenstein, ed., *The Culture of National Security: Norms and Identity in World Politics* (New York: Columbia University Press, 1996), 5.

13 Martha Finnemore, "Cybersecurity and the Concept of Norms," Carnegie Endowment for International Peace, November 30, 2017.

14 Finnemore.

15 Stephen D. Krasner, *International Regimes* (Ithaca, NY: Cornell University Press, 1983), 2.

16 James A. Lewis, "US International Strategy for Cybersecurity," testimony to Senate Foreign Relations Committee, March 12, 2015, 3–4.

17 Scott Jasper, *Strategic Cyber Deterrence: The Active Cyber Defense Option* (New York: Rowman & Littlefield, 2017), 144.

18 Dorothy Denning, "Obstacles and Options for Cyber Arms Controls," Heinrich Boll Foundation Conference, Berlin, Germany, June 29–30, 2001, 3.

19 Adam Segal, "Why Are There No Cyber Arms Control Agreements?," blog post, Council on Foreign Relations, January 16, 2018.

20 Barack Obama, "International Strategy for Cyberspace," White House, May 2011, 8.

21 Obama, 9.

22 Obama, 10.

23 Nick Wadhams and Nafeesa Syeed, "Tillerson to Shut Cyber Office in State Department Reorganization," Bloomberg News, July 19, 2017.

24 Sean Lyngaas, "The Uphill Battle to Relaunch State Department's Cybersecurity Policy Office," Cyberscoop, May 7, 2018.

25 Derek B. Johnson, "Senate Panel Votes to Revive State Cyber Office," *Federal Computing Weekly*, June 26, 2018.

26 UN General Assembly, "International Code of Conduct for Information Security," Document 69/723, January 13, 2015, 1.

27 UN General Assembly, 1.

28 UN General Assembly, 4–5.

29 Cherian Samuel, *Cybersecurity: Global, Regional and Domestic Dynamics*," Monograph Series no. 42 (New Delhi: Institute for Defense Studies and Analyses, 2014), 24.

30 Samuel, 24.

31 Joseph Marks, "U.N. Body Agrees to U.S. Norms in Cyberspace," *Politico*, July 9, 2015.

32 UN General Assembly, "Group of Governmental Experts on Developments in the Field of Information and Telecommunications in the Context of International Security," A/70/174, July 22, 2015, 7.

33 UN General Assembly, 8–9.

34 UN General Assembly, 12.

35 UN General Assembly, "Resolution Adopted by the General Assembly on 23 December 2015," A70/237, December 2015, 3.

36 Marks, "U.N. Body Agrees to U.S. Norms in Cyberspace."

37 Marks.

38 Defense Intelligence Agency, "Russia Military Power," 41.

39 Michael Schmitt, ed., *Tallinn Manual 2.0 on the International Law Applicable to Cyber Operations,* 2nd ed. (Cambridge: Cambridge University Press, 2017), 452.

40 Brantly, *Decision to Attack*, 54–55.

41 Danny Palmer, "Petya Ransomware Attack: How Many Victims Are There Really?," ZDNet, June 28, 2017.

42 Catalin Cimpanu, "Before NotPetya, There Was Another Ransomware That Targeted Ukraine Last Week," Bleeping Computer, June 28, 2017.

43 Alex Hern, "WannaCry, Petya, NotPetya: How Ransomware Hit the Big Time in 2017," *The Guardian*, December 30, 2017.

44 Kadri Kutt, "NotPetya and WannaCry Call for a Joint Response from International Community," NATO Cooperative Cyber Defense Centre of Excellence, June 30, 2017.

45 Palmer, "Petya Ransomware Attack."

46 Doug Olenick, "NotPetya Attack Totally Destroyed Maersk's Computer Network: Chairman," *SC Magazine*, January 29, 2018.

47 Eduard Kovacs, "Maersk Reinstalled 50,000 Computers after NotPetya Attack," *Security Week*, January 26, 2018.

48 Paul Roberts, "NotPetya Infection Left Merck Short of Key HPV Vaccine," Security Ledger, November 1, 2017.

49 "Maersk, Rosneft Hit by Cyberattack," Offshore Energy Today, June 28, 2017.

50 Radware, "Petya/Petrwrap," threat alert, June 28, 2017.

51 US-CERT, "Petya Ransomware," alert TA17-181A, July 28, 2017.

52 Kirk Soluk, "Patching Not Enough to Stop Petya," Arbor Networks (blog), June 27, 2017, https://www.arbornetworks.com/blog/asert/patching-not-enough-stop-petya/.

53 US-CERT, "Petya Ransomware."

54 Risk and Resilience Team, "Addendum to Cyber and Information Warfare in the Ukrainian Conflict," version 2, Cyber Defense Project, Center for Security Studies, October 2018, 41.

55 Chantal Da Silva, "Russia Was behind Global Cyber Attack, Ukraine Says," *The Independent*, July 2, 2017.

56 Risk and Resilience Team, "Addendum to Cyber and Information Warfare," 38.

57 Ellen Nakashima, "Russian Military Was behind 'NotPetya' Cyberattack in Ukraine, CIA Concludes," *Washington Post*, January 12, 2018.

58 Alina Polyakova and Spencer P. Boyer, "The Future of Political Warfare: Russia, the West, and the Coming Age of Global Digital Competition," Brookings Institution, Robert Bosch Foundation Transatlantic Initiative, March 2018, 14.

59 Phil Muncaster, "Five Eyes Nations United in Blaming Russia for NotPetya," *Infosecurity Magazine*, February 19, 2018.

60 United States District Court, Western District of Pennsylvania, Indictment, Criminal No. 20-316, filed October 15, 2020.

61 National Cyber Security Centre, "Russian Military 'Almost Certainly' Responsible for Destructive 2017 Cyber Attack," February 15, 2018.

62 Kutt, "NotPetya and WannaCry."

63 Michael Schmitt and Jeffery Biller, "The NotPetya Cyber Operation as a Case Study of International Law," EJIL: Talk! (blog), July 11, 2017.

64 Schmitt and Biller.

65 Michael Schmitt, ed., *Tallinn Manual 2.0 on the International Law Applicable to Cyber Operations*, 2nd ed. (Cambridge, Cambridge University Press, 2017), 333.

66 Schmitt, *Tallinn Manual* 2.0, 417.

67 Schmitt, 331.

68 Schmitt, 17.

69 Michael Schmitt, "In Defense of Sovereignty in Cyberspace," Just Security, May 8, 2018.

70 Gary P. Corn and Robert Taylor, "Sovereignty in the Age of Cyber," *AJIL Unbound* 111 (2017): 208.

71 Corn and Taylor, 210.

72 Robert McLaughlin and Michael Schmitt, "The Need for Clarity in International Cyber Law," Asia and the Pacific Policy Society, Policy Forum, September 18, 2017.

73 McLaughlin and Schmitt.

74 White House, "Vulnerabilities Equities Policy and Process for the United States Government," November 15, 2017.

75 White House.

76 White House.

77 Cybersecurity Tech Accord, "Governments Need to Do More, and Say More, on Vulnerability Handling," September 10, 2018, https://cybertechaccord.org/government-vulnerability-handling/.

78 Bogdan Popa, "NSA Reported WannaCry Vulnerability to Microsoft after Using It for 5 Years," Softpedia, May 18, 2017.

79 Ellen Nakashima and Craig Timberg, "NSA Officials Worried about the Day Its Potent Hacking Tool Would Get Loose. Then It Did," *Washington Post*, May 16, 2018.

80 Nakashima and Timberg.

81 Dan Goodin, "Fearing Shadow Brokers Leak, NSA Reported Critical Flaw to Microsoft," Ars Technica, May 17, 2017.

82 Goodin.

83 Rich McCormick, "Microsoft Says Governments Should Stop 'Hoarding' Security Vulnerabilities after WannaCry Attack," The Verge, May 15, 2014.

84 Brad Smith, "The Need for Urgent Collective Action to Keep People Safe Online: Lessons from Last Week's Cyberattack," official Microsoft blog, May 14, 2017.

85 Smith.

86 Kadri Kutt, "WannaCry Campaign: Potential State Involvement Could Have Serious Consequences," NATO Cooperative Cyber Defense Centre of Excellence, May 16, 2017.

87 Scott Charney et al., "From Articulation to Implementation: Enabling Progress on Cybersecurity Norms," Microsoft Corp., June 2016, 1.

88 Charney et al., 1.

89 Tim Maurer and Kathryn Taylor, "Outlook on International Cyber Norms: Three Avenues for Future Progress," Just Security, March 2, 2018.

90 Maurer and Taylor.

91 UN General Assembly, "Resolution Adopted by the General Assembly on 23 December 2016," A/RES/70/237, December 30, 2015.

92 UN General Assembly.

93 Michele G. Markoff, "Explanation of Position at the Conclusion of the 2016–2017 UN Group of Governmental Experts (GGE) on Developments in the Field of Information and Telecommunications in the Context of International Security," Department of State, posted remarks, New York, June 23, 2017.

94 Elaine Korzak, "UN GGE on Cybersecurity: The End of an Era?," *The Diplomat*, July 31, 2017.

95 Marks, "U.N. Body Agrees to U.S. Norms in Cyberspace."

96 James A. Lewis, "U.S.-China Economic and Security Review Commission: Hearing on China's Information Controls, Global Media Influence, and Cyber Warfare Strategy," oral testimony, May 4, 2017.

97 White House, Office of the Press Secretary, "FACT SHEET: The 2015 G-20 Summit in Anta-

lya, Turkey," November 16, 2015.

98 Jeff Lewis, "Bringing Order to Chaos: The Development of Nation-State Cyber-Norms," 2018 RSA Conference, San Francisco, April 17, 2018.

99 Elaine Korzak, "Russia and China Have a Cyber Nonaggression Pact," Defense One, August 20, 2015.

100 G7 Foreign Ministers, "Chair's Report of the Meeting of the G7 Ise-Shima Cyber Group," Toronto, April 22–24, 2018.

101 G7 Foreign Ministers.

102 Markoff, "2016–2017 UN Group of Governmental Experts."

103 Markoff.

104 Cherian Samuel, "Why Wait for the Elusive Tipping Point in Cyber?," Institute for Defence Studies and Analysis, India, March 21, 2018.

105 Korzak, "Russia and China."

106 Korzak.

107 White House, Office of the Press Secretary, "President Xi Jinping's State Visit to the United States," fact sheet, September 25, 2015.

108 David E. Sanger, "Limiting Security Breaches May Be Impossible Task for U.S. and China," *New York Times*, September 25, 2015.

109 Damian Paletta, "Cyberattack Deal Seen as First Step," *Wall Street Journal*, September 26–27, 2015.

110 Sheera Frenkel, "Nobody Thinks the U.S. and China's New Cyber Arms Pact Will Fix Much of Anything," BuzzFeed, September 25, 2015.

111 "RedLine Drawn: China Recalculates Its Use of Cyber Espionage," special report, Fire-Eye, June 2016, 11.

112 Adam Segal, "The U.S.-China Cyber Espionage Deal One Year Later," Net Politics, September 28, 2016.

113 Elsa Kania, "Careful What You Wish For: Change and Continuity in China's Cyber Threats," The Strategist, Australian Strategic Policy Institute, April 5, 2018.

114 US District Court, Western District of Pennsylvania, criminal indictment no. 17-247, September 13, 2017.

115 Thomas Fox-Brewster, "Chinese Trio Linked to Dangerous APT3 Hackers Charged with Stealing 407GB of Data from Siemens," *Forbes*, November 27, 2017.

116 Dustin Volz, "China Violated Obama-Era Cybertheft Pact, U.S. Official Says," *Wall Street Journal*, November 8, 2018.

117 Department of Justice, "Two Chinese Hackers Associated with the Ministry of State Security Charged with Global Computer Intrusion Campaigns Targeting Intellectual Property and Confidential Business Information," December 20, 2018.

118 Nicole Perlroth, "Chinese and Iranian Hackers Renew Their Attacks on U.S. Companies," *New York Times*, February 18, 2019.

119 Korzak, "Russia and China."

120 Timothy Edgar, "Indicting Hackers Made China Behave, but Russia Will Be Harder," Lawfare, February 18, 2018.

121 Edgar.

122 Edgar.

123 Alex Grigsby, "Russia Wants a Deal with the United States on Cyber Issues. Why Does Washington Keep Saying No?," blog post, Council on Foreign Relations, August 27, 2018.

124 Grigsby.

125 Michael R. Gordon and Ann M. Simmons, "Many Pledges but No Big Advances," *Wall Street Journal*, July 17, 2018.

126 Patrick Wintour, "Helsinki Summit: What Did Trump and Putin Agree?," *The Guardian*, July 17, 2018.

127 Chris Megerian, "Putin Offered to Help with the Russia Investigation. Don't Expect Mueller to Take Him Up on It," *Los Angeles Times*, July 16, 2018.

128 Chris Strohm, "FBI Chief Dismisses Putin Offer for Investigation Cooperation," *Bloomberg Politics*, July 18, 2018.

129 Grigsby, "Russia Wants a Deal."

130 UN General Assembly, "Resolution Adopted by the General Assembly on 22 December 2018," A/RES/73/266, January 2, 2019.

131 Alex Grigsby, "The UN Doubles Its Workload on Cyber Norms, and Not Everyone Is Pleased," blog post, Council on Foreign Relations, November 15, 2018.

132 Grigsby.

133 UN General Assembly, "Resolution Adopted by the General Assembly on 5 December 2018," A/RES/73/27, December 11, 2018.

134 UN General Assembly.

135 Derek B. Johnson, "U.S., Russia Jockey to Shape New Global Cyber Norms," FCW, cybersecurity section, November 9, 2018.

136 Derek B. Johnson, "Moving the Needle on Cyber Norms," FCW, cybersecurity section, February 1, 2019.

137 Ilona Sadnik, "Discussing State Behavior in Cyberspace: What Should We Expect?," Diplo (blog), March 20, 2019.

138 Michael Schmitt and Liis Vihul, "International Cyber Law Politicized: The UN GGE's Failure to Advance Cyber Norms," Just Security, June 30, 2017.

139 John McCain, "Putin Is an Evil Man," *Wall Street Journal*, May 12–13, 2018.

140 Brantly, *Decision to Attack*, 44.

141 Brantly, 44.
142 James Van De Velde, “Why Cyber Norms Are Dumb and Serve Russian Interests,” Cipher Brief, June 6, 2018.
143 Schmitt and Biller, “NotPetya Cyber Operation.”
144 Emil Avdaliani, “Russia vs. the West: The Beginning of the End,” Perspectives Paper no. 832, Begin-Sadat Center for Strategic Studies, May 13, 2018, 1.
145 Gerald F. Seib, “In New Era, Putin Punches above His Weight,” *Wall Street Journal*, May 7, 2019.
146 Lionel Beehner et al., “Analyzing the Russian Way of War,” U.S. Army Modern War Institute, March 20, 2018, 6.
147 Coats, “Worldwide Threat Assessment,” 4.
148 Beehner et al., “Analyzing the Russian Way of War,” 6.
149 Antonio Guterres, “Address at the Opening Ceremony of the Munich Security Conference,” UN Secretary-General speeches, February 16, 2018, https://www.un.org/sg/en/content/sg/speeches/2018-02-16/address-opening-ceremony-munich-security-conference.

第６章　納得のいかない対応

1 Andrew Blake, “Foreign Hackers Don’t Fear Retaliation, Trump’s Nominee for NSA Director Warns,” *Washington Times*, March 2, 2018.
2 Blake.
3 Steve Turnham, “NSA Nominee Says Russian Adversaries Do Not Fear Us,’” ABC News, March 1, 2018.
4 Aaron Hughes, Statement before the House of Representatives Committee on Oversight and Government Reform, Information Technology and National Security Subcommittee, July 13, 2016, 2.
5 Donald Trump, *National Cyber Strategy of the United States of America* (Washington, DC: White House, September 2018), 21.
6 Trump, 21.
7 Trump, 21.
8 Scott Jasper, “U.S. Strategic Cyber Deterrence Options” (PhD thesis, University of Reading, August 2017), 152–59.
9 Thomas Schelling, *Arms and Influence* (New Haven, CT: Yale University Press, 1966), 71.
10 DOD, *Deterrence Operations Joint Operating Concept*, version 2.0 (Offutt Air Force Base, NE: US Strategic Command, December 2006), 8.
11 DOD, 8.
12 Jasper, *Strategic Cyber Deterrence*, 60.
13 Joint Chiefs of Staff, *Joint Operations*, Joint Publication 3-0 (January 2017), xxii.

14 Peter Roberts and Andrew Hardie, *The Validity of Deterrence in the Twenty-First Century*, occasional paper (London: Royal United Services Institute, August 2015), 5–9.
15 Jasper, *Strategic Cyber Deterrence*, 61.
16 Lawrence Freedman, *Deterrence* (Cambridge: Polity Press, 2004), 6.
17 Patrick M. Morgan, *Deterrence Now* (Cambridge: Cambridge University Press, 2003), 1.
18 Joint Chiefs of Staff, *Joint Operation Planning*, Joint Publication 5-0 (August 11, 2011), E-2.
19 Glenn H. Snyder, *Deterrence and Defense: Toward a Theory of National Security* (Princeton, NJ: Princeton University Press, 1961), 11.
20 Patrick M. Morgan, "Taking the Long View of Deterrence," *Journal of Strategic Studies* 28, no. 5 (October 2005): 751–52.
21 Robert Jervis, "Deterrence and Perception," *International Security* 7, no. 3 (Winter 1982/83): 3.
22 Jervis, 4.
23 Michael Mandelbaum, "It's the Deterrence, Stupid," *American Interest*, July 30, 2015.
24 Roberts and Hardie, "Validity of Deterrence," 26.
25 Keren Yarhi-Milo, "In the Eye of the Beholder," *International Security* 38, no. 1 (Summer 2013): 9.
26 Thomas Schelling, *The Strategy of Conflict* (Cambridge, MA: Harvard University Press, 1960), 15.
27 Freedman, *Deterrence*, 116.
28 Aaron F. Brantly, "The Cyber Deterrence Problem," *10th International Conference on Cyber Conflict* (Tallinn: NATO CCD COE Publications, 2018), 31.
29 Kamal T. Jabbour and E. Paul Ratazzi, "Deterrence in Cyberspace," *Thinking about Deterrence* (Montgomery, AL: Air University Press, 2013), 42–43.
30 Dorothy E. Denning, "Rethinking the Cyber Domain and Deterrence," *Joint Force Quarterly*, no. 77 (Second Quarter, 2015): 8–12.
31 Brad D. Williams, "Meet the Scholar Challenging the Cyber Deterrence Paradigm," Fifth Domain, July 19, 2017.
32 Martin C. Libicki, "Expectations of Cyber Deterrence," *Strategic Studies Quarterly* (Winter 2018): 54.
33 Dmitri Alperovitch, "Bears in the Midst: Intrusion into the Democratic National Committee," CrowdStrike (blog), June 15, 2016.
34 Carol Morello, "State Department Shuts Down Its E-mail System amid Concerns about Hacking," *Washington Post*, November 17, 2014.
35 Evan Perez and Shimon Prokupecz, "How the U.S. Thinks Russians Hacked the White House," CNN, April 8, 2015.
36 David Sanger, "Why Hackers Aren't Afraid of Us," *New York Times*, June 16, 2018.

37 Shane Harris, "Obama to Putin: Stop Hacking Me," Daily Beast, April 8, 2015.
38 Sanger, "Why Hackers Aren't Afraid of Us."
39 Director of National Intelligence, "Joint DHS and ODNI Election Security Statement," press release, October 7, 2016, 1.
40 Director of National Intelligence.
41 Ellen Nakashima, "U.S. Government Officially Accuses Russia of Hacking Campaign to Interfere with Elections," *Washington Post*, October 7, 2016.
42 "Obama Says US Needs to Respond to Russian Cyberattacks—'And We Will,'" Fox News, December 15, 2016.
43 David E. Sanger, "Obama Confronts Complexity of Using a Mighty Cyberarsenal against Russia," *New York Times*, December 17, 2016.
44 Sanger.
45 Michael Isikoff and David Corn, *Russian Roulette: The Inside Story of Putin's War on America and the Election of Donald Trump* (New York: Hachette, 2018).
46 David E. Sanger and Nicole Perlroth, "What Options Does the U.S. Have after Accusing Russia of Hacks?," *New York Times*, October 8, 2016.
47 Adam Segal, "After Attributing a Cyberattack to Russia, the Most Likely Response Is Non Cyber," Net Politics, October 10, 2016.
48 White House, Office of the Press Secretary, "Statement by the President on Actions in Response to Russian Malicious Cyber Activity and Harassment," December 29, 2016.
49 White House, Office of the Press Secretary, "Actions in Response to Russian Malicious Cyber Activity and Harassment," fact sheet, December 29, 2016.
50 Greg Miller, Ellen Nakashima, and Adam Entous, "Obama's Secret Struggle to Punish Russia for Putin's Election Assault," *Washington Post*, June 23, 2017.
51 Carol E. Lee and Paul Sonne, "Obama Sanctions Russia, Expels 35," *Wall Street Journal*, December 30, 2016.
52 Miller, Nakashima, and Entous, "Obama's Secret Struggle."
53 White House, "Statement by the President."
54 James Marson, "Putin Says He Won't Retaliate," *Wall Street Journal*, December 31, 2016.
55 United States v. Michael T. Flynn, US District Court, District of Columbia, criminal complaint, December 1, 2017, 2.
56 Paul Sonne, "U.S. Warned France That Russia Was Meddling in Election, NSA Director Says," *Wall Street Journal*, May 9, 2017.
57 Laura Galante and Shaun Ee, "Defining Russian Election Interference: An Analysis of Select 2014 to 2018 Cyber Enabled Incidents," issue brief, Atlantic Council, September 2018, 11.
58 Matthew Dalton, William Horobin, and Sam Schechner, "Emmanuel Macron Campaign Says Victim of 'Massive Hacking,'" *Wall Street Journal*, May 6, 2017.

59 Adam Nossiter, David E. Sanger, and Nicole Perlroth, "Hackers Came, but the French Were Prepared," *New York Times*, May 10, 2017.

60 Alina Polyakova and Spencer P. Boyer, "The Future of Political Warfare: Russia, the West, and the Coming Age of Global Digital Competition," Brookings Institution, Robert Bosch Foundation Transatlantic Initiative, March 2018, 5–6.

61 Erik Brattberg and Tim Maurer, "Russian Election Interference: Europe's Counter to Fake News and Cyber Attacks," Carnegie Endowment for International Peace, May 23, 2018, 6.

62 Christopher Dickey, "Fighting Back against Putin's Hackers," Daily Beast, April 25, 2017.

63 Nossiter, Sanger, and Perlroth, "Hackers Came."

64 Teri Robinson, "Macron's Campaign Proactive after Hack, Mitigated Damage," *SC Magazine*, May 8, 2017.

65 Matthew Dalton and Alan Cullison, "France Rushes to Limit Impact of Macron Campaign Hack," *Wall Street Journal*, May 6, 2017.

66 Yasmeen Serhan, "Macron's Win: The Center Holds Firm in France," *The Atlantic*, May 7, 2017.

67 Brattberg and Maurer, "Russian Election Interference," 7.

68 Michel Rose and Eric Auchard, "Macron Campaign Confirms Phishing Attempts, Says No Data Stolen," Reuters, April 26, 2017.

69 Andy Greenberg, "The NSA Confirms It: Russia Hacked French Election 'Infrastructure,'" *Wired*, May 9, 2017.

70 FBI, "State-Sponsored Cyber Theft: Nine Iranians Charged in Massive Hacking Campaign on Behalf of Iran Government," March 23, 2018.

71 Dmitry Solovyov, "Moscow Says U.S. Cyber Attack Claims Fan 'Anti-Russian Hysteria," Reuters, October 8, 2016.

72 Nicole Gaouette and Elise Labott, "Russia, US Move Past Cold War to Unpredictable Confrontation," CNN, October 12, 2016.

73 Sean Gallagher, "In Terse Statement, White House Blames Russia for NotPetya Worm," Ars Technica, Tech-Policy (blog), February 15, 2018.

74 Gallagher.

75 Michael Daniel, "Our Latest Tool to Combat Cyber Attacks: What You Need to Know," White House, April 1, 2015.

76 Daniel.

77 White House, Office of the Press Secretary, "Blocking the Property of Certain Persons Engaging in Significant Malicious Cyber-Enabled Activities," executive order, April 1, 2015.

78 Aaron Boyd, "Obama: Cyberattacks Continue to Be National Emergency," *Federal Times*, March 30, 2016.

79 Ellen Nakashima, "U.S. Won't Impose Sanctions on Chinese Companies before Xi Visit,"

Washington Post, September 14, 2015.
80 Ellen Nakashima, "Hacked U.S. Companies Have More Options, Departing Cybersecurity Official Says," *Washington Post*, March 2, 2016.
81 Abby Phillip, "Trump Signs 'Seriously Flawed' Bill Imposing New Sanctions on Russia," *Washington Post*, August 2, 2017.
82 Department of the Treasury, "Treasury Sanctions Russian Cyber Actors for Interference with the 2016 U.S. Elections and Malicious Cyber-Attacks," press release, March 15, 2018.
83 Department of the Treasury.
84 Department of the Treasury.
85 Department of the Treasury, "Treasury Designates Russian Oligarchs, Officials, and Entities in Response to Worldwide Malign Activity," press release, April 6, 2018.
86 Marshall Billingslea, Statement before the US Senate Committee on Foreign Relations, August 21, 2018, 2.
87 Alexander Sazonov, Devon Pendleton, and Jack Witzig, "Russia's Richest Lose $16 Billion over Latest U.S. Sanctions," Bloomberg News, April 9, 2018.
88 Tom Keatinge, "This Time Sanctions on Russia Are Having the Desired Effect," *Financial Times*, April 13, 2018.
89 Marshall Billingslea, Statement before Committee, 3.
90 Donna Borak, "Treasury Plans to Lift Sanctions on Russian Aluminum Giant Rusal," CNN Business, December 19, 2018.
91 Department of the Treasury, Letter to the Honorable Mitch McConnell, Majority Leader of the US Senate, December 19, 2018.
92 Polina Devitt, "Aluminum Plunges, Rusal Shares Soar as U.S. to Lift Sanctions," Reuters, December 19, 2018.
93 Kenneth P. Vogel, "Trump Administration to Lift Sanctions on Russian Oligarch's Companies," *New York Times*, December 19, 2018.
94 Patricia Zengerle, "U.S. House Backs Sanctions on Russia's Rusal in Symbolic Vote," Reuters, January 17, 2019.
95 Nataliya Vasilyeva and Jim Heintz, "Putin Says Russian Military Not Building Long-Term in Syria," Associated Press, June 7, 2018.
96 Vasilyeva and Heintz.
97 Iikka Korhonen, Heli Simola, and Laura Solanko, *Sanctions, Counter-sanctions and Russia: Effects on Economy, Trade and Finance*, Policy Brief 2018 no. 4 (Helsinki: Bank of Finland, Institute for Economies in Transition, May 30, 2018), 11.
98 Korhonen, Simola, and Solanko, 19–21.
99 Anna Andrianova and Ilya Arkhipov, "Russian Economy Feels Impact of U.S. Sanctions," *The Columbian*, August 23, 2018.

100 Anton Troianovski, "Putin Manages to Defang Sanctions, but at Long-Term Cost," *Washington Post*, August 23, 2018.

101 Thomas Wonder, "Why Russian Domestic Politics Make U.S. Sanctions Less Effective," War on the Rocks, December 7, 2018.

102 Thomas Grove and Alan Cullison, "U.S. Sanctions Tighten Putin's Circle, Extend Kremlin's Reach," *Wall Street Journal*, September 11, 2019.

103 Ruslan Pukhov, "Putin: A Leader Made for the Russian Federation," *Defense News*, December 10, 2018, 27.

104 US District Court, criminal indictment, United States of America v. Viktor Borisovich Netyksho et al., received July 13, 2018, 1–2.

105 US District Court, criminal indictment, United States of America v. Internet Research Agency LLC et al., filed February 16, 2018, 1–2.

106 "Reactions to Russian Indictments in 2016 U.S. Election, Meddling Probe," Reuters, February 16, 2018.

107 "Reactions to Russian Indictments."

108 "Reactions to Russian Indictments."

109 David Choi, "Fox News' Chris Wallace Tried to Hand Vladimir Putin a Copy of Mueller's Latest Indictment," Fox News, July 17, 2018.

110 John P. Carlin, "Putin Is Running a Destructive Cybercrime Syndicate out of Russia," *New York Times*, July 16, 2018.

111 Carlin.

112 Kate O'Keefe and Jacob Gershman, "Russian Convicted in Hacking Case," *Wall Street Journal*, August 26, 2016.

113 Kelly Sheridan, "Inside the Investigation and Trial of Roman Seleznev," Dark Reading, July 27, 2017.

114 Rebecca Smith, "U.S. Officials Push New Penalties for Hackers of Electrical Grid," *Wall Street Journal*, August 5, 2018.

115 Luca D'Urbino, "America's Government Is Putting Foreign Cyber-Spies in the Dock," *The Economist*, September 13, 2018.

116 Lorenzo Franceschi-Bicchierai, "Ex-NSA Hackers Worry China and Russia Will Try to Arrest Them," Motherboard, December 1, 2017.

117 Franceschi-Bicchierai.

118 Patrick M. Morgan, *International Security: Problems and Solutions* (Washington, DC: CQ Press, 2006), 77.

119 US District Court, criminal indictment no. 14-118, filed May 1, 2014, 1–48.

120 Ellen Nakashima, "U.S. Developing Sanctions against China over Cyberthefts," *Washington Post*, August 30, 2015.

121 Damian Paletta, "Obama to Press Chinese President Xi Jimping on Cyberattacks, Human Rights, Advisor Says," *Wall Street Journal*, September 21, 2015.
122 Dave Boyer, "Trump Says He's Been Tougher on Russia than Any Other President," *Washington Times*, July 18, 2018.
123 Jen Kerns, "President Trump Is Tougher on Russia in 18 Months than Obama in Eight Years," *The Hill*, July 16, 2018.
124 Peter J. Marzalik and Aric Toler, "Lethal Weapons to Ukraine: A Primer," Atlantic Council, January 26, 2018.
125 Chris Cillizza, "The 21 Most Disturbing Lines from Donald Trump's Press Conference with Vladimir Putin," CNN, July 17, 2018.
126 Matthew Nussbaum, "Trump Publicly Sides with Putin on Election Interference," *Politico*, July 16, 2018.
127 Lawrence Freedman, "Deterrence: A Reply," *Journal of Strategic Studies* 28, no. 5 (October 2005): 789–90.
128 Lauren Fox, "Top Republications in Congress Break with Trump over Putin Comments," CNN, July 16, 2018.
129 Brooke Singman, "Trump Says He Misspoke on Russian Meddling during Press Conference, Accepts US Intel Findings," Fox News, July 17, 2018.
130 Sophie Tatum, "Putin Denies Election Attack but Justifies DNC Hack Because 'It Is True,'" CNN, July 16, 2018.
131 Thomas L. Friedman, "Trump and Putin vs. America," *New York Times*, July 16, 2018.
132 Meg Wagner and Brian Ries, "President Trump Today," CNN, July 19, 2018.
133 Robert S. Mueller III, *Report on the Investigation into Russian Interference in the 2016 Presidential Election*, vol. 1 (Washington, DC: Department of Justice, 2019), 1.
134 Anne Gearan, John Wagner, and Anton Troianovski, "Trump Says He Talked to Putin about 'Russian Hoax' but Not about Ongoing Election Interference," *Washington Post*, May 3, 2019.
135 David A. Graham, "Trump's Surreal Phone Call with Vladimir Putin," *The Atlantic*, May 3, 2019.
136 Jessica Kwong, "Adam Schiff Says Donald Trump 'Betrays Our National Security' after President Discussed 'Russian Hoax' with Putin," *Newsweek*, May 3, 2019.
137 Ash Carter, "The DOD Cyber Strategy," DOD, April 2015, 3.
138 David E. Sanger, "Pentagon Puts Cyberwarriors on the Offensive, Increasing the Risk of Conflict," *New York Times*, June 18, 2018.
139 Katie Lange, "Cybercom Becomes DoD's 10th Unified Command," DoD Live, May 3, 2018.
140 Michael Rogers, "Achieve and Maintain Cyberspace Superiority: Command Vision for U.S. Cyber Command," US Cyber Command, March 2018, 6.
141 Rogers, 6.

142 Sanger, "Pentagon Puts Cyberwarriors on the Offensive."
143 Eric Geller, "White House Eliminates Top Cyber Adviser Post," *Politico*, May 15, 2018.
144 Brian Barrett, "White House Cuts Critical Cybersecurity Role as Threats Loom," *Wired*, May 15, 2018.
145 Dustin Volz, "Trump, Seeking to Relax Rules on U.S. Cyberattacks, Reverses Obama Directive," *Wall Street Journal*, August 15, 2018.
146 Dustin Volz, "Cyberattack Rules Reversed," *Wall Street Journal*, September 21, 2018.
147 Justin Lynch, "Trump Has Scrapped a 2012 Policy on When to Attack in Cyberspace," Fifth Domain, August 16, 2018.
148 Ellen Nakashima, "U.S. Cyber Force Credited with Helping Stop Russia from Undermining Midterms," *Washington Post*, February 14, 2019.
149 Julian E. Barnes, "U.S. Begins First Cyber Operation against Russia Aimed at Protecting Elections," *New York Times*, October 23, 2018.
150 Tom Uren, Bart Hogeveen, and Fergus Hanson, "Defining Offensive Cyber Capabilities," Australian Strategic Policy Institute, September 24, 2018.
151 Sanger, "Pentagon Puts Cyberwarriors on the Offensive."
152 Dave Weinstein, "America Goes on the Cyberoffensive," *Wall Street Journal*, August 29, 2018.
153 Mark Pomerleau, "Is the Defense Department's Entire Vision of Cybersecurity Wrong?," Fifth Domain, November 14, 2018.
154 Michael S. Rogers, Statement before the United States Senate Committee on Armed Services, February 27, 2018, 13.
155 Rogers, 13.
156 Pomerleau, "Defense Department's Vision of Cybersecurity."
157 DOD, "Summary: Department of Defense Cyber Strategy," 1, https://media.defense.gov/2018/Sep/18/2002041658/-1/-1/1/CYBER_STRATEGY_SUMMARY_FINAL.PDF.
158 DOD, 1.
159 DOD, 1.
160 Brandon Valeriano and Benjamin Jensen, *The Myth of the Cyber Offense: The Case for Restraint*, Policy Analysis no. 862 (Washington, DC: Cato Institute, January 15, 2019), 3.
161 Rogers, "Achieve and Maintain Cyberspace Superiority," 6.
162 Valeriano and Jensen, "Myth of the Cyber Offense," 1.
163 Justin Lynch, "Trump Administration Scraps a 2012 Policy on When to Attack in Cyberspace," C4ISR Networks, October 2018, 27.
164 Lynch, 27.
165 Dustin Volz, "No Major Vote Interference Detected," *Wall Street Journal*, November 7, 2018.
166 Sanger, "Why Hackers Aren't Afraid of Us."
167 Kevin Poulsen, "Russian DNC Hackers Launch Fresh Wave of Cyberattacks on U.S.," Daily

Beast, January 31, 2019.

第３部　サイバー防衛のソリューション

第７章　現在のセキュリティ戦略

1 Donald Trump, *National Cyber Strategy of the United States of America* (Washington, DC: White House, September 2018), 21.

2 Peter Roberts and Andrew Hardie, “The Validity of Deterrence in the Twenty-First Century,” occasional paper, Royal United Services Institute, August 2015” 20.

3 Office of Management and Budget, “Managing Information as a Strategic Resource,” Circular A-130, July 2016, 35.

4 World Economic Forum, *The Global Risks Report 2019*, 14th ed. (Geneva: World Economic Forum, January 15, 2019), 16.

5 Help Net Security, “Most Organizations Suffered a Business-Disrupting Cyber Event,” December 14, 2018.

6 National Institute of Standards and Technology (NIST), *Glossary of Key Information Security Terms*, Draft NISTIR 7298, Revision 3, September 2018.

7 DOD, *Cybersecurity*, DOD Instruction 8500.01 (Washington, DC: March 14, 2014), 2.

8 Committee on National Security Systems, “Policy on Information Assurance Risk Management for National Security Systems,” CNSSP no. 22, January 2012, 3.

9 NIST, “Managing Information Security Risk,” NIST Special Publication 800-39, March 2011, 6.

10 NIST, 7.

11 NIST, “Risk Management Framework for Information Systems and Organizations,” NIST Special Publication 800-37, December 2018, 8.

12 DOD, *Risk Management (RMF) for DoD Information Technology (IT)*, DOD Instruction 8510.01, July 28, 2017, 2.

13 Office of Management and Budget, “Managing Information,” 34.

14 NIST, “Security and Privacy Controls for Federal Information Systems and Organizations,” NIST Special Publication 800-53, revision 5, August 2017; NIST, *Glossary of Key Information Security Terms*.

15 NIST, “Security and Privacy Controls,” 303.

16 NIST, “Risk Management Framework,” 8–9.

17 DOD, *Risk Management*, 31.

18 NIST, “Risk Management Framework,” 9–10.

19 NIST, xi.

20 Cybersecurity Enhancement Act of 2014 (S.1353), public law 113-274, December 18, 2014.

21 USA PATRIOT Act of 2001 (H.R. 3162), public law 107-56, October 26, 2001.

22 NIST, "Framework for Improving Critical Infrastructure Cybersecurity," version 1.1, April 16, 2018, 3.
23 NIST, 4.
24 Intel Corporation, "The Cybersecurity Framework in Action: An Intel Use Case," solution brief, 2015, 1–9.
25 Greg Otto, "U.S. Officials: World Needs to Follow Our Lead on Cyber Norms," Fedscoop, April 5, 2016.
26 White House, Office of the Press Secretary, "Strengthening the Cybersecurity of Federal Networks and Critical Infrastructure," executive order, May 11, 2017.
27 NIST, *Glossary of Key Information Security Terms.*
28 NIST, "Security and Privacy Controls," 168.
29 Ponemon Institute, "Flipping the Economics of Attacks," research report, January 2016, 3.
30 Symantec, "Internet Security Threat Report," vol. 22, April 2017, 22.
31 Office of the Chief of Naval Operations, *U.S. Navy Cybersecurity Program*, OPNAVINST 5239.1D, N2N6 (Washington, DC: Department of the Navy, July 18, 2018), 9.
32 ICS-CERT, "Recommended Practice: Improving Industrial Control System Cybersecurity with Defense-in-Depth Strategies," DHS, September 2016, iii.
33 ICS-CERT, iii.
34 NIST, "Security and Privacy Controls," 168.
35 Muhammad Salman Khan, Sana Siddiqui, and Ken Ferens, "A Cognitive and Concurrent Cyber Kill Chain Model," in *Computer and Network Security Essentials*, ed. Kevin Daimi (New York: Springer, 2018), 585.
36 Markus Maybaum, "Technical Methods, Techniques, Tools and Effects of Cyber Operations," in *Peacetime Regime for State Activities in Cyberspace*, ed. Katharina Ziolkowski (Tallinn: NATO Cooperative Cyber Defence Centre of Excellence, 2013), 103–31.
37 Eric M. Hutchins, Michael J. Cloppert, and Rohan M. Amin, "Intelligence-Driven Computer Network Defense Informed by Analysis of Adversary Campaigns and Intrusion Kill Chains," Lockheed Martin, March 2011, 4.
38 Websense, "The Seven Stages of Advanced Threats," white paper, 2013, 2–3.
39 Dell, "Anatomy of a Cyber-Attack," white paper, 2013, 2.
40 Cybereason, "Six Stages of an Attack," security presentation, 2015, 2.
41 Julia Sowells, "The Different Phases of a Cyber Attack," Hacker Combat, May 14, 2018.
42 CIS, *CIS Controls*, version 7, Center for Internet Security, March 19, 2018, 1.
43 CIS, 1.
44 CIS, 2.
45 NTT Security, "Global Threat Intelligence Report: Practical Application of Security Controls to the Cyber Kill Chain," 2016, 25.

46 NTT Security, 35.

47 NTT Security, 45.

48 Karin Shopen, "3 Ways to Counter Multi-Vector Attacks," Palo Alto Networks, Cybersecurity (blog), February 8, 2016.

49 NIST, *Glossary of Key Information Security Terms.*

50 NIST.

51 CrowdStrike, "Indicators of Attack versus Indicators of Compromise," white paper, 2015, 3.

52 LookingGlass, "Technical Threat Indicators," data sheet, 2018; LookingGlass, "Threat Intelligence-as-a-Service," data sheet, 2018; LookingGlass, "Strategic Intelligence Subscription Service," data sheet, 2018.

53 "Operationalizing Threat Intelligence for Dynamic Defense," in Gartner, *Addressing the Cyber Kill Chain: Full Gartner Research Report and LookingGlass Perspectives* (LookingGlass Cyber Solution, 2016), 4, https://www.gartner.com/imagesrv/media-products/pdf/lookingglass/lookingglass-1-34D62N3.pdf.

54 Ponemon Institute, "The Value of Threat Intelligence: The Second Annual Study of North American and United Kingdom Companies," research report, September 2017, 2.

55 Ponemon Institute, 7.

56 NIST, "Guide to Cyber Threat Information Sharing," NIST Special Publication 800-150, October 2016, iii.

57 NIST, 3.

58 Gartner, *Addressing the Cyber Kill Chain*, 11.

59 NTT Security, "Global Threat Intelligence Report: The Role of the Cyber Kill Chain in Threat Intelligence," 2016, 53.

60 Lockheed Martin, "Seven Ways to Apply the Cyber Kill Chain with a Threat Intelligence Platform," white paper, 2015, 5.

61 Department of the Treasury, "Treasury Sanctions Russian Cyber Actors."

62 US-CERT, "Russian Government Cyber Activity Targeting Energy and Other Critical Infrastructure Sectors," alert TA18-074A, March 15, 2018.

63 US-CERT.

64 Pierluigi Paganini, "Dragonfly 2.0: The Sophisticated Attack Group Is Back with Destructive Purposes," Security Affairs, September 7, 2017.

65 Symantec, "Dragonfly: Western Energy Companies under Sabotage Threat," Security Response (blog), June 30, 2014.

66 Symantec.

67 Rebecca Smith, "Russian Hackers Reach U.S. Utility Control Rooms, Homeland Security Officials Say," *Wall Street Journal*, July 23, 2018.

68 National Cybersecurity and Communications Integration Center, "Russian Activity against

Critical Infrastructure," awareness briefing, July 25, 2018.

69 US-CERT, "Russian Government Cyber Activity."

70 Symantec, "Dragonfly."

71 National Cybersecurity and Communications Integration Center, "Russian Activity."

72 Symantec, "Dragonfly."

73 A screenshot of a configuration diagram that the threat actors accessed can be found at https://www.us-cert.gov/ncas/alerts/TA18-074A.

74 Dan Goodin, "Hackers Lie in Wait after Penetrating US and Europe Power Grid Networks," Ars Technica, September 6, 2017.

75 Smith, "Russian Hackers."

76 Philip Bump, "Why Russian Hackers Aren't Poised to Plunge the United States into Darkness," *Washington Post*, March 16, 2018.

77 Michael N. Schmitt, "'Below the Threshold' Cyber Operations: The Countermeasures Response Option and International Law," *Virginia Journal of International Law* 54, no. 3 (2014): 704–5.

78 NIST, "Cybersecurity Framework Success Stories," February 28, 2019.

79 Symantec, "Internet Security Threat Report," 22, 31, 36, 62, 67, 72, 74.

80 US-CERT, "Russian Government Cyber Activity."

81 CIS, "CIS Controls," 13, 18, 21.

82 Constance Douris, "Cyber Threat Data Sharing Needs Refinement," Future of the Power Grid Series, Lexington Institute, August 2017, 3.

83 Travis Farral, "The Definitive Guide to Sharing Threat Intelligence," white paper, Anomali, 2017, 2–3.

84 US ICS CERT, "Cyber-Attack against Ukrainian Critical Infrastructure," alert IRALERT-H-16-056-01, February 25, 2016.

85 Kadri Kutt, "NotPetya and WannaCry Call for a Joint Response from International Community," NATO Cooperative Cyber Defense Centre of Excellence, June 30, 2017.

86 Symantec, "Dragonfly," 7.

87 CIS, "CIS Controls," 11.

88 US-CERT, "Petya Ransomware."

89 Stephanie Kanowitz, "Can You Afford Not to Have Cyber Insurance?," *GCN* 37, no. 4 (September 2018): 40.

90 Scott Calvert and Jon Kamp, "More U.S. Cities Brace for 'Inevitable' Hackers," *Wall Street Journal*, September 4, 2018.

91 Kevin Jones, "Insurance vs Cyber Attacks: A Conundrum for SMEs," Hacker Combat, December 20, 2018.

92 NIST, "Managing Information Security Risk," 43.

93 Cormac Bracken, "Calling Virus 'Act of War,' Insurer Refuses to Pay Ransomware Claim," Toolbox Tech (blog), January 22, 2019.
94 Adam Satariano and Nicole Perlroth, "Big Companies Thought Insurance Covered a Cyberattack. They May Be Wrong," *New York Times*, April 15, 2019.
95 T. J. Alldridge, "Four Ways Layered Security Will Improve Your Detection and Response," Trend Micro, Business (blog), November 12, 2018.
96 "2018 Midyear Security Roundup: Unseen Threats, Imminent Losses," Trend Micro, August 28, 2018, 9–14.
97 Rebecca Smith and Rob Barry, "America's Electric Grid Has a Vulnerable Back Door—and Russia Walked through It," *Wall Street Journal*, January 10, 2019.
98 Smith, "Russian Hackers."
99 ICST-CERT, "Recommended Practice," 2–6.
100 "2018 Midyear Security Roundup," Trend Micro, 18.
101 Smith, "Russian Hackers."
102 LookingGlass, "The Power of a Tailored Threat Model," white paper, 2018.
103 Dan Goodwin, "Microsoft Catches Russian State Hackers Using IoT Devices to Breach Networks," Ars Technica, August 5, 2019.
104 Robert Lemos, "Fancy Bear Dons Plain Clothes to Try to Defeat Machine Learning," *Dark Reading*, August 28, 2019.
105 Lee Matthews, "Russia's State-Sponsored Hackers Are the World's Fastest," *Forbes*, February 20, 2019.

第８章　サイバー防衛の自動化

1 Donald Trump, *National Cyber Strategy of the United States of America* (Washington, DC: White House, September 2018), 6.
2 Trump, 6.
3 Derek B. Johnson, "With Elections Over, CISA Focus Shifts to Risk Management Center," FCW, November 17, 2018.
4 Andy Greenberg, "The Untold Story of NotPetya, the Most Devastating Cyberattack in History," *Wired*, August 22, 2018.
5 Help Net Security, "Most Concerning Security Controls for Cyberattackers? Deception and IDS," December 14, 2018.
6 Help Net Security.
7 FireEye, "M-Trends 2019," special report, March 2019, 6.
8 White House, Office of the Press Secretary, "Critical Infrastructure Security and Resilience," PPD-21 (February 12, 2013).
9 NIST, "Guide for Conducting Risk Assessments," NIST Special Publication 800-30, revision 1,

September 2012, B-6.

10 Louise K. Comfort, Arjen Boin, and Chris C. Demchak, *Designing Resilience: Preparing for Extreme Events* (Pittsburgh: University of Pittsburgh Press, September 2010).

11 P. W. Singer and Allan Friedman, "Rethink Security: What Is Resilience and Why Is It Important?," in *Cybersecurity and Cyberwar* (New York: Oxford University Press, 2014), 169–73.

12 Alexander Kott and Linkov, *Cyber Resilience of Systems and Networks (Risks, Systems and Decisions)*, 1st ed. (New York: Springer, May 31, 2018), 2.

13 DHS, "Cyber Resilience White Paper: An Information Technology Sector Perspective," March 2017, 2.

14 DHS, 2.

15 DHS, "Cybersecurity Strategy," May 15, 2018, cover.

16 DHS, "Cyber Resilience and Response: Public-Private Analytic Exchange Program," 2018, 9.

17 NIST, "Cyber Resiliency Considerations for the Engineering of Trustworthy Secure Systems," Draft NIST Special Publication 800-160, vol. 2, March 2018, 9.

18 NIST, 11.

19 DHS, "Cybersecurity Strategy," 10.

20 Trump, "National Security Strategy," 13.

21 Ash Carter, "The DOD Cyber Strategy," Department of Defense, April 2015, 11.

22 DHS, "Cyber Resilience and Response," 5.

23 Tim Greene, "Why the 'Cyber Kill Chain' Needs an Upgrade," Network World, August 8, 2016.

24 Giora Engel, "Deconstructing the Cyber Kill Chain," Dark Reading, November 18, 2014.

25 LightCyber, "Behavioral Attack Detection," white paper, November 2015, 5–7.

26 Anthony Giandomenico, "Understanding the Attack Chain," CSO Online, December 3, 2018.

27 Mitre Corporation, "Enterprise Tactics," ATT&CK website, assessed March 9, 2019.

28 Freddy Dezeure and Rich Struse, "ATT&CK in Practice: A Primer to Improve Your Cyber Defense," RSA Conference, San Francisco, March 2019.

29 CrowdStrike, "2019 Global Threat Report: Adversary Tradecraft and the Importance of Speed," March 2019, 2.

30 CrowdStrike, 15.

31 Symantec, "Internet Security Threat Report," vol. 24, February 2019, 17.

32 CrowdStrike, "2019 Global Threat Report," 19.

33 US-CERT, "Russian Government Cyber Activity."

34 US-CERT, 21.

35 DOD, "Summary: Department of Defense Cyber Strategy," 4.

36 Dana Deasy, "DOD Cybersecurity Policies and Architecture," statement before the United States Senate Armed Services Subcommittee on Cybersecurity, January 29, 2019, 10.

37 Deasy, 11.
38 Recorded Future, "Best Practices for Applying Threat Intelligence," white paper, July 2017, 7.
39 Cybereason, "The Seven Struggles of Detection and Response," white paper, 2015.
40 John Edwards and Eve Keiser, "Automating Security," *C4ISR and Networks*, October 2016, 16.
41 Edwards and Keiser, 16.
42 John Kindervag and Stephanie Balaouras, "Rules of Engagement: A Call to Action to Automate Breach Response," Forrester Research, Inc., December 2, 2014, 8.
43 Edwards and Keiser, 16.
44 Gabby Nizri, "The Rise of SOC Automation," Ayehu (blog), February 27, 2017.
45 Jonathan Trull, "Top 5 Best Practices to Automate Security Operations," Microsoft Security, August 3, 2017.
46 Steve Morgan, "Cybersecurity Jobs Report," Cybersecurity Ventures, 2017, 2.
47 Gartner, "The Evolution of Endpoint Protection," research paper, 2018, 3, https://www.gartner.com/imagesrv/media-products/pdf/symantec/symantec-1-4SNI36O.pdf?es_p=6816496.
48 Lee Neely, "Endpoint Protection and Response: A SANS Survey," SANS Analyst Program, June 2018, 6.
49 Infogressive, "The Complete Guide to Endpoint Detection and Response," blog post, 2019.
50 Neely, "Endpoint Protection and Response," 12.
51 Chris Sherman and Salvatore Schiano, "The State of Endpoint Security, 2019," security report, January 22, 2019, 5, https://services.forrester.com/report/The+State+Of+Endpoint+Security+2019/-/E-RES141772.
52 Carbon Black, "How Does Your Security Stack Up?," white paper, 2019.
53 Barbara Filkins, "Essential Requirements for Cloud-Based Endpoint Security," white paper, SANS, September 2018, 10.
54 Mitre ATT&CK Evaluations website, accessed July 8, 2019.
55 Carbon Black, "CB Defense on the PSC," fact sheet, 2019, 2.
56 CrowdStrike, "Falcon Endpoint Detection and Response," product sheet, 2019, 2.
57 Cybereason, "Cybereason Detection and Response Platform," fact sheet, 2018, 2–3.
58 Mathew Schwartz, "BadRabbit Attack Appeared to Be Months in Planning," Bank Info Security (blog), October 26, 2017.
59 Pavel Polityuk, "Ukraine Hit by Stealthier Phishing Attacks during BadRabbit Strike," Reuters, November 2, 2017.
60 Robert McMillian, "New Ransomware Outbreak Spreads through U.S., Russia and Ukraine," *Wall Street Journal*, October 24, 2017.
61 James Rogers, "Bad Rabbit Ransomware: Should You Be Scared?," Fox News, October 25, 2017.

62 Doug Olenick, "Group IB Shows Even Tighter Ties between BadRabbit and NotPetya," *SC Magazine*, October 26, 2017.

63 Olenick.

64 Doug Olenick, "BadRabbit Ransomware Moves to the U.S., Links to Petya/NotPetya Being Debated," *SC Magazine*, October 25, 2017.

65 Olenick.

66 Symantec, "Dragonfly: Western Energy Companies under Sabotage Threat," Security Response (blog), June 30, 2014.

67 Radware, "Bad Rabbit," ERT threat alert, October 30, 2017.

68 John Leyden, "BadRabbit Encrypts Russian Media, Ukraine Transport Hub PCs," The Register, October 24, 2017.

69 Wagas, "EternalRomance NSA Exploit a Key Play in Bad Rabbit Ransomware Mayhem," Hack Read (blog), October 27, 2017.

70 Wagas.

71 Selena Larson, "New Ransomware Attack Hits Russia and Spreads around the Globe," CNN Tech, October 25, 2017.

72 James Rogers, "BadRabbit Ransomware."

73 Lital Asher-Dotan, "Cybereason Researcher Discovers Vaccine for Bad Rabbit Ransomware," Cybereason (blog), October 25, 2017.

74 Pierluigi Paganini, "Documents Encrypted by Bad Rabbit Ransomware Could Be Recovered without Paying Ransom," Security Affairs, October 28, 2017.

75 National Cyber Security Centre, "Russian Military 'Almost Certainly' Responsible for Destructive 2017 Cyber Attack," February 15, 2018.

76 Gus Hunt, "A Shift from Cybersecurity to Cyber Resilience: 6 Steps," Dark Reading, December 5, 2018.

77 Hunt.

78 Sean Gallagher, "'Malware-Free' Attacks Mount in Big Breaches, CrowdStrike Finds," Ars Technica, December 6, 2017.

79 Scott Jasper, "Implementing Automated Cyber Defense," *United States Cybersecurity Magazine* 6, no. 18 (Winter 2018): 22–25.

80 Accenture Security, "Gaining Ground on the Cyber Attacker: 2018 State of Cyber Resilience," executive summary, 2018, 7.

81 IT Governance, "An Introduction to Implementing Cyber Resilience," green paper, January 2019, 5.

82 Symantec, "The Cyber Resilience Blueprint: A New Perspective on Security," white paper, 2014, 5.

83 Citrix, "Guidelines for Maintaining Business Continuity for Your Organization," white paper,

2014, 3.
84 Julia Sowells, "48 Percent of Utility CEOs Feel Cyberattacks Are Imminent," Hacker Combat, November 15, 2018.
85 ESG Research, "Cybersecurity Operations Challenges and Strategies," research report, 2018.
86 Cisco, "2018 Annual Cybersecurity Report."

第９章　技術のオフセット戦略

1 Donald Trump, *National Security Strategy of the United States of America* (Washington, DC: White House, December 2017), 25.
2 A. Wess Mitchell, "U.S. Strategy towards the Russian Federation," statement for Senate Foreign Relations Committee, August 21, 2018, 1.
3 Mitchell, 1.
4 National Intelligence Council, "Global Trends: Paradox of Progress," January 2017, 21.
5 DOD, "Summary: Department of Defense Cyber Strategy," 2018, 1.
6 Jens Stoltenburg, "The Cold War Is Over, but Big Challenges Remain," *Defense News*, December 10, 2018, 10.
7 Stoltenburg, 10.
8 Samuel Chamberlain, "Russian Military Fires on Ukrainian Vessels in Black Sea, Ukraine Says," Fox News, November 25, 2018.
9 "Address of Ukraine's Ambassador to UN Security Council on Kerch Strait Incident," *Kyiv Post*, November 28, 2018.
10 "Russia Uses Cargo Ship to Block Ukrainian Navy Vessels," *World Maritime News*, November 27, 2018.
11 Natalia Zinets, "Ukraine Says Counterintelligence Officer Wounded in Sunday's Russia Clash," Reuters, November 27, 2018.
12 Daniel Boffey, "Russia Paved Way for Ukraine Ship Seizures with Fake News Drive," *The Guardian*, December 10, 2018.
13 Associated Foreign Press, "Russian Infor War Preceded Ukrainian Ship Seizures: EU," *Straits Times*, December 11, 2018.
14 Patrick Tucker, "Russia Launched Cyber Attacks against Ukraine before Ship Seizures, Firm Says," Defense One, December 7, 2018.
15 Tucker.
16 Zachary Cohen and Ryan Browne, "U.S. Military Flexes Muscles in Message to Russia," CNN, December 6, 2018.
17 Alina Polyakova and Spencer P. Boyer, "The Future of Political Warfare: Russia, the West, and the Coming Age of Global Digital Competition," Brookings Institution, Robert Bosch Foundation Transatlantic Initiative, March 2018, 6.

18 Paul D. Shinkman, "Putin Raising Likelihood of War, Ukrainian Navy Chief Says," *U.S. News & World Report*, December 12, 2018.

19 Michael Peel and Roman Olearchyk, "Ukrainian Minister Calls for Fresh Sanctions on Russia," *Financial Times*, December 25, 2018.

20 Ben Werner, "USS *Fort McHenry* Visits Romania while Russian Frigate Watches," United States Naval Institute, Foreign Forces (blog), January 7, 2019.

21 Himanil Raina, "Legal Aspects of the 25th November, 2018 Kerch Strait Incident," issue brief, National Maritime Foundation, December 12, 2018.

22 "Russia and Ukraine Clash over Kerch Strait Explained," *Moscow Times*, November 26, 2018.

23 Vladimir Socor, "Azov Sea, Kerch Strait: Evolution of Their Purported Legal Status," *Eurasia Daily Monitor* 15, no. 169 (December 3, 2018).

24 Socor.

25 Endre Szenasi, "The Kerch Strait Incident: Why the 2003 Treaty Regulating the Azov Sea Rights Has Not Been Terminated by Russia," Academia.edu (blog), December 4, 2018.

26 Dmitry Gorenburg, "The Kerch Strait Skirmish: A Law of the Sea Perspective," Strategic Analysis, December 2018, 3.

27 Gorenburg, 4.

28 Gorenburg, 5.

29 Michael Schmitt and Liis Vihul, "International Cyber Law Politicized: The UN GGE's Failure to Advance Cyber Norms," *Just Security*, June 30, 2017.

30 UN General Assembly, "Group of Governmental Experts," 12.

31 UN, Charter of the United Nations, chapter VII, article 51, October 24, 1945.

32 Michael Schmitt, "Cyberspace and International Law: The Penumbral Mist of Uncertainty," *Harvard Law Review Forum* 126, no. 5 (March 2013): 179.

33 Michael N. Schmitt, ed., *Tallinn Manual 2.0 on the International Law Applicable to Cyber Operations*, 2nd ed. (Cambridge: Cambridge University Press, 2017), 339.

34 Schmitt, 341.

35 Schmitt, 341.

36 Schmitt, 341.

37 Schmitt, 342.

38 Schmitt, 332.

39 Schmitt, 332.

40 Schmitt, "Cyberspace and International Law," 178.

41 Schmitt, 178.

42 Michael N. Schmitt, "Cyber Operations in International Law: The Use of Force, Collective Security, Self-Defense, and Armed Conflicts," *Proceedings of a Workshop on Deterring Cyberattacks: Informing Strategies and Developing Options for U.S. Policy* (Washington, DC: National

Academies Press, 2010), 156.

43 Schmitt, *Tallinn Manual 2.0*, 330.

44 Schmitt, 333.

45 Schmitt, 337.

46 Schmitt, 375.

47 Schmitt, 375.

48 Robert McLaughlin and Michael Schmitt, "The Need for Clarity in International Cyber Law," Policy Forum, September 18, 2017.

49 Theresa Hitchens, "US Urges 'Like-Minded' Countries to Collaborate on Cyber Deterrence," Breaking Defense, April 24, 2019.

50 DOD, "Secretary of Defense Speech: Reagan National Defense Forum Keynote," Press Operations, November 15, 2014.

51 DOD.

52 Robert O. Work and Greg Grant, "Beating the Americans at Their Own Game: An Offset Strategy with Chinese Characteristics," Center for New American Security, June 6, 2019, 1.

53 DOD, "Deputy Secretary of Defense Speech: National Defense University Convocation," press release, August 5, 2014.

54 Work and Grant, "Beating the Americans at Their Own Game," 3.

55 Chuck Hagel, "The Defense Innovation Initiative," US secretary of defense memorandum, November 15, 2014, https://news.usni.org/2014/11/19/document-pentagon-innovation-initiative-memo.

56 Otto Kreisher, "Defense Leaders Stress Urgency of Third Offset Strategy," *Seapower*, October 28, 2016.

57 Vago Muradian, "Interview: Bob Work, US Deputy Defense Secretary," *Defense News*, November 26, 2014.

58 Aaron Mehta, "Work Outlines Key Steps in Third Offset Tech Development," C4ISR Networks, December 14, 2015.

59 Richard R. Burgess and Otto Kreisher, "Work: Third Offset Focus Is to Improve U.S. Battle Networks," *Seapower*, December 5, 2016.

60 Sydney J. Freedberg Jr., "Anti-aircraft Missile Sinks Ship: Navy SM-6," Breaking Defense, March 7, 2016; Hope Hodge Seck, "Top Marine Wants to Fire Anti-Ship Missiles from HIMARS Launcher," Kit Up, December 14, 2016.

61 Vasily Kashin and Michael Raska, "Countering the U.S. Third Offset Strategy: Russian Perspectives, Responses and Challenges," policy report, S. Rajaratnam School of International Studies, January 2017, 16.

62 Nikolai Novichkov and Robin Hughes, "Russia Announces Flight Test of Avangard HGV," *Jane's International Defence Review*, February 2019, 18.

63 Franz-Stefan Gady, "Russia's 5th Generation Stealth Fighter Jet to Be Armed with Hypersonic Missiles," *The Diplomat*, December 6, 2018.

64 Matthew Bodner, "Russia's Hypersonic Missile Debuts alongside New Military Tech at Parade," *Defense News*, May 10, 2018.

65 Vladimir Isachenkov, "Putin: Russia 'Ahead of Competition' with Latest Weapons," *Stars and Stripes*, October 18, 2018.

66 Carol Munoz "Chinese, Russian Hypersonic Weapons Advances a Growing Concern, Air Force Chief Says," *Washington Times*, May 16, 2019.

67 Melanie Marlowe, "Hypersonic Threats Need an Offense-Defense Mix," *Defense News*, August 5, 2019, 15.

68 Aaron Mehta, "Is the Pentagon Moving Quickly Enough on Hypersonic Defense?," *Defense News*, March 21, 2019.

69 Damon V. Coletta, "Navigating the Third Offset Strategy," *Parameters* 47, no. 4 (Winter 2017/18): 50.

70 Kathleen Hicks and Andrew Hunter, "Assessing the Third Offset Strategy," project report, Center for Strategic and International Studies, March 2017, 6.

71 Palo Alto Networks, "Security Operating Platform," executive summary, March 2019, 1–5.

72 CrowdStrike, "The Rise of Machine Learning in Cybersecurity," white paper, 2019, 2–4.

73 Cisco, "Annual Cybersecurity Report," 2018, 10.

74 T. K. Keanini, "Machine Learning and Security: Hope or Hype," Brink News, October 21, 2018.

75 Louis Columbus, "Machine Learning Is Helping to Stop Security Breaches with Threat Analytics," Forbes, June 16, 2019.

76 Palo Alto Networks, "Magnifier," data sheet, 2018, 2.

77 Palo Alto Networks, "Traps Technology Overview," white paper, 2019, 2–4.

78 Gartner, "Magic Quadrant for Endpoint Protection Platforms," industry report, January 24, 2018.

79 Palo Alto Networks, "Closes Acquisition of Secdo," press release, April 24, 2018.

80 Palo Alto Networks, "Cortex XDR," white paper, March 2019, 8.

81 Katelyn Dunn and Matthew Hveben, "Splunk Enterprise Security," Group Test SIEM and UTM-NGFW, *SC Magazine*, May 2019, 39.

82 Splunk, "The Six Essential Capabilities of an Analytics-Driven SIEM," white paper, 2018, 3, https://insight.scmagazineuk.com/six-essential-capabilities-of-an-analytics-driven-siem.

83 Jonathan Trull, "Top 5 Best Practices to Automate Security Operations," Microsoft Security (blog), August 3, 2017.

84 Splunk, "The SOAR Buyer's Guide," special edition, 2018, 4.

85 Splunk, "Reducing Risk with Security Automation and Orchestration," solution guide, 2018,

1–2, https://www.splunk.com/pdfs/solution-guides/reducing-risk-with-soar-phantom.pdf.
86 Swimlane, “Security Automation Orchestration,” technical data sheet, 2019, 1, https://Swimlane.com.
87 Splunk, “Measuring the ROI of Security Orchestration and Response Platforms,” white paper, 2019, 3, https://www.splunk.com/en_us/form/measuring-the-roi-of-security-operations-platforms.html.
88 Gartner, “Market Guide for Security Orchestration, Automation and Response Solutions,” industry report, June 27, 2019.
89 Palo Alto Networks, “Announces Intent to Acquire Demisto,” press release, February 19, 2019.
90 Demisto, “The State of SOAR Report, 2019,” Demisto annual report, 2019, 10.
91 Abhishek Iyer, “Security Orchestration for Dummies,” Demisto special edition, 2019, 20–21.
92 Demisto, “Partner Integrations: Demisto and Cortex” (blog), August 22, 2019.
93 Demisto, “Demisto Enterprise for Incident Management,” data sheet, 2019, 1–3.
94 Reuters, Agence France Press, “Ukraine Introduces Martial Law Citing Threat of Russian Invasion,” *Straits Times*, November 26, 2018.
95 Joe Gould, “US Lawmakers Urge Trump to Arm Ukraine, Break Silence on Russian Blockade,” *Defense News*, November 26, 2018.
96 Mathew Lee, “NATO Approves Measures to Counter Russia amid Internal Rifts,” *Military Times*, April 4, 2019.
97 Ivan Nechepurenko and Andrew Higgins, “Russia and Ukraine Take the First Step to Stop the War,” *New York Times*, September 7, 2019; and Oleg Novikov, “Ukraine Says Russia Returned Ships in Bad Condition,” Reuters, November 20, 2019.
98 Adrian Karatnycky, “Ukraine Is Moscow’s Guinea Pig,” *Wall Street Journal*, November 28, 2018.
99 Tucker, “Russia Launched Cyber Attacks.”
100 Curtis M. Scaparrotti, Statement before the United States Senate Committee on Armed Services, March 5, 2019, 3.
101 Polyakova and Boyer, “Future of Political Warfare,” 1.
102 Polyakova and Boyer, 1.
103 Kevin Jones, “The Fileless Malware Attacks Are Here to Stay,” Hacker Combat, May 10, 2019.
104 Angela Messer and Brad Medairy, “The Future of Cyber Defense ... Going on the Offensive,” *Cyber Defense Review* 3, no. 3 (Fall 2018): 38–39.

結論　新しいアプローチ

1 A. Wess Mitchell, “U.S. Strategy towards the Russian Federation,” statement for Senate For-

eign Relations Committee, August 21, 2018, 1.

2 Michelle Shevin-Coetzee, "The European Deterrence Initiative," Center for Strategic and Budgetary Assessments, January 2019, 4–5.

3 Mark D. Faram, "Why the US Navy Has 10 Ships, 130 Aircraft and 9,000 Personnel in the Mediterranean," *Navy Times*, April 25, 2019.

4 Farnaz Fassihi and Chris Gordon, "China, Russia Criticize U.S. in U.N. Remarks," *Wall Street Journal*, September 29, 2018.

5 The White House, Office of the Press Secretary, "The 2015 G-20 Summit," fact sheet, November 16, 2015.

6 Robert McLaughlin and Michael Schmitt, "The Need for Clarity in International Cyber Law," Asia and the Pacific Policy Society Policy Forum, September 18, 2017.

7 McLaughlin and Schmitt.

8 Michael N. Schmitt, "Grey Zones in the International Law of Cyberspace," *Yale Journal of International Law Online* 42, no. 2 (2017): 2.

9 Joseph Marks, "There's Cyberwar and Then There's the Big Legal Gray Area," Nextgov, February 9, 2017.

10 Marks.

11 Michael N. Schmitt, "Peacetime Cyber Responses and Wartime Cyber Operations: An Analytical *Vade Mecum*," *Harvard National Security Journal* 8 (2017): 242n5.

12 Schmitt, 258.

13 Andy Greenberg, "The Untold Story of NotPetya, the Most Devastating Cyberattack in History," *Wired*, August 22, 2018.

14 Eduard Kovacs, "Maersk Reinstalled 50,000 Computers after NotPetya Attack," *Security Week*, January 26, 2018.

15 US-CERT, "Petya Ransomware," alert TA17-181A, July 28, 2017.

16 Greenberg, "Untold Story of NotPetya."

17 Jon Henley, "Petya Ransomware Attack Strikes Companies across Europe and US," *The Guardian*, June 27, 2017; John Leyden, "FedEx: TNT NotPetya Infection Blew a $300m Hole in Our Numbers," *The Register*, September 20, 2017.

18 Dmitry Zaks, "NATO Warns Russia of 'Full Range' of Responses to Cyberattack," Agence France Presse, May 23, 2019.

19 Mark Landler and David E. Sanger, "Obama Says He Told Putin: 'Cut It Out' on Hacking," *New York Times*, December 16, 2016.

20 David Fidler, "President Obama's Pursuit of Cyber Deterrence Ends in Failure," Net Politics, January 4, 2017.

21 Jim Sciutto, "Russia Has Americans' Weakness All Figured Out," *The Atlantic*, May 14, 2019.

22 Ian Bond and Igor Yurgens, "Putin's Last Term: Taking the Long View," Centre for European

Reform, January 2019, 1.
23 Col. Jaak Tarian, director, NATO Cooperative Cyber Defence Centre of Excellence, closing panel remarks at Cyber Endeavor, Menlo Park, California, June 20, 2019.
24 Stewart Baker, "The U.S. Needs to Think about the Unthinkable on Cybersecurity," *Washington Post*, August 21, 2018.
25 Paul Nakasone, Remarks at the Joint Service Academy Cyber Summit, US Air Force Academy, Colorado Springs, CO, March 15, 2019.
26 Ellen Nakashima, "U.S. Cyber Command Operation Disrupted Internet Access of Russian Troll Factory on Day of 2018 Midterms," *Washington Post*, February 27, 2019.
27 Mark Pomerleau, "New Authorities Mean Lots of New Missions at Cyber Command," Fifth Domain, May 8, 2019.
28 DOD, "Summary: Department of Defense Cyber Strategy," 2018, 4.
29 Pomerleau, "New Authorities."
30 Maxim Shemeipu, "Russian Troll Farm: Yes, the Pentagon Hit Us in Cyber Op. But It Was a Complete Failure," *Daily Beast*, February 28, 2019.
31 Nakashima, "U.S. Cyber Force."
32 Nakashima, "U.S. Cyber Command Operation."
33 Sean Gallagher, "NSA's Top Policy Advisor: It's Time to Start Putting Teeth into Deterrence," Ars Technica, March 4, 2019.
34 Michael P. Fischerkeller and Richard J. Harknett, "Through Persistent Engagement, the U.S. Can Influence 'Agreed Competition,'" Cybersecurity and Deterrence (blog), Lawfare, April 15, 2019.
35 James N. Miller and Neal A. Pollard, "Persistent Engagement, Agreed Competition and Deterrence in Cyberspace," Cybersecurity and Deterrence (blog), Lawfare, April 30, 2019.
36 DOD, "Summary: Department of Defense Cyber Strategy," 2018, 4.
37 Paul M. Nakasone, "A Cyber Force for Persistent Operations," *Joint Force Quarterly* 92 (First Quarter, 2019): 12.
38 Symantec, "Buckeye: Espionage Outfit Used Equation Group Tools Prior to Shadow Brokers Leak," Threat Intelligence (blog), May 6, 2019.
39 Jason Healey, "The Cartwright Conjecture," *Bytes, Bombs, and Spies* (Washington, DC: Brookings Institution Press, 2019), 173–74.
40 David E. Sanger and Nicole Perlroth, "U.S. Escalates Online Attacks on Russia's Power Grid," *New York Times*, June 15, 2019.
41 Tim Starks, "U.S.-Iran Cyber Skirmishes Break Out," *Politico*, June 24, 2019.
42 Julian Barnes, "U.S. Cyberattack Hurt Iran's Ability to Target Oil Tankers, Officials Say," *New York Times*, August 29, 2019.
43 Bozorgmehr Sharafedin, "U.S. Cyber Attacks on Iranian Targets Not Successful, Iran Minister

Says," Reuters, June 23, 2019.

44 DHS, "CISA Statement on Iranian Cybersecurity Threats," June 22, 2019.

45 Dustin Volz, "Trump Administration Hasn't Briefed Congress on New Rules for Cyberattacks, Lawmakers Say," *Wall Street Journal*, July 10, 2019.

46 Keir Giles, *Moscow Rules: What Drives Russia to Confront the West* (Washington, DC: Brookings Institution Press, 2019), 22.

47 Giles, 22–23.

48 Volodymyr Horbulin, *The World Hybrid War: Ukrainian Forefront* (Kiev: Ukrainian Institute for the Future, 2017), 27.

49 James Fallows, "Chaos Serves Putin's Interest: A Veteran Diplomat Takes Stock," Defense One, March 11, 2019.

50 Michael Birnbaum and Philip Rucker, "Leaders Mostly Reject Trump's Push to Reverse Russia's 2014 Expulsion," *Washington Post*, August 27, 2019.

51 David Ignatius, "America Is at War in Cyberspace," *Washington Post*, May 31, 2019.

52 DOD, "Summary: Department of Defense Cyber Strategy," 1.

用語集

あ行

アメリカ国立標準技術研究所（National Institute of Standards and Technology: NIST）　通称NISTとして知られているアメリカ商務省に属する政府機関。NIST内には情報技術に関する研究を行っているITL（Information Technology Laboratory）がある。ITLの中でコンピュータ・セキュリティに関する各種文書を発行しているのがCSD（Computer Security Division）と呼ばれる部門である。FIPSやSP800シリーズの文書も、CSDが発行している。

アーティファクト（artifact）　ソフトウェア開発の過程で生じる中間生成物であり、ソースコードをコンピュータで実行できる形式に変換したバイナリ・ファイルをいう。

閾値（threshold）　境界となる値を指し、その上下で意味や条件、判定などが異なる。本書では、国際法上「武力の行使」に該当するか否かの判定基準または条件を指す。

イベント・ログ（event log）　コンピュータ・システム上の操作や挙動などを時系列に記録したデータ。特に断りのない場合はWindows環境における記録データを指すことが多い。

インターネット・セキュリティ・センター（Center for Internet Security: CIS）　アメリカの国家安全保障局（NSA）、国防情報システム局（DISA）、国立標準技術研究所（NIST）などの政府機関と、企業、学術機関などが協力して、インターネット・セキュリティの標準化に取り組む目的で2000年に設立された団体。CISの略称で知られる。

Windows Feature Update　Windowsの機能を更新するプログラムをいう。

ウェブ・シェル（web shell）　ユーザーが入力するコマンドを解釈するプログラミング言語の実行環境を指す（特定のソフトウェアではない）。その利便性から、システム侵害の目的で利用されるケースが多い。

エクスプロイテーション（exploitation）　脆弱なソフトウェアやパッチが施されていないソフトウェアを特定し、不正にアクセスすること。機器やソフトウェア、システムには潜在的にセキュリティ上の欠陥が存在するため、エクスプロイトはこの欠陥を悪用して開発元やユーザーが意図しない有害なインシデントを引き起こす。自己増殖や自動起動、他のデータや

プログラムへの寄生など、自律的動作の機能を有するコンピュータ・ウィルスと異なり、攻撃者が直接操作して実行するように設計される。

SMB プロトコル（Server Message Block Protocol） Windows のネットワークでファイルの共有やプリンタの共有などを行うためのマイクロソフト社独自の通信プロトコルをいう。

エミュレート（emulate） 特定のハードウェア向けに開発されたソフトウェアを別の設計のハードウェア上で実行させること。

遠隔操作サーバ（Command and Control server: C&C server） ボットネットや感染コンピュータのネットワークに対し、不正なコマンドを遠隔地から送信するために利用されるサーバ。

エンドポイントにおける検知と対応（Endpoint Detection and Response: EDR） ユーザーが利用するパソコンやサーバ（エンドポイント）の状況および通信内容を常時監視し、不審な挙動を検知した場合には記録を取って速やかに管理者に通報することにより、迅速な対応を可能にするコンピュータ・セキュリティ対策の考え方または運用概念を指す。
従来のセキュリティ対策では、インターネットとの接続境界にファイアウォールや侵入検知・防止システム（IDS/IPS）などを設置して脅威を水際で防ぐ「境界防御」が重視されていた。しかし、リモートやモバイル、クラウドなどの普及で境界線が流動化し、標的型攻撃で乗っ取られた内部の端末から攻撃が行われるといったセキュリティ環境の変化に対処しきれなくなっていた。
EDR は「攻撃を受ける」ことを前提に、組織としての被害を最小限に抑える「エンドポイント・セキュリティ」の考え方に基づいており、現在では内部の端末同士でも互いに無条件に信用しない「ゼロトラスト」の考え方に発展している。

エンリッチメント（enrichment） 分析対象に関連する追加情報を外部から入手する方法をいう。例えば、ほかの脅威インテリジェンスのデータベースと照らし合わせて、侵害指標の妥当性を検証することなどに利用されている。

横断的侵害（lateral movement） 組織のネットワークに侵入したマルウェアが OS の正規の機能を悪用し、内部の偵察や管理者権限の窃取を行う攻撃手法をいう。
通常、インターネットを介して標的ネットワークにアクセスする段階を「外部から内部への縦方向の移動」とすれば、横断的侵害では、いったん侵入に成功したあと、標的ネットワークの管理者権限を利用し、ネットワーク内部を横方向（ラテラル）に移動することが可能となる。このため、横断的侵害は全体の攻撃行動のうち、感染や被害が拡大するプロセスで生じる。
通常、セキュリティ対策は外部からの侵入（縦方向の侵害）を防ぐことに重点が置かれ、同

ーネットワーク内での攻撃（横方向の侵害）は想定されにくい傾向があった。そのため、いったん侵入を許し、横断的侵害による組織内ネットワークの活動を検知することは難しいとされてきた。

か行

回避型マルウェア（evasive malware） サンドボックスによる解析を回避する機能をもつマルウェア。

キーロガー（keylogger） キーボード操作の内容を記録するソフトウェアおよびハードウェアの総称。本来はソフトウェア開発などのデバッグ作業に用いられてきた技術であるが、パスワードや機密情報を盗み出すために悪用される事例が報告されている。

キーログ（keylog）「コンピュータなどにキーロガーを仕掛ける」ことを意味し、標的端末のキー入力の履歴やパスワードなどをキーロガーによって盗みだすこと。

キーストローク・ロギング・ソフトウェア（keystroke-logging software） コンピュータのキー入力の履歴を記録するためのソフトウェア。ユーザーが気付かないうちにインストールされ、パスワードなどの認証情報を盗み出すのに利用されることが多い。

境界防御（Perimeter Defense） 組織内ネットワークと外部ネットワークの境界線でセキュリティ脅威を阻止しようとする防御の考え方またはネットワーク・セキュリティの運用概念。一般的に、ファイアウォールやIDS（不正侵入検知システム）、IPS（不正侵入防御システム）が境界防御の代表例とされている。

キャッシュ・メモリ（cache memory） データ・アクセスを高速化するため、CPUと主記憶装置の間に置かれるメモリを指す。キャッシュとは「隠し場所、貯蔵所」の意味。

クラウド・セキュリティ・アライアンス（Cloud Security Alliance） クラウド・コンピューティングのセキュリティ実現に必要なクラウド利用に関して、国際的な啓発教育を行っている非営利組織。クラウドのユーザーに対し、ベスト・プラクティスの普及・推奨に努め、アメリカを中心に世界60以上の支部が地域に根ざした活動を展開している。

検知と対応（detection and response）「エンドポイントにおける検知と対応」を参照。

攻撃ベクター（attack vector） 攻撃者が標的システムにアクセスまたは侵入するために使用する方法または経路。

高度で持続的な脅威（Advanced Persistent Threat: APT）　APT攻撃とは、特定の攻撃対象に対して執拗に攻撃を繰り返し、あるいは長期間にわたり潜伏し、高度な手法を駆使して諜報活動や妨害行為などを行うタイプのサイバー攻撃の総称。2010年頃から世界的に注目され始めた。
通常の標的型攻撃と比較すると、標的型攻撃は金銭や機密情報の窃取など攻撃者の利益に結びつくような活動が目的と見なされるのに対し、APT攻撃は攻撃対象者の活動を妨害したり、損害を与えたりすることが目的とされるケースが多い。また、軍や諜報機関など国家機関による敵対組織への諜報活動や妨害・破壊行為を特徴としている。

コマンドライン引数（command-line arguments）　コンピュータのコマンド入力画面（コマンドライン）からプログラムを起動する際に指定する文字列またはプログラム側で受け取った変数などの値。

コンテキスト・スイッチ（context switch）　一つのCPUを用いて複数のプロセスを同時並行的に処理するための切り替え動作をいう。具体的には、あるプロセスを実行している最中に、処理の流れを一時中断してCPU内部のレジスタの状態を特定のメモリ領域などに保存し、同じように途中で中断されていた別のプロセスの実行状態を読み込んで処理を再開する。この一連の切り替え処理のことをコンテキスト・スイッチという。

さ行

再イメージ化（reimaging）　コンピュータ上のソフトウェアをすべてアンインストールし、Windows上に画像を再インストールすること。

サイバーキルチェーン（Cyber Kill Chain）　サイバー攻撃者の行動について「偵察」から「目標達成のための実行」までを7つの段階に分類したモデルとして有名。2011年にロッキード・マーティン社のエリック・M・ハッチンス（Eric M. Hutchins）氏らが発表した論文のIntrusion Kill Chainの考え方に基づいている。詳細は第7章を参照。

サードパーティ製品（third-party product）　対象製品の開発元・販売元ではなく、第三者によって市場に供給されている製品。

サプライチェーン（supply chain）　ある製品について原材料の調達から生産、物流、販売を経て、消費者の手元に届くまでのプロセスを指す。

CIS管理対策（CIS Controls）　アメリカのインターネット・セキュリティ・センター（Center for Internet Security: CIS）が「組織が最低限行うべき対策」という観点から、技術的な対策を153項目に区分して整理したもの。現在発生しているサイバー攻撃や近い将来に発生

が予測される攻撃の傾向を踏まえ、多岐にわたる対策の中から、各組織が実施すべき対策とその優先順位を導くためのアプローチを提示したフレームワークである。

シーム（Security Information and Event Management: SIEM）　セキュリティ機器のログ・データ内のアクティビティを収集し、リアルタイムで脅威となり得るものを自動で検出・可視化して、管理者に通知する単一のセキュリティ管理システム。
具体的には、ファイアウォールやプロキシなどから出力されるログやデータを一元的に集約し、それらのデータを組み合わせ、相関分析を行うことにより、ネットワーク監視やマルウェア感染などのインシデントを検知する。

自給自足型攻撃（Living Off The Land）　侵入環境にインストールされているソフトウェア、OS デフォルトの機能、スクリプトを悪用して攻撃する手法を指す。その特徴は、正規ユーザーの通常操作の中に攻撃を紛れ込ませ、検知されることを回避できる点にある。
もともと英語の Living Off The Land には「その土地のものを食べて暮らす」、つまり自給自足という意味がある。

スクリプトベースの攻撃（script-based attack）　PowerShell、JavaScript、HTA、VBA、VBS、バッチスクリプトなど、さまざまな種類のスクリプトファイルを使用した攻撃を指す。スクリプトベースの攻撃は記述と実行が容易であり、難読化がしやすいという特徴をもつほか、ほぼすべての Windows システムで実行可能なことから、潜在的な攻撃対象が増え、感染の可能性が高いといわれている。
他方、攻撃が成功する条件として、エクスプロイトを介して展開されない限り、スクリプトを実行するためにはユーザーの操作が必要になるという点があげられる。

スタック（stack）　スタックとはデータ構造のリストの中で、特に「挿入」「削除」がリストの先頭からしか実行できない構造上の仕組みを指す。例えば、テキスト文書の編集操作の「元にもどす」などには、スタック機能が活用されている。

スレイブ（slave）　同等の機能をもつ複数のデバイスがバス接続*されている場合、自己の制御機能を使わず、主系統のマスターの制御下に置かれるものを指す。例えば、DNS サーバのうち副系統（サブ）の役割を果たすセカンダリ DNS サーバをスレイブと呼ぶ。この場合、スレイブ・サーバは主に冗長性を確保するために使用される。
＊一本の通信ケーブルや伝送路などにすべての機器・装置を接続し、相互に通信する接続・配線形態。

スレッド（thread）　並行処理に対応したマイクロプロセッサ（CPU/ MPU）およびオペレーティング・システム（OS）におけるプログラムの最小の実行単位を指す。並行処理を行わない場合、一つの実行プログラムは一つのスレッド（シングル・スレッド）で命令を順に実

行する。

セキュリティ運用センター（Security Operating Center: SOC） 24時間365日体制でネットワークやデバイスを監視する組織。CSIRTと役割が似ているが、CSIRTはインシデントが発生したあとの事後対応に重点が置かれるのに対し、SOCはインシデントの事前の検知に重点が置かれるのが特徴である。

セキュリティ・プロセスの連携および自動化（Security Orchestration, Automation, and Response: SOAR） セキュリティ運用業務の効率化や自動化を実現するための技術あるいはソリューションを指し、「脅威と脆弱性の管理（Orchestration）」、「セキュリティ運用の自動化（Automation）」「セキュリティ・インシデント対応（Response）」の3つの機能から成り立つ。その目的は、広範な範囲のソースから脅威関連データを収集し、レベルの低い脅威への対応を自動化することである。SOARシステムによって、組織は人手による作業量を軽減し、脅威と脆弱性への対応が迅速になり、セキュリティ担当者が時間を有効に使えるようになる。

セッション（session） コンピューター・ネットワークにおけるセッションとは、通信の開始から終了するまでを指す。クライアントとサーバで通信を行う場合、クライアントからサーバへ接続した時点でセッションが始まり、サーバから切断するとセッションが終了する。この一連の流れを管理することをセッション管理という。

た行

ダーク・ウェブサイト（dark website） 通常の検索エンジンではアクセスできない深層ウェブのうち、違法な物品の売買や犯罪行為に関する情報が掲載されているウェブサイトを指す。闇ウェブとも呼ばれ、非合法な活動の温床になっているといわれる。

多要素認証（multifactor authentication） 本人確認のため複数の要素をユーザーに要求する認証方式。具体的には、アクセス時およびログイン時に、認証の3要素である知識情報・所持情報・生体情報のうち、2つ以上を組み合わせた認証方式が不正アクセス・リスクへの強化対策として導入されている。
一般的には、パスワードによる認証に加え、もうひとつ別の認証手段が組み合わされるケースが多い。

データ・プライバシー（data privacy） アクセス権限を誰が所有し、誰がアクセス権限を認定するかといった問題を指す。データ保護（不正アクセスからデータを保護すること）は本質的に技術的な問題であり、データ・プライバシーは法律や規制にかかわる法的問題であると分類することができる。

デフォルト・パスワード（default password）　すでに誰かに知られているパスワードをいう。デバイスがログインするためにユーザー名やパスワードを必要とする場合、通常、初期セットアップ中、または工場出荷時のデフォルトにリセットした後に、デバイスにアクセスするためのデフォルトのパスワードが提供される。

ドメイン・コントローラー（domain controller）　あるネットワークの範囲（ドメイン）に加入するユーザー・アカウントやコンピュータ のアクセス権限を一元的に管理し、ユーザー認証を行うサーバをいう。

ドメイン・ネーム・システム（Domain Name System: DNS）　インターネット上のホスト名（FQDN）やドメイン名に対応する IP アドレス情報を管理・運用するシステムをいう。

ドライブバイ・ダウンロード（drive-by download）　Web にアクセスしたとき、ユーザーの気づかないうちに何らかのソフトウェアが自動的にダウンロードされ、インストールされるよう仕組まれた攻撃者の手法。

ドロッパー・ファイル（dropper file）　自身のコードから他のファイルを作成するプログラムを指す。通常、複数のファイルをコンピュータに作成して不正なプログラム・パッケージとしてインストールされる。

な行

難読化（obfuscated）　プログラム・コードの動作を変えずに、コードを読み取りにくい形に変換・加工を施す技術。これにより、リバース・エンジニアリングによる解析や、マルウェア検出システムによる解析を困難にする。
簡単な手法としては、改行や空行、インデントなど「読みやすさ」のために挿入された要素を取り去る、変数名や関数名などのラベル（要素の名前）をすべて自動生成した意味ない文字列で置き換える、文字列リテラルを文字コードなど文字そのもの以外の方法で表記するといった方法がある。例えば、単に a=0 という式を a=(101-1)-(99+1) のように文字列を複雑化することで、相手に多大な解読時間を強要することができる。このように、不要な式を追加したり、文字コードを使用したりして、解析しにくくすることも難読化の一種である。
コンピュータにとっては同じ挙動を指示しているため、実行すると元のソースコードとまったく同じように動作してしまう。このため、難読化の効果はさらに増幅する。

認証情報（credential）　ネットワークにログオンするときの ID、パスワード、ハッシュ、PIN、Kerberos などを指す。

ネットワーク・シグネチャ（network signature）　コンピュータ・ウィルスに含まれる特徴

的なデータ断片や攻撃者のアクセスに特徴的な受信データのパターンを示す電子的痕跡をいう。

は行

ハイパーテキスト転送プロトコル（hypertext transfer protocol）　インターネット上でのデータ転送のためのプロトコル。WWW サーバとブラウザーが HTML ファイルや画像、音声などのデータの送受信に用いられている。

Pass the Hash 攻撃　認証時に使用されるパスワードのハッシュ情報を不正に取得・使用し、認証を潜り抜けるなりすまし攻撃をいう。

ハッシュ（値）（hash）　入力データに対応して定められる一種の整理番号をいう。データの検索・照合などに使われる。

パッチ（patch）　発見されたセキュリティ上の脆弱性を修復するモジュールをいう。

バッチ・スクリプト（batch script）　Windows 環境において、コマンドでコンピュータを操作するためのプログラムを指す。

ハンティング・エンジン（hunting engine）　取得したログを横断的に分析し、統計的に異常な挙動を「証拠」として集め、関連する「証拠」の集まりを「不審事項」として監視後、攻撃性の高いものを「MALOP*」として特定するための解析エンジンをいう。

* MALOP とは Malicious Operations の略で、サイバー攻撃の一連の流れを指す。

ヒープ・スプレー（Heap Spray）　ヒープ領域とは、ソフトウェアが自由に利用できるメモリ領域を指し、いわばデータの仮置き場や臨時の作業台のように使用される。プログラムの実行時には、OS からソフトウェアに対して一定量のヒープ領域が与えられ、利用し終わった領域は解放され、再び自由に使える状態に戻る。
ヒープ・スプレーでは、メモリ領域にあたかもスプレーで塗りつぶすように大量の不正なプログラムが書き込みされる。

ピン・コマンド（ping command）　IP パケットが通信相手に正しく届いているかを確認するためのツール。

ファイルレス・マルウェア（fileless malware）　もともと OS に備わっている機能を使い、メモリに常駐して行われる攻撃をいう。悪意のあるソフトウェアをインストールさせるのではなく、ディスク上に実行ファイルを保存することもない状態で、意図した攻撃を仕掛けるこ

とができる。そのため、従来のセキュリティ対策ソフト（アンチ・ウイルスソフトなど）ではファイルレス・マルウェアを検知することができないケースが多い。

ファイルレス・マルウェア攻撃（fileless malware attack） ファイルレス・マルウェアによる攻撃をいう。ファイルレス・マルウェア攻撃で多用されている「もともとOSに備わっている機能」の一例として、Windows 7以降のWindowsに標準搭載されているWindows PowerShellがある。

フラッディング（flooding） ネットワーク機器のデータ転送方式の一種や、システムに許容量を超えるデータや処理要求が届き、麻痺状態に陥る現象をいう。

分散型サービス拒否攻撃（DDoS attack） ウェブサービス用のサーバなどに複数のマシンから一斉に大量のトラフィックを送り付け、サービス（通常はウェブサイト）を利用できなくしたり、サービスを提供しているサーバが正常に機能しなくなるようにする攻撃をいう。

ブースト・グライド（boost glide） 弾道飛翔体や宇宙船が高層大気で空気力学的揚力を利用してスキップすることで、再突入までの距離を延伸する飛行方法。不規則な軌道を描くため、追跡や迎撃が難しい。

ペイロード（payload） 伝送されるパケットのヘッダー部を除いたデータの本体を指す。

ベクター（vector） 「攻撃ベクター」を参照。

「ベスト・オブ・ブリード」アプローチ（Best of Breed approach） 組織のシステムやソフトウェア、データベースを構築する際、同一のベンダー、同一のアーキテクチャの製品、あるいはスイート製品を使うのではなく、各分野でそれぞれ最適な製品を選定し、それらを組み合わせてシステム構築を行うアプローチをいう。

ベンダー（vendor） 製造元、販売元をいう。特にコンピュータ、ソフトウェア、ネットワーク機器などのIT関連製品の販売業者を指すケースが多い。

ボット（bot） マシンによる自動発言システムのことで、語源はロボットに由来。特定の時間に自動ツイートするボット、ユーザーのボット宛の発言に自動応答するボット、特定のキーワードに反応するボットなどがある。

ポリモーフィック型マルウェア（polymorphic malware） 感染するたびに毎回異なる暗号鍵で自身のプログラム・コードを変化させることにより、パターン・マッチングによる検出を

回避するマルウェア。実行するたびに、さまざまな手法でコードを変更するため、感染力が強く、従来の検知型セキュリティ・ソリューションによる検出を逃れてしまうことが多い。ミューテーション型ともいう。
ちなみに、ポリモーフィックとは「多様な形」という意味。

ま行

マイター・コーポレーション（The MITRE Corporation） アメリカ連邦政府が資金提供している非営利のシンクタンク。官民の連携を通じてAI、データサイエンス、量子情報科学、医療情報学、宇宙安全保障、サイバー脅威の共有、サイバーレジリエンスなど、広範な分野の研究に取り組んでいる。

マスター・ブート・レコード（master boot record） ハードディスクなどのストレージ（外部記憶装置）の最も先頭部分の位置し、コンピュータを起動させるために最初に読み込まれるデータ領域をいう。

マルウェア（malware） マルウェアとは悪意のあるソフトウェアやプログラムの総称。マルウェアを使ったサイバー攻撃は、いずれもユーザーに何らかの方法でソフトウェアをインストールさせることで行われる。

ミミカツ（Mimikatz） Windowsのメモリ上にある認証情報にアクセスし、管理者権限を盗み取ったり、他のアカウントになりすましたりする認証情報を取得するためのツール。
ちなみに、Mimikatzのmimiとはフランス語で「かわいい」を意味する。つまり「かわいい猫」の意である。

メトリクス（metrics） さまざまな活動を定量化し、単に定量化した数値データではなく、その定量化したデータを分析や管理に使えるように加工した指標をいう。

ら行

リモート・デスクトップ・プロトコル（Remote Desktop Protocol: RDP） デスクトップ・コンピュータを遠隔操作で使用するためのプロトコルまたは技術規格。これにより、遠隔地からデスクトップを使用するユーザーは、実際にデスクトップ・コンピュータの前に座っているかのように、デスクトップにアクセスし、ファイルを編集したり、アプリケーションを使用したりすることができる。

レイヤー（layer） 何らかの装置やソフトウェア、システム、ネットワークの構造を説明する際、構成要素が階層状に積み上がった構造になっている場合、それぞれの要素をレイヤーと呼ぶ。例えば、コンピュータのハードウェア上でオペレーティングシステム（OS）が動

き、OS 上でアプリケーションソフトが動いている、というそれぞれの構造について、ハードウェア・レイヤー、OS レイヤー、アプリケーション・レイヤーなどと呼ぶ。
通信の分野でも、機器やソフトウェアの役割やプロトコル（通信規約）について階層構造で整理することがあり、それぞれの機能階層をレイヤーという。例えば、OSI 参照モデルでは通信機能を 7 つのレイヤー（物理層、データリンク層、ネットワーク層、トランスポート層、セッション層、プレゼンテーション層、アプリケーション層）に分割して定義している。

ロード（load）　データを外部記憶装置から主記憶装置に読み込むこと。

著者＊スコット・ジャスパー（Scott Jasper）

現在、アメリカ海軍大学院国家安全保障学部上級講師。アメリカ・サイバー戦の第一人者の一人である。主な著書（いずれも未邦訳）に以下のものがある。

Strategic Cyber Deterrence: The Active Cyber Defense Option, Rowman & Littlefield Publishers, 2017.

Conflict and Cooperation in the Global Commons, Georgetown University Press, 2012.

Securing Freedom in the Global Commons, Stanford University Press, 2010.

Transforming Defense Capabilities: New Approaches for International Security, Lynne Rienner, 2007.

訳者＊川村幸城（かわむら・こうき）

慶應義塾大学卒業後、陸上自衛隊に入隊。防衛大学校総合安全保障研究科後期課程を修了し、博士号（安全保障学）を取得。現在、陸上自衛隊通信学校勤務（1等陸佐）。訳書に『防衛の経済学』（共訳、日本評論社）、『戦場——元国家安全保障担当補佐官による告発』、『不穏なフロンティアの大戦略——辺境をめぐる攻防と地政学的考察』、『戦争の新しい10のルール——慢性的無秩序の時代に勝利をつかむ方法』、『陰の戦争——アメリカ・ロシア・中国のサイバー戦略』（以上、中央公論新社）、『AI、兵器、戦争の未来』（東洋経済新報社）がある。

ロシア・サイバー侵略――その傾向と対策

二〇二三年二月二四日　初版第一刷印刷
二〇二三年二月二八日　初版第一刷発行

著　者　スコット・ジャスパー
訳　者　川村幸城

発行者　福田隆雄
発行所　株式会社作品社
〒一〇二 - 〇〇七二　東京都千代田区飯田橋二 - 七 - 四
電話　〇三 - 三二六二 - 九七五三
ファクス　〇三 - 三二六二 - 九七五七
振替口座　〇〇一六〇 - 三 - 二七一八三
ウェブサイト　https://www.sakuhinsha.com

装丁　小川惟久
本文組版　大友哲郎
作図　米山雄基
印刷・製本　シナノ印刷株式会社

ISBN978-4-86182-954-3　C0031　Printed in Japan
落丁・乱丁本はお取り替えいたします
定価はカヴァーに表示してあります